CIRO GOMES
PROJETO NACIONAL:
O DEVER
DA ESPERANÇA

PROJETO NACIONAL: CIRO

O DEVER DA ESPERANÇA
GOMES

LeYa

Copyright © 2020 Ciro Gomes
© 2020 Casa dos Mundos/LeYa Brasil

Todos os direitos reservados e protegidos pela Lei 9.610, de 19.02.1998.
É proibida a reprodução total ou parcial sem a expressa anuência da editora.

Projeto editorial
Leila Name

Editor executivo
Rodrigo de Almeida

Produção editorial
Carolina Vaz
Verônica Reis
Viviane Marques

Preparação
Clara Diament

Revisão
Natalie Lima

Diagramação e projeto gráfico
Filigrana

Capa
Victor Burton

Imagens / crédito de capa
Magnum
BRASIL. Brasília.1960.
© Magnum Photos/Fotoarena/
René Burri.

Foto do autor
J. R. Duran

Dados Internacionais de Catalogação na Publicação (CIP)
Angélica Ilacqua CRB-8/7057

Gomes, Ciro
    Projeto nacional: o dever da esperança / Ciro Gomes. – São Paulo: LeYa Brasil, 2020.
    272 p.

    ISBN 978-65-5643-003-4

    1. Economia - Brasil 2. Ciência política - Brasil I. Título

20-1854   CDD 320.0981

Índices para catálogo sistemático:
1. Economia - Brasil - Ensaios

LeYa Brasil é um selo da empresa Casa dos Mundos.
Todos os direitos reservados à
Casa dos Mundos Produção Editorial e Games Ltda.
Rua Avanhandava, 133 | Cj 21 – Bela Vista
01306-001 – São Paulo – SP
www.leya.com.br

*Para Giselle, minha esposa,
para Lívia, Ciro, Yuri e Gael, meus filhos,
para Maria Clara, minha neta,
para Gabriel, meu netinho que acaba de nascer,
esta ode à esperança!*

"A finalidade do Estado é promover a justiça social. Mas não há justiça social sem desenvolvimento e não há desenvolvimento sem soberania."

Getúlio Vargas

Sumário

Uma proposta de empoderamento dos brasileiros, por Roberto Mangabeira Unger 13
Antes de mais nada 23
Introdução 29

Uma nação adiada 35
    Um incrível exemplo de desenvolvimento 35
    Um pouco de história 36
    Brasil: um sonho interrompido 42

As raízes da crise econômica 47
    Prometeu acorrentado 47
    Inflação derrotada 53
    O novo rentismo 56
    O populismo cambial 60
    A queda do preço das commodities 63
    O efeito Lava Jato 67
    Democracia golpeada 71
    De novo a devastação do neoliberalismo 73
    A queda no abismo 80

O NOVO CONTEXTO GEOPOLÍTICO 83
    A falência da proposta neoliberal 85
    Novos padrões de espionagem e desestabilização 91
    O Brasil e a América Latina 93
    O Brasil e os EUA 95
    O Brics 97
    O Brasil no mundo 98

UM PROJETO PARA O BRASIL 101
    Há condições necessárias ao êxito civilizatório? 102
    Conceito de "Projeto Nacional de Desenvolvimento" 105
    O Brasil que queremos 107
    O Brasil que temos 109
    O que fazer agora? 114
    O que fazer para o futuro: um projeto nacional 124
    Recuperar o Estado 125
    Racionalizar a dívida pública 126
    Uma reforma da Previdência justa 129
    A reforma tributária necessária 141
    Uma nova política industrial 147
    Ciência e tecnologia para o desenvolvimento 157
    Uma revolução educacional 159
    A cultura e sua dimensão educacional e econômica 164
    Brasil, o celeiro do mundo 166
    Não podemos escolher entre produzir e preservar 170

Uma nova agenda de reformas 173
    Reverter a agenda das contrarreformas 173
    A Reforma Política... 175
    A Reforma da Saúde 179
    A Reforma da Segurança Pública 185
    Que base social pode sustentar um projeto soberano?.......... 189

Por uma nova esquerda 195
    Há ainda sentido em falar de esquerda e direita?................... 196
    A crise da esquerda contemporânea 201
    A crise da esquerda brasileira 220
    Apontamentos para uma nova prática 229
    Por um novo progressismo genuinamente brasileiro............. 248

O dever da esperança 257
Nota do autor... 262
Agradecimentos...263
Sobre o autor 265
Índice remissivo.. 267

Uma proposta de empoderamento dos brasileiros

por Roberto Mangabeira Unger

Ciro Gomes apresenta neste livro sua proposta para o Brasil. Escrevo este prefácio como seu aliado, interlocutor e amigo, beneficiário de décadas de discussão e parceiro em lutas que se já prolongam por boa parte de nossas vidas. Escrevo também como cidadão que quer vê-lo eleito presidente da República, porque nele identifico o melhor condutor para a mudança de rumo de que o Brasil precisa.

Nele se combinam qualidades que raramente vemos juntas: inteligência vigorosa, curiosidade intelectual, conhecimento íntimo dos negócios de Estado – nutrido por experiência e pesquisa, e amparado pelo estudo comparado de outras realidades nacionais –, audácia e clareza na construção de proposta nacional e coragem para enfrentar os obstáculos que se opõem à sua efetivação.

A coragem não é a maior virtude. Ela constitui, porém, a virtude habilitadora: sem ela, todas as outras virtudes se esterilizam. Clareza para ver e fibra para enfrentar é o que Ciro Gomes tem a rodo.

É comum, mesmo entre os líderes políticos mais talentosos, imaginar que, uma vez no poder, só precisam se preocupar em construir alianças e superar os interesses contrariados. Supõem ser claro o caminho. As ideias necessárias para defini-lo em pormenor aparecerão na hora, quando forem necessárias, providenciadas por técnicos prestativos e intelectuais obsequiosos. Os esquerdistas, em particular, costumam fingir esconder, por razões táticas, um plano que não têm.

Ciro Gomes sempre compreendeu que, de todos os meios que escasseiam para mudar a sociedade, o mais escasso são as ideias. Elas não se apresentam quando convocadas. Os homens de Estado, mesmo quando dispostos a ousar, acabam reféns das ideias disponíveis na esfera e na época em que atuam.

O Brasil precisa de ideias para equipar os brasileiros e transformar nosso recurso nacional mais importante – a vitalidade – em ação fecunda. Este livro responde a tal imperativo.

Nestas páginas, Ciro Gomes propõe um projeto nacional de desenvolvimento que aborda os brasileiros como agentes a empoderar em vez de abordá-los, do modo costumeiro na política brasileira, como beneficiários a cooptar. O projeto exposto aqui demarca a construção de um rumo que funda o desenvolvimento sobre a democratização das oportunidades e das capacitações e reconhece o vínculo entre desenvolvimento democratizante e afirmação nacional.

Em cada momento, Ciro aponta o legado institucional da alternativa que defende. Na vida das nações, esse legado marca a diferença entre o passageiro e o duradouro, o superficial e o profundo. O redirecionamento de recursos passa, de acordo com as circunstâncias e a correlação de forças. As instituições ficam.

Não vivemos, no Brasil, um grande movimento de construção institucional desde a época de Getúlio Vargas; por isso mesmo, continuamos a nos mover em meio aos destroços do corporativismo varguista.

Determinado a fundar a transformação necessária na circunstância histórica real, Ciro Gomes explica o que aconteceu ao país nas últimas décadas e como e por que chegamos ao quadro de estagnação econômica, desagregação política e rendição nacional em que nos encontramos. Para isso, ele contrasta sua proposta com os dois ideários que predominaram nos governos desse período.

Um deles – que atravessou os mandatos de Fernando Collor, Itamar Franco e Fernando Henrique Cardoso na década de 1990, e ressurgiu com Michel Temer e Jair Bolsonaro nos últimos anos – foi o fiscalismo financista. Travestido de liberalismo e de ortodoxia econômica, apostou na retração do Estado e na busca da confiança financeira. Atuou na suposição – desmentida em todo o mundo – de que a obediência traria o investimento e que nosso país cresceria com o dinheiro dos outros. O realismo fiscal é indispensável, sim, como Ciro Gomes sempre reconheceu e praticou, não para ganhar a confiança financeira, mas pela razão oposta: para que o Brasil e seu governo não dependam da confiança financeira e possam ousar na construção de estratégia insubmissa de desenvolvimento. Abdicar da rebeldia, e da construção institucional que ela exige, foi o maior pecado dessa conspiração contra nosso futuro.

O outro ideário – que acabou prevalecendo nos governos petistas – foi o nacional-consumismo. Teve o mérito de diminuir a pobreza, mas tomou o caminho fácil de usar as riquezas naturais do país – na agricultura, na pecuária e na mineração – para pagar a conta do consumo urbano. Em vez de organizar a qualificação do aparato produtivo do país e a capacitação dos brasileiros, aceitou nossa regressão a um primarismo produtivo, do qual a desindustrialização foi apenas um dos aspectos. Renegou a construção de um produtivismo inclusivo, voltado para o horizonte da economia do conhecimento, e organizou um sistema geral de cooptação – dos pobres pelas transferências sociais, das corporações pelos direitos adquiridos, dos graúdos pelos favores tributários e pelo crédito subsidiado, e dos rentistas pelos juros desnecessários e irresponsáveis. Quando a riqueza fácil acabou, a tentativa de dar sobrevida a um modelo econômico malogrado aprofundou a ruína, desorganizando as finanças públicas. E a cooptação multiplicou oportunidades para a corrupção nos acertos entre as elites de poder e de dinheiro.

Neste livro, análise e crítica são apenas preliminares à sua proposta. Nela, Ciro define um caminho nacional marcado pelas seguintes diretrizes, entre outras:

1. Ciro quer ver a produção qualificada de maneira que também democratize o acesso às oportunidades produtivas. Ele sabe que o mundo se preocupa hoje com um novo dilema na busca do desenvolvimento. A indústria convencional, como aquela instalada no Sudeste em meados do século passado, deixou de ser vanguarda. Sobrevive apenas como resquício de vanguarda superada ou satélite de nova vanguarda – a economia do conhecimento. A alternativa seria uma forma socialmente abrangente da nova vanguarda: a economia do conhecimento, rica em ciência e tecnologia e dedicada à inovação permanente. A economia do conhecimento não se cinge à manufatura avançada nas grandes economias do mundo; existe também nos serviços intelectualmente densos e na agricultura científica e de precisão. Em cada setor, porém, prospera apenas como série de franjas excludentes. Mesmo nas economias mais ricas, com as populações mais educadas, a grande maioria dos trabalhadores e das empresas fica fora dela.

Está dado, portanto, o dilema. O atalho tradicional deixou de funcionar. A alternativa parece inacessível. Ciro mostra como podemos enfrentar esse dilema e começar a superá-lo.

2. Ele propõe enfrentá-lo por duas dinâmicas simultâneas. Uma dinâmica, de cima para baixo, aproveita o potencial do complexo agropecuário, do complexo energético, do complexo de saúde e farmacêutico e do complexo de defesa como mananciais de vanguardismo produtivo e tecnológico. Outra dinâmica, de baixo para cima, usa os instrumentos de que o Estado brasileiro já dispõe, como o Sebrae, o Senai, a Fiocruz, a

Embrapa, a Finep e os bancos públicos, para aproximar parte crescente da multidão de pequenas e médias empresas – os agentes mais importantes da economia brasileira – da nova vanguarda produtiva.

3. Ciro compreende que não há escalada de produtividade socialmente inclusiva que se sustente se a maior parte de nossa força de trabalho continuar jogada no aviltamento salarial, no subemprego, na informalidade (onde pena hoje metade dos trabalhadores) e na precarização (para onde está indo parte crescente dos empregados na economia formal), além de vergada sob o jugo de dívidas impagáveis. Não se podem abolir as novas práticas de produção por imposição de leis que servem aos interesses das minorias organizadas, mas não aos das maiorias desorganizadas. Porém, também não se deve permitir que, sob o eufemismo neoliberal da "flexibilidade", se abandone a maioria à insegurança econômica incontida. Daí, segundo Ciro, a necessidade de construir regras, práticas e políticas que organizem, representem e protejam essa maioria informal ou precarizada e a resgatem do endividamento paralisante.

4. Ciro não fica atrás de qualquer um na defesa do realismo fiscal, que ele entende, junto com a defesa, como parte do escudo de nossa rebeldia nacional. São ideias credenciadas por atos: ninguém que tenha atuado no primeiro plano da política brasileira se esmerou mais em assegurar superávits fiscais. Não o fez para atender aos mercados financeiros, mas sim para que o país não precise se ajoelhar diante dos interesses e preconceitos deles. Sabe que realismo fiscal exige sacrifício e que, por isso mesmo, só se legitima e se mantém se vier no bojo de mudança de rumo que ofereça oportunidade e capacitação para muitos. Ciro reconhece que a classe média terá que ajudar a pagar a conta junto com os ricos, mas insiste em medidas como a tributação das grandes heranças e doações familiares e dos lucros e dividendos para que os endinheirados tenham que arcar com parte maior do sacrifício nacional. O compromisso com o realismo fiscal dá a Ciro autoridade para combater, como fez ao longo de sua trajetória,

uma pseudo-ortodoxia econômica que usa a política monetária para sacrificar a produção ao rentismo financeiro e a política cambial para disfarçar o empobrecimento do país.

5. Para Ciro, a contrapartida indispensável ao produtivismo inclusivo é uma transformação da educação brasileira, prefigurada, aos olhos dos estudiosos do ensino em nosso país, pelos avanços que seus aliados e seguidores conseguiram na cidade de Sobral, no Ceará. Avanços medidos por provas e padrões internacionais e possibilitados pela observância de critérios objetivos de desempenho. E orientados para uma maneira de aprender e de ensinar que rompa com o enciclopedismo raso e dogmático e inaugure educação analítica e capacitadora. Ciro entende que, no nosso país continental, desigual e federativo, a qualificação do ensino passa por iniciativas que reconciliem a gestão das escolas pelos estados e municípios com padrões nacionais de investimento e qualidade. Para isso, precisamos organizar um trabalho conjunto dentro da federação para socorrer os municípios cujo ensino, apesar de todos os esforços, caia repetidamente abaixo do patamar mínimo aceitável de eficácia. A qualidade do ensino que um jovem recebe não deve depender do acaso do lugar onde ele nasce.

6. Ciro argumenta que uma alternativa nacional desenhada para qualificar e democratizar, ao mesmo tempo, a produção e o ensino só se efetivará se tocar o chão da realidade regional. Conhecedor do Brasil profundo, ele sabe que nosso país são muitos Brasis. Daí a importância que ele dá à construção de um novo modelo de política regional: uma política regional desenhada para cada macro e micro região do Brasil; destinada a acalentar em cada região a construção de novas vantagens comparativas a partir das vantagens comparativas já estabelecidas e dos agentes atuais, para além de providenciar compensações para o atraso relativo; e construída pelas próprias regiões em parceria com o governo federal em vez de ser imposta a elas pelo governo central. Ele reconhece no federalismo cooperativo – tanto vertical entre os três níveis da federação como horizontal entre os es-

tados e municípios – o instrumento mais importante desse modelo, e nos consórcios federativos, já em formação Brasil afora, seu veículo jurídico privilegiado. Como nordestino, entende que o melhor lugar para começar essa mudança de modelo é o Nordeste, mais vítima do que beneficiário da política regional herdada.

7. Um projeto nacional forte como esse se exprime também por meio de uma política externa forte. A tarefa mais exigente e sutil da política externa de uma potência emergente como o Brasil é reconciliar a busca de um lugar mais favorável na ordem mundial existente – comercial, monetária e de segurança – com uma revisão dessa ordem que amplie o espaço para nosso projeto nacional de desenvolvimento. Revisão que exige negociação com as grandes potências e articulação com os países emergentes. Ciro sabe que temos que cumprir essa tarefa nas circunstâncias ditadas pelos fatos: na América do Sul, nossa vizinhança, entendendo que uma união sul-americana precisa ter por base uma estratégia compartilhada de desenvolvimento que só o Brasil pode liderar; na abordagem dos EUA, substituindo o alinhamento servil e automático por relação pautada pelos interesses de nosso desenvolvimento e de nossa independência; no trato com a China, reconstruindo uma acomodação com aquele país que nos relegou ao papel de provedor de produtos primários em vez de condicionar a presença chinesa no Brasil às conveniências de nossa qualificação produtiva; na parceria com os países do Brics, aproveitando o potencial do Brasil para animar entre eles um movimento de revisão da ordem mundial existente que abra espaço para os experimentos institucionais e os investimentos inovadores que nosso desenvolvimento requer e que se contraponha a qualquer hegemonia; e no engajamento com a África, reconhecendo na prática de parcerias generosas nossa afinidade singular com aquela parte cada vez maior e mais importante da humanidade.

8. Defesa e política externa são irmãs gêmeas. Para desbravar um projeto forte e um caminho rebelde no mundo, o Brasil precisa poder dizer

não. Para poder dizer não, precisa se defender. O compromisso histórico que serve de premissa à política de defesa é: assegurar a liderança civil na defesa, exigida pela fé republicana, em troca de construir uma política séria de defesa, requerida pela independência nacional. No Brasil, como no mundo todo, militares politiqueiros e defesa inconsequente costumam andar juntos. Ciro quer uma doutrina e prática de defesa marcadas pelo triplo imperativo de monitoramento, mobilidade e presença. E, portanto, pela gradativa transformação de cada uma das três Forças à luz do exemplo dado por suas partes mais avançadas, como o Exército em Módulo Brigada reconstruído à imagem de suas Forças Especiais mais sofisticadas. Quer uma indústria de defesa, pública e privada, que una pesquisa avançada à produção avançada e estimule nosso progresso rumo à economia do conhecimento. E quer o engajamento de brasileiros e brasileiras de todas as classes no serviço militar e no oficialato para que as Forças Armadas do Brasil sejam sempre a própria nação em armas, e não apenas partes da nação pagas pelas outras partes para defendê-las.

9. Unir a escalada de produtividade na economia e a revolução na qualidade do ensino a uma democratização de oportunidades e de capacitações; lutar contra a injustiça atacando a mediocridade; ousar, para isso, na construção institucional; e assegurar, por meio da política externa e da política de defesa, o exercício da soberania nacional exigida por toda essa ousadia – esse é o sentido da proposta que Ciro Gomes apresenta aqui aos brasileiros.

A proposta de Ciro busca aliança social majoritária capaz de ganhar o poder e sustentar um novo projeto nacional de desenvolvimento. Por isso mesmo, não se pode cingir a esquerdismo estreito e convencional, rejeitado pela maioria da nação.

De um lado, ela tem o compromisso de equipar e soerguer a maioria trabalhadora, sobretudo os trabalhadores abandonados à informalidade e à precarização. Levantar os pobres, porém, não deve ser confundido com pobrismo: a primazia dada a transferências compensatórias que deixam inalteradas instituições e políticas formadoras da distribuição fundamental das vantagens econômicas e educacionais. Ninguém deve passar fome ou sofrer pela falta de teto e assistência médica no Brasil. Mas nossos olhos têm que ficar vidrados em ordenar nossa economia e nossa sociedade de uma maneira que ancore a inclusão social na dinâmica do crescimento econômico, em vez de se limitar a dourar a pílula de um modelo econômico que deixa a maioria sem vez.

De outro lado, comunica-se com as aspirações dos emergentes – o agente social mais importante do Brasil de nossos dias –, que abraçam uma cultura de autoajuda e de iniciativa. A maioria de nosso povo quer segui-los. Descrentes da política e dos partidos, os emergentes são tentados a render-se aos atalhos, simplismos e ressentimentos. Precisamos ganhá-los para uma proposta generosa e transformadora que associe o desejo de autoconstrução ao imperativo de solidariedade e reconheça que nós só podemos nos engrandecer se nos engradecermos juntos.

Não se trata de subordinar compromisso programático à conveniência tática. Trata-se de não confundir rótulos com realidades. Implícito neste livro está um entendimento da nova linha divisória entre progressistas e conservadores, esquerda e direita, no mundo contemporâneo.

O objetivo dos progressistas é a grandeza compartilhada: ver a vida dos homens e das mulheres comuns elevada ao patamar mais alto de capacitação, abrangência e intensidade. A igualdade que mais importa é a participação no empoderamento, na capacidade de ficar de pé e atuar, de tomar posse da vida. Ascendendo juntos, não divididos entre opressores e oprimidos, incluídos e excluídos, minorias empoderadas e maiorias cooptadas ou ludibriadas.

E o método dos progressistas é a reconstrução das instituições e das consciências, a recusa de aceitar a ordem institucional e ideológica estabelecida como o limite dentro do qual temos que reivindicar nossos interesses e ideais. O marxismo quis descrever o "capitalismo" como sistema indivisível. Dessa concepção resulta a ideia binária da política: ou substituição revolucionária de um sistema por outro ou reformismo destinado a suavizar o que desistiu de refazer. Como a alternativa revolucionária não se apresenta no mundo real, sua invocação fantasiosa dá pretexto para o inverso: conformar-se com a humanização do inevitável.

Este livro serve de manual para os inconformados. Mostra como uma alternativa transformadora pode virar realidade entre nós. Demarca, passo a passo, o rumo que falta ao Brasil. É uma promessa de grandeza.

Abril de 2020

Antes de mais nada...

A REVISÃO GERAL DESTE LIVRO ocorreu antes de qualquer notícia sobre o novo coronavírus. Mas não seria possível lançá-lo agora sem acrescentar ao menos algumas palavras sobre essa que se apresenta como a maior crise econômica desde a crise de 1929 e sanitária desde a gripe espanhola.

A pandemia não muda a história brasileira que descrevo aqui, não elimina a necessidade de promovermos as reformas e mudanças que proponho, mas certamente acrescentará a necessidade de se propor medidas inéditas e de encarar uma nova ordem mundial que ainda não sabemos qual será.

Pretendo considerá-las em futuras edições desta obra.

No entanto, ao mesmo tempo, a pandemia materializou alguns dos piores temores que abordei neste livro e que tornaram a necessidade de mudanças profundas ainda mais imediatas.

Nos últimos dias de março de 2020, quando escrevo estas palavras confinado em Fortaleza, ainda é cedo para estimar como vamos sair desse drama político, econômico e, principalmente, sanitário. Mas como quer que saiamos, acredito que o Brasil e o mundo nunca mais serão os mesmos.

Muito me marcaram as palavras do Papa Francisco para uma praça de São Pedro deserta: "Na nossa avidez de lucro, deixamo-nos absorver pelas coisas e transtornar pela pressa. Não nos detivemos perante os teus apelos, não despertamos face a guerras e injustiças planetárias, não ouvimos o grito dos pobres e do nosso planeta gravemente enfermo. Avançamos, destemidos, pensando que continuaríamos sempre saudáveis num mundo doente".

Quando fomos atingidos pela pandemia, o neoliberalismo já havia deixado o mundo agônico. Com o Ocidente estagnado desde 2008, suas nações já davam sinais de esgotamento do discurso único de corte em programas sociais, privatizações, desregulamentações e vantagens fiscais para as empresas.

No Brasil, o neoliberalismo, acentuado desde o fim do Governo Dilma, deixou a economia em coma. Desde o Governo Temer, já são quatro anos de políticas como teto de gastos, reforma trabalhista, reforma da Previdência e privatizações, e a economia do nosso país não reage.

É essa economia em coma, desindustrializada, que não produz mais sequer respiradores para sua população, que hoje é atingida por essa enorme tragédia.

Não estamos vivendo numa economia de guerra: numa guerra, mobilizamos toda a economia para um esforço brutal de aumento de produção. Neste momento, estamos observando uma desmobilização inédita de nossa capacidade de produção. De repente, vemos o que é o mercado deixado à própria lógica e como o Estado deve intervir necessariamente para garantir não só o melhor para o bem-estar da população, mas para a economia como um todo, ainda mais em momentos de crise que exigem coordenação central da sociedade.

Esse truísmo, que cairá concreta e tragicamente sobre nossa cabeça, deixará nu o rei neoliberal, seu consenso será desafiado e anos de discurso único serão desmentidos pelos fatos.

O neoliberalismo nos trouxe até aqui. Mas não nos tirará daqui.

E como podemos ver agora, de repente o mundo inteiro recorre, novamente, ao keynesianismo.

A Europa pede um novo Plano Marshall.

Os EUA pedem um novo *New Deal*.

É claro que nós, no Brasil, temos que pedir um novo plano de recuperação como o de Vargas, em 1930.

O que essa crise deixa claro é que o Estado terá que liderar os esforços de empresas e indivíduos para que a sociedade não colapse. Isso é verdade tanto no enfrentamento inicial à pandemia, quanto no enfrentamento à crise que se seguirá a ela.

Neste momento, é terrivelmente falso afirmar que "primeiro a gente cuida da vida das pessoas, depois da economia", pois se a economia se desintegrar, a saúde e a vida das pessoas se desintegrarão junto. Também é terrivelmente falso, e perverso, afirmar que a gente "tem que cuidar da economia primeiro, senão vai ser pior para a vida dos pobres" porque se a saúde pública se desintegrar, a economia se desintegrará junto.

Agora, as medidas necessárias a serem tomadas são simultâneas no campo da saúde pública e da economia. Não só para salvar a maior quantidade de vidas humanas, mas também para garantir a menor desorganização de nossa economia.

A única opção moralmente responsável nesse cenário de incerteza é nos basearmos no melhor que a ciência tem a oferecer para tomar nossas decisões. E segundo ela, precisamos radicalizar a quarentena e o isolamento social, com testagem maciça. Paralelamente, somente a oferta monetária para garantir a liquidez, com poderosos pacotes fiscais para financiar a renda das pessoas e das empresas, pode salvar nossa economia e, portanto, nosso povo.

A rapidez de todas essas medidas é vital.

O consenso em torno dessas pesadas políticas fiscais anticíclicas se formou rapidamente entre todos os economistas, mesmo os conservadores. É o esforço que está sendo feito e liderado no mundo todo pelos governos centrais.

Mas no Brasil o governo se encontra sob o comando de um personagem inqualificável, que aposta no caos econômico e social por inconfessáveis interesses políticos.

O resultado disso se torna imprevisível.

A estrutura política, que hoje se articula ao redor do Congresso Nacional e dos governadores, assumiu a frente da resolução dos graves problemas que o Brasil enfrenta. É essa estrutura, principalmente, que deverá proteger o país na crise e implementar as profundas transformações que o Brasil precisará para sair dela.

Nesse momento, não resta opção: o Estado brasileiro terá que aumentar seu endividamento, e é isso o que estão fazendo todas as economias desenvolvidas do mundo.

Porque o equilíbrio fiscal não é uma vaca sagrada, mas ele é desejável, uma vez que dinheiro nós podemos criar do nada, mas riqueza real, não. E um país que mantém sua saúde fiscal é um país que controla a distribuição da riqueza real produzida.

Sem um pacote gigante para os cidadãos e as empresas sobreviverem a essa situação inédita, assistiremos a uma destruição sem precedentes da já debilitada economia brasileira.

Haverá o tempo de cobrarmos as responsabilidades pelo que virá.

Mas enquanto escrevo estas palavras, esse momento ainda não chegou. Ainda é tempo de pressionar para que nos unamos na defesa da vida de nosso povo e da sobrevivência de nossas empresas.

Um livro é uma mensagem para a história, não para o presente.

E eu gostaria de deixar aqui uma mensagem de esperança.

A longo prazo, minha esperança é que essa pandemia ajude a maioria da humanidade a descobrir que já estávamos vivendo numa grande tragédia mais profunda: a da cultura do consumismo irracional misturada com o neoliberalismo criador da superdesigualdade.

Nas últimas décadas, transitamos de um padrão de busca da felicidade no ambiente subjetivo, espiritual, como a busca da justiça social ou da fruição artística, para a busca da felicidade cada vez mais concentrada no ambiente do consumo.

Para mim, isso explica grande parte do drama contemporâneo.

Minha geração foi uma geração de insurgentes, que buscava a felicidade em bens espirituais, no domínio dos valores. No valor do sagrado também, mas igualmente no valor do prazer, do belo, da justiça, da compaixão. Acreditávamos que nossa felicidade seria encontrada na paixão, no romance, no amor, na música, queríamos o contato com o transcendente, com o saber, queríamos a revolução e um mundo melhor.

As novas gerações cresceram sob o imenso estresse do excesso de informações que vêm pelas redes sociais, pela mídia e pelo cinema, impregnadas de estímulos de consumo e propaganda. São massacradas, dia e noite, com imagens e símbolos que tentam seduzi-las para abandonar o mundo dos valores, em busca do mundo das coisas. Assim, nossas crianças e nossos jovens são empurrados para entrar numa espiral de consumo para a qual não têm recursos, e vão se tornando infelizes e desenvolvendo a crença de que são fracassados.

Na minha opinião, a raiz mais profunda da violência em nossa sociedade é o contraste entre a miséria e a opulência, vinculado às excitações das demandas de consumo. Mais ainda, às terríveis frustrações de se buscar a felicidade na posse de coisas, porque coisas não são fins, mas meios para a felicidade. Sempre haverá novos padrões de consumo e produtos a acessar para tornar infeliz aquele que os deseja e não os possui.

Não podemos continuar excitando as demandas de consumo numa juventude indefesa, ao mesmo tempo que tiramos dela qualquer perspectiva de renda.

É neste rumo suicida, muitas vezes pior no segundo país mais desigual do mundo, que nossa civilização estava quando o coronavírus nos atingiu.

Essa enorme tragédia nos dará, no entanto, a oportunidade de refletir sobre nosso futuro e nossa forma de vida.

Há soluções para sair dessa crise como houve solução para sair da crise de 1929.

Para a crise do consumismo, o retorno da sociedade a uma cultura dos valores, como abordarei mais à frente.

Para a crise sanitária inédita da pandemia, podemos olhar para os modelos bem-sucedidos de coordenação estatal na China e na Alemanha.

Para a crise econômica, podemos olhar para o que nós mesmos fizemos em 1929 e que tornou o Brasil o primeiro país do mundo a sair da crise na Era Vargas: desenvolvimentismo e políticas anticíclicas. Não é à toa que o presidente norte-americano Franklin Roosevelt reconheceu o Brasil, em 1936, como um dos criadores do *New Deal*.

Getúlio venceu a crise de 1929, nós podemos vencer a crise de 2020.

Mas para sairmos do buraco inédito onde estamos, nosso país terá que construir um novo diálogo e um novo consenso, que supere as feridas do golpe de 2016 e a radicalização e polarização ideológica que se acentua desde 2013.

Temos nessa terrível tragédia também uma oportunidade para redescobrirmos nossas potencialidades e nossa natureza, nossa solidariedade, nosso senso de comunidade, nossa adaptabilidade, criatividade e resiliência a crises.

Só o diálogo e a ação conjugada dos cidadãos comuns com o Estado e a iniciativa privada podem superar tanto a pandemia quanto a longa crise econômica que hoje entra em seu mais dramático capítulo.

Ofereço este livro como uma contribuição para esse diálogo e para a formação desse novo consenso. Que Deus nos abençoe e ilumine neste momento do qual, como disse o Papa Francisco, nos salvaremos unidos ou pereceremos divididos.

Introdução

Este livro é um apelo ao debate racional a respeito da questão nacional. Um debate verdadeiro sustentado em dados e ideias sobre nossos problemas e possibilidades, um diálogo entre cidadãs e cidadãos que querem o bem do Brasil, que têm opiniões distintas sobre seus rumos, problemas e projetos. Apesar de ser, como todo livro autoral, um discurso sem réplicas, ele resume os debates e palestras que mantive percorrendo o Brasil nestes últimos dez anos dramáticos de sua história, e que estão disponíveis hoje nesse formidável meio de registro histórico que é a internet. E como chamado que é, quer despertar as contrapropostas, respostas e contestações de todos, aliados ou adversários de ideias que respeitam o debate democrático. Nenhuma das minhas ideias aqui apresentadas é uma ideia fixa. Todas poderão mudar a depender apenas de que outra ideia melhor se apresente no debate. Importante mencionar também que são minhas ideias, não necessariamente as de meu partido ou de eventuais alianças que eu tenha feito no passado ou venha a fazer no futuro. É minha contribuição pessoal a uma reflexão inadiável sobre o Brasil, as raízes de seus graves problemas e as pistas para sua solução.

Porque nós, brasileiros, precisamos visceralmente discutir de forma fraternal nossos problemas, usar a razão e considerar os fatos. Só isso nos fará sair da densa cortina de fumaça de ódio e personalismo que nos impede de reencontrar o caminho para a paz e a prosperidade.

Nosso país adoeceu gravemente. As marcas do enfraquecimento de nossa democracia se fazem sentir no espaço público, em nossos ambientes de trabalho e mesmo em nossa vida familiar. A polarização política, que vem se acentuando desde os estranhos eventos de junho de 2013 impôs um enorme obstáculo ao debate político e econômico, que tem ficado reduzido aos símbolos, adjetivos e narrativas. E a narrativa predominante, que tentou reduzir ao longo de cinco anos o país a uma fissura incontornável entre "coxinhas" e "mortadelas", durante a campanha eleitoral totalmente atípica do ano de 2018, se agravou perigosamente. Ela desaguou numa tosca reedição de anticomunismo contra uma imaginária ameaça bolchevique quase trinta anos depois da queda do Muro de Berlim e do fim da Guerra Fria.

Hoje, por ocasião dessa polarização, encontra-se, de um lado, um governo desastroso que se afirma no ataque a um partido que está há mais de três anos fora do poder. Do outro lado, quase como a outra face da mesma moeda, se escorando nesse governo, encontra-se um petismo adoecido e sem projeto de país, que, machucado com o evento da prisão de seu líder, sem autocrítica alguma por suas responsabilidades na situação atual e sem compromisso algum com a gestão presente ou futura do país, radicaliza seu discurso de volta à demagogia fácil. Pregando de novo tudo o que não tentaram fazer no poder, disfarçam sua velha política do "quanto pior melhor".

As máquinas artificiais de rede do governo e a da fração corrompida do petismo oferecem e alimentam essa narrativa da polarização do país entre "comunistas" e "fascistas". Tudo se passa como se o país estivesse condenado a escolher entre um desastre ou outro. O radicalismo retórico, no entanto, esconde, dos dois lados, a absoluta falta de coragem e capacidade para fazer o que o país precisa para se desenvolver de forma soberana, fratura nossa nação e aumenta o estado de guerra de todos contra todos.

Eu não posso aceitar essa redução do país. Não posso aceitar que 68% dos eleitores de São Paulo, 68% dos eleitores do Rio de Janeiro, 68% dos eleitores da Região Sul ou 66% dos eleitores do Centro-Oeste que compareceram ao segundo turno para votar em Bolsonaro sejam "fascistas". Também não posso aceitar que todos os votos que o PT teve no segundo turno sejam de eleitores de cabresto. Porque sei que, assim como eu, uma quantidade gigantesca de pessoas votou contra um defensor da tortura e da ditadura, e não na falta de projeto petista. O Brasil não cabe nesses adjetivos tolos, nessas classificações grosseiras, não cabe na marketagem política ou no moralismo difuso dos falsos profetas, falsos justiceiros e falsos messias. O Brasil é muito maior do que isso, tem que ser muito maior do que isso.

Estou determinado a continuar no meu esforço de campanha para pararmos de tratar a política como algo superficial, fazendo dela um jogo de afetos pessoais, mitos vazios, performances midiáticas, barulho odiento, slogans, bandeiras, jargões ou culto a personalidades. A saída para o Brasil passa por aquilo de que infelizmente muitos de nós estão fartos e desiludidos: a democracia e a sua linguagem que é a política. Fora da democracia, as cortinas de fumaça são muito mais impenetráveis e ameaçadoras, pois silenciosas. E democracia é barulho sempre, mas que seja o barulho do diálogo com aquelas e aqueles de quem discordamos. Em síntese, o que quero é ajudar a criar uma corrente de opinião que prepare as bases sociais para refundarmos entre nós um Projeto Nacional de Desenvolvimento.

Estamos atravessando a maior crise política e econômica de nossa história, e só conseguiremos sair maiores disso se chamarmos a razão como protagonista do debate e deixarmos de lado o ódio e a revolta, se exercitarmos a capacidade de perdoar para nos vermos todos novamente como brasileiros que dividem o mesmo chão e querem um país melhor para seus filhos.

Eu sei que isso é difícil. Esse também é um exercício que estou me impondo, porque não há outro caminho. Não é fácil lidar com tanta traição, pequenez e descaso com o futuro de nosso país, nem com a indignação diante do dano que causaram a nossa democracia ou do roubo continuado das riquezas e soberania de nossa pátria que tem sido promovido. Não quero fingir ser alguém que não sou, mas tenho que continuar a me esforçar para transformar minha indignação em determinação para discutir e salvar o país. Enquanto Deus me der a chance de lutar, meu erro nunca será o da acomodação. Que vocês possam me perdoar dos outros. Se a maioria de nós também conseguir trilhar esse caminho, sairemos dessa.

É com a autoridade de quem tinha abandonado a vida pública inconformado com os rumos da política nacional, que voltou a ela premido pelo dever de denunciar um golpe de Estado, que sacrificou a vida privada para alertar aos seus concidadãos que atentar contra a democracia nos atiraria em anos de instabilidade, que alertou que as medidas do Governo Dilma Rousseff e depois do Governo Michel Temer nos levariam ao desastre econômico, que enfrentou uma eleição presidencial sem recursos estrangeiros, máquinas artificiais de rede ou obscuros conchavos partidários, que buscou elevar o debate e discutir propostas claras para o país, que venho aqui pedir humildemente que me deem o privilégio de algumas horas de sua atenção e reflexão.

Vamos pensar o Brasil. Aqui seguirei um método que tenho tentado conferir ao debate nos últimos anos. Definir o problema, oferecer um diagnóstico da situação atual e, por fim, uma proposta de solução. Você pode discordar da definição, do diagnóstico, ou ter outras propostas. Mas é importante saber onde discordamos. Porque precisamos imperiosamente desmontar a lógica diversionista deste governo ou de sua contraparte na burocracia do PT. Precisamos voltar a debater problemas e propostas, e não supostas motivações emocionais e pessoais, a cor da roupa de meninos e meninas ou vídeos pornográficos.

Não podemos adotar a impostura do "quanto pior melhor", porque a vida dos brasileiros está terrivelmente sofrida e alguns danos a nosso país podem ser irreversíveis. Este livro, portanto, também cumpre o papel que tentei cumprir na campanha: quis me eleger por ideias e propostas, quero fazer oposição com ideias e propostas. Estarei pronto a apoiar medidas do governo que forem na direção do que consideramos bom para o Brasil, e a combater medidas que acreditamos que nos levarão a uma ruína ainda maior. E o critério da minha conduta nos próximos anos estará definido pelas ideias defendidas neste livro.

Aproveito de saída para me desculpar com o leitor antecipadamente pelas várias referências que farei a minha experiência acumulada nesses quarenta anos de serviço ao país. E já as começarei aqui repetindo o que tanto enfatizei na campanha presidencial de 2018: que durante essa vida pública nunca respondi a nenhum processo por corrupção, nem sequer para ser absolvido. Farei isso porque acredito que a política brasileira hoje não está carente de promessas ou de discursos, mas de exemplos. Se os exemplos que eu tenho para dar são valiosos, cabe à leitora ou ao leitor julgar. Aqui eu falarei da história que ajudei a construir, de soluções que já foram executadas em menor escala por mim ou por outros brasileiros. Aqui eu falarei do grande amor da minha vida, que eu não tenho como abandonar: o Brasil.

Continuo, então, na luta. Pois estamos à beira de vários precipícios: o precipício do autoritarismo, da desindustrialização, do desemprego, da miséria e da perda completa da soberania nacional. Nosso país encontra-se perto de um ponto de não retorno. Um ponto que, se atravessado, pode nos condenar definitivamente à periferia do mundo e à perda de nossa soberania. Não podemos mais alimentar os ódios, os diversionismos e os devaneios. Precisamos acordar desse sono da razão que só produz monstros e encontrar o caminho para o Brasil retomar seu sonho sempre interrompido e adiado de se tornar um país desenvolvido e justo.

Uma nação adiada

Um incrível exemplo de desenvolvimento

As estatísticas do Brasil no século XX são incomparáveis. Nosso país simplesmente mais do que centuplicou seu PIB. Sim, multiplicou sua riqueza por mais de 100.[1] Um crescimento sem igual no mundo até então.[2]

Mais importante do que isso, o crescimento do produto per capita foi de uma média de 2,5% ao ano. Em outras palavras, o cidadão médio brasileiro em 2000 produzia doze vezes mais riqueza que em 1900. No mundo, só Japão, Taiwan, Finlândia, Noruega e Coreia do Sul conseguiram superar esse feito.[3]

Na verdade, essa façanha não se operou durante todo o século XX. Nas três primeiras décadas dele o Brasil patinava como país agrário, que mantinha suas estruturas escravistas praticamente intocadas, e baseadas,

---

1 IBGE. Estatísticas do século XX. Disponível em: https://seculoxx.ibge.gov.br/publicacao
2 Segundo estimativas do Project Database, o PIB brasileiro teria crescido cerca de 134 vezes.
3 IBGE. Estatísticas do século XX. Op. cit.

especialmente, na monocultura do café e da cana-de-açúcar. O Governo Epitácio Pessoa, na virada da década de 1920, chegou a importar facões e enxadas, tamanha nossa indigência industrial.

Pode-se dizer que o grande salto brasileiro se deu entre 1932 e 1980. Foram os 48 anos de maior crescimento de um país na história do mundo, em que multiplicamos por oito nosso PIB per capita.[4]

A industrialização de uma nação não é uma etapa natural do desenvolvimento, algo como uma lei de evolução histórica. A industrialização é um processo induzido, planejado, que requer muita defesa dos interesses nacionais contra as sabotagens e tentativas de desestabilização do desenvolvimento por concorrentes estrangeiros. O motivo disso é muito simples, e não se trata de teorias da conspiração, mas da mais banal e ordinária guerra de mercado. O que é produzido eficientemente aqui deixa de ser exportado por alguém. Poucos países no mundo podem disputar, na história da economia, a rapidez e a magnitude do que foi feito aqui. Poderíamos perfeitamente continuar sendo uma nação agrícola como a Bolívia ou extratora como a Venezuela. Mas não aqui, porque aqui, em algum momento de nossa história, uma vanguarda política audaciosa se convenceu a industrializar o país e foi capaz de construir um projeto e uma hegemonia moral e intelectual aptos a levá-lo a cabo.

Um pouco de história

Esse salto, obra de todos os brasileiros, tem, sem dúvida, um catalisador inigualável, com nome e sobrenome: Getúlio Vargas. A Revolução de 1930

---

[4] BOLT, J.; INKLAAR, R.; DE JONG, H.; & VAN ZANDEN, J. L. "Rebasing 'Maddison': new income comparisons and the shape of long-run economic development." *Maddison Project Working Paper*, n° 10, 2018. Disponível em: https://www.rug.nl/ggdc/historicaldevelopment/maddison/releases/maddison-project-database-2018

mudou a face do poder do Estado brasileiro, afastando do poder central a "política do café com leite", que queria manter nosso país dependente de sua agropecuária, e estabelecendo um novo consenso em torno do desenvolvimentismo e do papel central da industrialização para superar o subdesenvolvimento.

O capital privado, lá como hoje, era pequeno e originado da produção agrícola, conservador e arisco à novidade modernizante. Não tinha nem condições nem interesse em levar essa empreitada à frente. Então foi com o Estado brasileiro intervindo diretamente na mobilização de recursos inalcançáveis pela força do capital privado local que Vargas criou nossa indústria de base e energia, assim como a infraestrutura conexa necessária a esse salto. Esses recursos vieram de três fontes: impostos, emissão de moeda e principalmente de empréstimos externos, na época de custo barato e de longo prazo, e que eram indispensáveis para a importação de bens de capital. Ele também foi muito hábil na condução da política externa num período de grandes tensões que levaram à Segunda Guerra Mundial, posicionando o Brasil de acordo com os interesses nacionais de seu projeto de desenvolvimento. E foi exatamente no momento em que se acelerava a industrialização no Brasil, com a fundação da Companhia Siderúrgica Nacional (1941), da Companhia Vale do Rio Doce (1943) e da Companhia Hidrelétrica do São Francisco (1945), que Vargas foi deposto pela primeira vez.

Em 1950 o Brasil já enfrentava grandes gargalos, dificultando seu desenvolvimento industrial e crescimento, sendo os mais importantes a falta de energia elétrica e de petróleo e a precaríssima rede de transportes nacionais.

Mas mesmo com toda a oposição das forças antinacionais que operam em nosso país desde sempre, a nossa então jovem democracia chamou para comandar o Brasil mais uma vez o velho Getúlio. O tenentismo tinha hegemonizado no país a crença de que precisávamos nos industrializar para superar o subdesenvolvimento. Esse consenso foi fundamental para celebrarmos um Projeto Nacional do qual Vargas foi o símbolo até o golpe de 1964. E ao voltar ao poder, lutando renhidamente por nossa emancipação econômica conseguiu, em três anos e meio de governo, criar a Petrobras, a Eletrobras e o BNDES (então BNDE), enfrentando os prepostos internacionais que aqui exigiam a abertura indiscriminada de nossos mercados e a interrupção da emissão de crédito nacional em nome do controle da inflação. Com a mesma desculpa recorrente da denúncia da corrupção, os abutres do país deixaram Vargas num beco político sem saída, ao qual ele respondeu com o gesto político de seu dramático suicídio.

Sabiamente o povo brasileiro rejeitou os golpistas de 1954 e elegeu para seu mandatário o mineiro Juscelino Kubitschek, aliado de Getúlio, que, com seu ousado Plano de Metas, prometia modernizar o Brasil acabando com os gargalos de seu desenvolvimento. Sofrendo uma série de golpes, inclusive antes da posse, JK se viu obrigado a ceder parcialmente às demandas pela internacionalização da economia. No entanto, não perdeu de foco a criação da base necessária para nosso desenvolvimento, dedicando dois terços dos recursos de seu Plano de Metas à construção de nossa rede de transportes e energia.[5] O Brasil viu, em seu governo de coalizão trabalhista com João Goulart na vice-presidência, a criação de uma indústria automobilística inteira, embora não nacional, a Petrobras sair do papel e nos levar à autossuficiência de petróleo, Furnas e várias outras pequenas usinas hidrelétricas serem construídas e transformarem nossa matriz energética na mais limpa e barata do mundo. Tendo recebido um país com menos de mil quilômetros de estradas asfaltadas, o governo JK cortou o país de norte a sul com 14 mil quilômetros de rodovias. Por fim, como síntese desse enorme esforço de interiorização e salto para o futuro de seu governo, foi construída a magnífica cidade de Brasília, iniciativa sem a qual o extraordinário mundo produtivo do Centro-Oeste não teria sido possível.

---

5 AZEVEDO, Esterzilda. "Patrimônio industrial no Brasil." *USJT*, arq.urb, n° 3, 2010. Disponível em: https://revistaarqurb.com.br/arqurb/article/view/114

A crise política em que o país foi lançado com a eleição e posterior renúncia de Jânio Quadros, tentativa de impedimento da posse de João Goulart, mudança parlamentarista, volta do presidencialismo e finalmente o golpe de 1964 impediu a execução do novo projeto nacional que o governo Jango tinha para o país.

Apesar disso, o presidente João Goulart, nos menos de três anos que permaneceu no cargo, enfrentou todas as sabotagens a seu governo e tentativas de golpe com serenidade e sem jamais recorrer à violência. O país ainda cresceu a uma taxa média de 5,2% ao ano, e ele conseguiu executar ações importantes, como a fundação da Universidade de Brasília (UnB), um projeto revolucionário de universidade, ou a Lei de Remessas de Lucros, que foi a resposta de seu governo para equacionar nosso problema crônico na balança de pagamentos[6] e disponibilidade de dólares – o que já garroteava nossa capacidade de financiamento e, portanto, nosso desenvolvimento.

Ao contrário do que a propaganda do regime militar alegava, o governo Jango e seu projeto nacional contavam com amplo apoio popular. Pesquisa Ibope[7] de março de 1964 revela que, se pudesse se candidatar no ano seguinte, Jango teria mais da metade das intenções de voto na maioria das capitais pesquisadas. Mesmo em São Paulo, tradicional reduto antigetulista, o governo Jango contava com 45% de avaliações de bom e ótimo. Só 16% o consideravam ruim ou péssimo. Havia amplo apoio nas capitais às medidas anunciadas no comício da Central do Brasil, às "reformas de base", como reforma agrária, reforma urbana, o voto dos analfabetos, a aposentadoria rural, a função social da propriedade, o dispositivo legal da medida provisória e o monopólio do Estado em setores estratégicos da economia, que começaria com a encampação de refinarias estrangeiras.

---

6   Registro de todo o dinheiro que entra e sai de um país, na forma de importações e exportações de produtos e serviços, de fluxo de investimentos e capital financeiro, remessa e recebimento de lucros e transferências.
7   REDA, Paulo. "Jango tinha apoio popular ao ser deposto em 64, diz Ibope." *Folha de S.Paulo*, mar. 2003. Disponível em: https://www1.folha.uol.com.br/folha/brasil/ult96u46767.shtml

Mas mais uma vez os interesses dos norte-americanos, inconformados com a Lei da Remessa de Lucros e a encampação de refinarias, em conluio com a direita brasileira e com parte das Forças Armadas, montaram um golpe de Estado no país com farto investimento em propaganda, apoio militar e subornos generalizados. E o país perdeu sua cambaleante e incipiente democracia. Vinte e quatro anos depois, com o fim do regime militar e a promulgação da Constituição de 1988, praticamente toda a agenda das reformas de base se tornaria parte de nossa Carta Magna. Embora algumas dessas reformas nunca tenham saído do papel, como a agrária, fica ridículo hoje pensar que o voto do analfabeto ou a aposentadoria rural pudessem ter sido consideradas parte de uma agenda comunista, como alegado na propaganda do golpe de 1964.

Com a consolidação do golpe em 1968, os militares reorientaram a economia tentando restabelecer um projeto de desenvolvimento. De novo, entretanto, evita-se o conflito político de construção de poupança nacional e se busca o atalho do endividamento externo, então de longo prazo e barato, como fonte central desse novo ciclo de crescimento econômico. Depois de uma intervenção no sistema financeiro nacional fixando limites para as taxas de juros cobradas nos empréstimos bancários e distribuindo incentivos para os bancos que reduzissem suas taxas, criaram as bases para a retomada de nossa vocação de crescimento. Além disso, o BNDES passou a assumir o oferecimento de crédito barato para financiar os investimentos do setor industrial brasileiro. O resultado dessas políticas recebeu o apelido de "milagre econômico". O condutor da economia brasileira nesse período, o então ministro da Economia, Delfim Netto, costuma protestar contra esse apelido. Ele gosta de lembrar que "milagre" é efeito sem causa, e o crescimento do país no período foi causado pelo planejamento e trabalho árduo do governo e de milhões de brasileiros. Justo.

No entanto, a divisão causada no país pela Guerra Fria e a interrupção da democracia tiveram impacto também na formulação do projeto do regime militar. O consenso nacional em torno do desenvolvimentismo começou a ser erodido, porque o interesse nacional passou a ceder às pressões ideológicas vindas do exterior. Com aqueles que defendiam uma expansão mais vigorosa do mercado interno e melhor distribuição de renda colocados do outro lado de um muro que não era nosso, ocultou-se uma importante parte do problema brasileiro.

Mas isso não nos fará deixar de reconhecer que entre 1968 e 1974 o Brasil cresceu extraordinários 10,7% em média ao ano. Em outras palavras, dobrou seu PIB no espaço de sete anos.[8] Não há muitos registros desse volume na história da economia do mundo. Segundo o *Penn World Table*, em 1969 um brasileiro produzia o equivalente a cerca de 21% da riqueza de um norte-americano. Em 1980, nosso PIB per capita médio correspondia a 35% do norte-americano.[9] A sensação era a de que estávamos prestes a nos tornar a nação rica e moderna que sonhamos ser um dia e de que, como dizia o slogan, ninguém parava esse país.

Evidentemente, não se está aqui a fazer juízos de valor sobre os diversos regimes e concepções que nos guiaram politicamente entre os anos 1930 e os anos 1980. Para mim, de nada vale crescimento econômico sem liberdade e sem promoção de justiça social. Entretanto, é muito importante que se recuperem esses números, para enfrentar entre os brasileiros de nosso tempo, e especialmente entre os jovens, com os quais mais me preocupo, o pessimismo e a descrença hoje dominantes. Se o céu abençoado pelo Cruzeiro do Sul é o mesmo, se esse chão adorado é o mesmo e se nossa linda gente mestiça, caótica e culturalmente exuberante é a mesma, fica claro que nosso destino é o êxito civilizatório, não o fracasso liderado pelas mediocridades contemporâneas. O que vem falhando miseravelmente é a

---

8   IBGE. Séries históricas e estatísticas. PIB. Disponível em: https://agenciadenoticias.ibge.gov.br/media/com_mediaibge/arquivos/7531a821326941965f1483c85caca11f.xls
9   Penn World Tables 6.3. Disponível em: http://dc1.chass.utoronto.ca/pwt/alphacountries.html

política, e, se protegermos a democracia, não demora nosso povo achará o caminho da grande virada histórica.

Brasil: um sonho interrompido

Mas o Brasil foi parado. Em 1992, o professor Celso Furtado, de quem tive a honra de ser amigo, lançou uma coletânea de ensaios chamada *Brasil, a construção interrompida*,[10] na qual apontava que nosso projeto nacional de desenvolvimento com base na industrialização e expansão do mercado interno havia sido liquidado pela globalização e o neoliberalismo, e alertava que os próximos anos não ofereciam bom prognóstico para o país. Aqui relembro sua obra e ofereço minha própria interpretação do que aconteceu nestes 27 anos desde o lançamento de sua coletânea, dando continuidade ao esboçado em meus livros anteriores: *No país dos conflitos*,[11] *O próximo passo*[12] e *Um desafio chamado Brasil*.[13]

A vulnerabilidade externa da política de desenvolvimento do regime militar cobrou seu preço a partir do meio dos anos 1970. Depois de duas décadas de crédito barato para os países subdesenvolvidos, vieram as duas crises do petróleo (1973-74 e 1979-80), causadas pela instabilidade política entre e nos países da Opep.[14] Em 1979, sob o comando do então presidente do Fed,[15] Paul Volcker, os EUA promoveram um brutal choque de juros, supostamente para controlar a inflação interna causada pela alta dos pre-

---
10 FURTADO, Celso. *Brasil, a construção interrompida*. Rio de Janeiro: Editora Paz e Terra, 1992.
11 GOMES, Ciro. *No país dos conflitos*. Rio de Janeiro: Editora Revan, 1994.
12 GOMES, C. & UNGER, M. *O próximo passo*: uma alternativa prática ao neoliberalismo. Rio de Janeiro: Topbooks, 1996.
13 GOMES, Ciro. *Um desafio chamado Brasil*. Rio de Janeiro: Civilização Brasileira, 2002.
14 Organização dos Países Produtores de Petróleo.
15 Federal Reserve, o Banco Central americano.

ços dos derivados. Isso levou o custo de nossa dívida da casa de um dígito para mais de 12% em 1979 e logo para mais de 20% em 1980.

    O grande erro dos militares na época, e esse mesmo erro hoje se repete como tragédia, foi acreditar que se estivéssemos alinhados aos EUA estes deixariam o Brasil se desenvolver. Mas a questão em geopolítica não é alinhamento ideológico, é projeção e proteção do interesse nacional. Quando o Brasil começou a ameaçar "virar uma China" no "quintal" norte-americano, eles dispararam o gatilho dos juros da dívida e transformaram as finanças globais em armas de guerra contra a industrialização da América Latina. Não há outra solução: se quisermos nos industrializar, temos que ter soberania, um sistema de defesa forte, desenvolvimento de tecnologia própria, serviço de inteligência sofisticado e, principalmente, como forma de sustentar tudo isso, assumirmos como inadiável a tarefa de construirmos poupança interna.

    Todos os países que dependiam de fluxos internacionais de capitais de longo prazo e baratos como mecanismo central de seu desenvolvimento tombaram. E o Brasil tombou escandalosamente. Durante quarenta anos os empréstimos que o Brasil contraía no exterior tinham, em média, cerca de quinze anos de prazo, três de carência e chegavam a cobrar juros anuais de apenas 2,5%. E então, a partir dos últimos anos da década de 1970, não conseguíamos financiar nossa dívida nem nosso desenvolvimento. O projeto nacional-desenvolvimentista baseado nesse capital e na proteção comercial a setores industriais havia produzido em quatro décadas a 15ª economia industrial do planeta, mas, agora, estava ferido de morte.

    Além disso, os problemas sociais advindos daquele modelo de desenvolvimento começaram a aflorar com mais intensidade. Enquanto nos anos Vargas o desenvolvimento econômico veio acompanhado de avanços sociais (como a criação do salário mínimo, o aumento constante da massa salarial e a consolidação das leis trabalhistas que protegeram o trabalhador da tradição escravista da elite brasileira), o crescimento do regime militar foi marcado pelo agravamento de nossos níveis brutais de concentração de renda.

Embora o PIB per capita seja um bom indicador da riqueza de um povo, ele não diz nada sobre como essa riqueza é distribuída. E o Brasil tem especificidades que não se encontram em manuais de economia. Aqui a renda média não significa muito, pois dá a temperatura média de um paciente cujos pés estão no forno e a cabeça na geladeira. Nossa desigualdade sempre foi uma das mais cruéis do mundo, fruto de nosso passado escravista.

Darcy Ribeiro dizia que a crise da educação no Brasil não é uma crise, é um projeto. O país da Revolução de 1930 era um país agrícola. Saímos de uma base de riqueza muito baixa e de distribuição de renda brutalmente desigual, e não investimos em educação o suficiente. O país que mais cresceu entre 1930 e 1980 ignorou a ignorância. Nada é mais eficaz em manter as estruturas sociais. Isso criou uma distância muito grande entre os "dotô" (como eram chamadas popularmente pessoas que simplesmente tinham uma graduação), que estavam aptos a ocupar a enxurrada de novos trabalhos qualificados gerados por nossa rápida industrialização, e a maioria de nossa população pobre, literalmente, analfabeta. Em 1970, ainda segundo o IBGE, 33,6% da população com 15 anos ou mais não sabia ler nem escrever.[16]

Além disso, o Brasil tinha optado por um modelo concentrado de desenvolvimento industrial, e ao iniciar os anos 1980 tinha a esmagadora maioria de sua indústria baseada em quatro estados: São Paulo, Rio de Janeiro, Minas Gerais e Rio Grande do Sul. Isso fez com que as diferenças de desenvolvimento entre as regiões do país atingissem níveis imensos e acelerou o fluxo migratório e o êxodo rural de forma inédita na história da humanidade.

---

16 IBGE. Séries históricas e estatísticas. Alfabetização. Disponível em: https://seriestatisticas.ibge.gov.br/series.aspx?no=4&op=0&vcodigo=CD101&t=taxa-analfabetismo-pessoas-15+anos-mais

O crescimento econômico pode não realizar justiça social, mas faz todos melhorarem materialmente. Só que então, nós, que já não tínhamos liberdade nem justiça, de repente ficamos sem crescimento. Num primeiro momento, no fim da década de 1970, o regime insistiu com o modelo, embora as variáveis financeiras e energéticas (surge no período também, crescente e violentamente, a variável tecnológica) tivessem sido dramaticamente alteradas. Mas no início dos anos 1980 o gigante havia sido derrubado. Desde então vivemos de apagar incêndios, reativos, lidando com nossas emergências, vivendo de crise em crise e definitivamente com regimes e lideranças políticas diferentes sem uma guia de projeto nacional. Expressão que aliás, nesse ínterim, foi ela própria interditada.

Entre 1981 e 1984 nosso PIB per capita diminuiu em 12%. De 1988 a 1994, houve a superinflação. De 1996 até o início do século XXI vivemos o desastre de Fernando Henrique Cardoso. Nunca mais voltamos a crescer a altas taxas sustentadas, vivemos de soluços eventuais de crescimento, verdadeiros "voos de galinha". Esperando ventos favoráveis do Norte, nos prostramos como todo país dependente que não tem força nem confiança para traçar seu rumo e escolher seu destino.

Ou seja, o Brasil, entre 1932 e 1980, cresceu 6,75%[17] ao ano em média, tendo picos de até 14%, como aconteceu em 1973. Entre 1981 e hoje, o país cresce a insustentáveis 2,2%[18] em média. Dois agravantes a gritar por um olhar diferente à ideia única que nos foi imposta ao longo dos últimos trinta anos de prostração neoliberal: nossa população ainda cresce a 0,8% ao ano e a crise estrutural parece estar indo para seu apogeu. Estamos completando a pior década dos últimos 120 anos. Precisamos entender, com muita urgência, que este não é um problema de trocar Francisco, José ou Maria, por Pedro, Joana ou Rita. Trata-se de um problema de modelo econômico. Trata-se de construir uma alternativa atualizada ao modelo

---

17   IBGE. Estatísticas do século XX. Op. cit.
18   IBGE. Séries históricas e estatísticas. PIB. Op. cit.

exaurido que nos guiou de 1930 a 1980. Não é uma tarefa qualquer. Os naturais apegos, ódios ou paixões a Francisco, Maria ou João só atrapalham a percepção dessa urgência.

Agora, vivemos a desgraça sem precedentes em nossa história da depressão econômica iniciada no mandato de Dilma, aprofundada pelo Governo Temer e que, seguindo o rumo atual, alcançará seu ponto mais dramático neste governo. Como o país que mais cresceu em oitenta anos do século XX pôde chegar a esse desastre?

As raízes da crise econômica

Prometeu acorrentado

A crise da dívida dos anos 1980 foi um ponto de inflexão que encerrou cinquenta anos de crescimento brasileiro. A subida abrupta dos juros externos norte-americanos nos lançou na espiral da dívida e no desequilíbrio do balanço de pagamentos que, de várias formas diferentes, tem limitado nosso crescimento a surtos esporádicos que não se sustentam. Quis a história ainda, num de seus enredos trágicos, que ao mesmo tempo que as premissas do modelo mudaram e ele sucumbiu, não discutíssemos, como nação, suas alternativas, pois estávamos tentando construir a unidade política necessária para a restauração da democracia.

Como exemplo, lembro que as reuniões políticas para redemocratizar o país tinham o católico mineiro Tancredo Neves, o democrata-cristão Franco Montoro, o católico conservador do interior de São Paulo Ulysses Guimarães, o usineiro de Alagoas Teotônio Vilela, o socialista Miguel Arraes, o trabalhista que pegou em armas contra o golpe, Leonel Brizola, o comunista João Amazonas, que liderou a guerrilha do

Araguaia, o comunista e materialista Luís Carlos Prestes, e o então jovem líder sindical Luiz Inácio Lula da Silva, para citar o nome de algumas figuras a quem os democratas brasileiros muito devemos. Não poderíamos discutir economia política, pois simplesmente a segunda reunião não aconteceria. O que permitiu a obra histórica deste e de muitos outros brasileiros, entre os quais me incluo, de restaurar a democracia brasileira, foi a capacidade de superar as profundas diferenças em nome do foco na agenda que se impunha na emergência de então: anistia, eleições diretas e Assembleia Nacional Constituinte. Por essa razão concreta, a reconstrução da democracia, a minha geração acredita no milagre que a política é capaz de fazer. Contra um inimigo que parecia imbatível, ganhamos todas. Por isso, aqui, apelo a todos os brasileiros, especialmente aos jovens, que se livrem da descrença e do medo, quando não da depressão pura e simples, porque participar da política, energizá-la, produz resultados históricos. Porém, esse consenso superficial e raso deformou toda uma geração que ainda hoje está jogando o jogo da política no Brasil. Praticamente ninguém quer debater o que interessa, o problema econômico, suas raízes, extensão e solução. Este livro tenta de novo suplicar por esse debate. Esse papel é das forças progressistas, porque, para os beneficiários da ordem de privilégios para as minorias e miséria de massa e falta de perspectiva para as maiorias populares, nada precisa ser feito, basta cruzar os braços e deixar as coisas como estão. Outro número. Hoje, cinco brasileiros acumulam renda igual às posses dos 100 milhões de brasileiros mais pobres, depois de 25 anos de governos autointitulados social-democratas ou de esquerda.

Por tudo isso, escolho esse período, o início dos anos 1980, uma das origens mais distantes da crise econômica pela qual estamos passando agora, como ponto de partida simplificado de nossa análise aqui.

Há outro índice que serve para medir não só o volume, mas o nível de modernidade de uma economia. Quando o choque da armadilha da dívida nos atingiu em 1980, nosso país detinha o mesmo 1% de participação no comércio mundial que a China, tendo seis vezes menos população. Tínhamos um PIB per capita (riqueza produzida em média por habitante) de US$5.052, enquanto o da China era de US$1.690.[1] Deixe-me sublinhar este número. Ontem, sob o ponto de vista histórico, éramos um país três vezes mais rico do que a China.

Quando assumi o Ministério da Fazenda em 1994, nosso PIB per capita ainda era menor do que o que tínhamos em 1980. Quanto à comparação com a China, em 2016, o PIB per capita (PPP) desse país ultrapassou o brasileiro.[2] Nossa participação no comércio mundial permaneceu estagnada por 36 anos, enquanto a chinesa subiu para cerca de 11,5%.[3] Entre 1981 e 2018 o Brasil cresceu em média somente 2,2%, enquanto sua população cresceu, em média, em torno de 2% ao ano entre 1980 e 2010.[4] Em outras palavras, estamos praticamente parados.

Essa tragédia é tanto maior quando pensamos que nesse período automatizamos e informatizamos grande parte de nossa economia, o que significa a eliminação relativa de milhares de postos de trabalho, e que recebemos por ano cerca de 2 milhões de jovens procurando o primeiro emprego. Nos próximos anos, essa tendência só vai se acentuar. O Brasil não tem opção, tem que voltar a crescer.

Nos últimos 38 anos foram somente três períodos de crescimento relativo: momentos do Governo José Sarney, o Governo Itamar Franco (somado ao primeiro ano de FHC) e o Governo Lula (que apesar disso ocorreu em contínua desindustrialização). Nos três, crescimento insustentável por ciclos de consumo sem nenhuma correspondência em iniciativas que alterassem nossa matriz de produção. Ou seja, cresce o consumo em voos de galinha, logo seguido de queda pela desindustrialização contínua e

---

1 Madison Project Database, 2018.
2 World Bank Data. Disponível em: https://data.worldbank.org/indicator/NY.GDP.PCAP.PP.CD?locations=CN-BR
3 Unctad. Handbook of Statistics, 2017. Disponível em: http://unctad.org/en/Publications Library/tdstat42_en.pdf
4 IBGE. Séries históricas e estatísticas. População e demografia. Disponível em: https://seriesestatisticas.ibge.gov.br/series.aspx?no=10&op=0&vcodigo=CD106&t=taxa-media-geometrica-crescimento-anual-populacao

selvagem que experimentamos no período. Por quê? Defendo que isso se deva a três razões, que explorarei historicamente neste capítulo:

1. *Estrangulamento do passivo das empresas privadas* – Depois de três décadas sobrevivendo aos juros mais altos do mundo, esse custo não tem mais como ser repassado para os preços oligopolizados, por causa da abertura econômica. A maioria das trezentas maiores empresas brasileiras hoje não consegue mais fazer caixa sequer para pagar parcela vencida de suas dívidas com os bancos. Não podemos prosseguir por muito mais tempo nesse rumo sem arriscarmos acabar numa crise bancária.

2. *Colapso das finanças públicas* – O rentismo[5] desenfreado comprometeu em 2017 6,1% do PIB nacional com pagamento de juros líquidos do setor público, com a incrível quantia de R$400,8 bilhões paga em juros.[6] Só a União gastou R$340,9 bilhões desse bolo.[7]

Como a arrecadação federal em 2017 foi de R$1.342 trilhão,[8] isso é equivalente a 25,4% de tudo o que foi arrecadado gasto em juros. Mas é importante lembrar que não estamos conseguindo tirar um centavo de nossa arrecadação para pagá-los. O descontrole é tanto que toda a nossa

---

5   "Rentismo" é uma palavra derivada de "rentista", que significa quem vive de rendas financeiras, sejam elas derivadas de aluguéis, ou recebimento de juros decorrentes de empréstimos privados, ou títulos do governo. "Rentismo" significaria, portanto, a defesa dessa forma de vida para uma elite da população que quer que o Estado sustente seu padrão de vida sem correr riscos ou produzir nada, vivendo dos rendimentos de títulos do tesouro, fundos de investimentos baseados neles, CDBs, enfim, todos os papéis que tem seus rendimentos atrelados à taxa de juros paga pelo governo.
6   BARBOSA, Nelson. "Juros pagos pelo setor público: o total caiu em proporção do PIB, mas os pagamentos reais continuaram a subir em 2017." *Blog do Ibre*, fev. 2018. Disponível em: http://blogdoibre.fgv.br/posts/juros-pagos-pelo-setor-publico-o-total-caiu-em-proporcao-do-pib-mas-os-pagamentos-reais
7   Banco Central. Necessidades de financiamento do setor público, Fluxos mensais. Disponível em: http://www.bcb.gov.br/pec/Indeco/Port/indeco.asp. Acessado em 18 de maio de 2018.
8   Receita Federal. Disponível em: http://idg.receita.fazenda.gov.br/noticias/ascom/2018/janeiro/receita-arrecadou-r-1-34-trilhao-em-2017

conta de juros está sendo coberta por novas emissões de títulos públicos. Ou seja: dívida sobre dívida, ou, se quisermos ser rasos, estamos vendendo o almoço para comprar o jantar.

É importante aqui lembrar que, seguindo a mesma metodologia de cálculo, em 2015 gastamos 8,4% do PIB em juros,[9] que é a medida que, em conjunto com a queda brutal de arrecadação, explica o começo da explosão da dívida pública no segundo Governo Dilma, abrindo o caminho para o corrupto Eduardo Cunha, energizado pela inacreditável entrega da estatal Furnas ao seu controle pelo Governo Lula, executar sua sabotagem política.

Em 2017, a taxa de investimento da União, estados e municípios juntos foi de somente 1,17% do PIB.[10] Até 2019, havia sido o menor volume relativo de investimento desde que o Brasil começou a levantar esse número. A União sozinha tinha orçado investir 0,4% do PIB. Só para se ter uma ideia, em 1976, no Governo Geisel, os investimentos da União, excluindo os das estatais, atingiam sozinhos 1,9% do PIB.[11] Esse quadro de descontrole dos juros é um dos maiores fatores da falência do Rio de Janeiro, Rio Grande do Sul e Minas Gerais, mais 17 dos 27 estados da Federação. E essa falência realimentou num círculo vicioso a queda contínua de arrecadação, que caiu 2,96% em 2016 em termos reais em relação a 2015.[12] Como se não bastasse, o Governo Bolsonaro conseguiu bater também mais esse recorde

---

9   BARBOSA, Nelson. Op. cit.
10 FERNANDES, Adriana. "Investimento público cai para 1,17% do PIB e atinge o menor nível em 50 anos." *Estado de S. Paulo*, abr. 2018. Disponível em: http://economia.estadao.com.br/noticias/geral,investimento-publico-cai-para-1-17-do-pib-e-atinge-o-menor-nivel-em-50-anos,70002285682
11 Entrevista de Raul Velloso. DOCA, G.; JUNGBLUT, C. "Dados oficiais mostram que governo Geisel investiu mais do que gestão de Lula." *O Globo*, mar. 2010. Disponível em: https://oglobo.globo.com/politica/dados-oficiais-mostram-que-governo-geisel-investiu-mais-do-que-gestao-de-lula-3042574
12 Receita Federal. Análise da arrecadação das receitas federais – dezembro/2016. Disponível em: http://idg.receita.fazenda.gov.br/dados/receitadata/arrecadacao/relatorios-do-resultado-da-arrecadacao/arrecadacao-2016/dezembro2016/analise-mensal-dez-2016.pdf

em um único ano de governo. Em 2019, a taxa de investimento do governo federal atingiu 0,35%, a menor taxa de investimento da história.

3. *Ausência de um projeto nacional de desenvolvimento* – A prostração ideológica neoliberal conseguiu trazer setores inteiros da economia do Estado para o mercado, através da propaganda desmoralizante contra a suposta "ineficiência" e "corrupção" das empresas públicas e promotora da promessa de "eficiência" e "honestidade" do investimento privado, que supriria os motores estatais do desenvolvimento. No Ocidente, em especial na América Latina, esse movimento veio em sentido oposto ao dos países asiáticos, que mantiveram a associação harmoniosa entre mercado e Estado e se tornaram os mais dinâmicos do capitalismo contemporâneo, assumindo o papel de locomotivas da economia mundial.

Desmontaram grande parte do Estado brasileiro em nome do equilíbrio das contas públicas, enquanto o saqueavam com os juros reais mais altos do mundo. O resultado está aí. País estagnado e grande parte das maiores empresas brasileiras apanhada na Operação Lava Jato corrompendo o poder público. Afinal de contas, quando é que um agente estatal foi corrompido sem um agente privado corruptor que o tivesse cooptado para desviar a gestão do público para o interesse privado? Só na propaganda neoliberal. Sem uma diretriz clara nem volumes significativos de investimentos estatais que deem segurança ao empresário quanto à sustentação do ciclo de desenvolvimento, não há investimento privado significativo. Torramos cerca de metade de nosso patrimônio público nas privatizações de FHC em troca de títulos podres ou preços muitas vezes meramente simbólicos, e, ao invés de dinamizar nossa economia, a estagnamos.[13]

Como a história nos trouxe a essa tragédia?

---

13 Esses três fatores serão terrivelmente agravados com a crise do novo coronavírus.

Inflação derrotada

O primeiro flagelo legado pela crise da dívida foi o descontrole inflacionário. Com o súbito buraco em nosso balanço de pagamentos com o exterior, nossa moeda se depreciou e começou a necessidade crônica de captação de recursos externos para fechar essa conta. Só que tínhamos então todas as portas fechadas para isso. De maneira que a inflação no Brasil não era, como ensinam os manuais de economia, uma doença da moeda, mas sim um mecanismo perverso que atendia a dois objetivos muito práticos, o financiamento de um Estado falido e a criação do mecanismo hoje replicado nos juros altos. Neste último, títulos do governo indexados até diariamente faziam parte do baronato brasileiro ganhar muito dinheiro com a carestia que matava nosso tecido econômico e humilhava nosso povo.

Assim, de 1981 a 1994, vivemos a corrosão cotidiana da inflação que concentrava renda e acelerava a ciranda financeira de uma elite econômica que tinha ficado viciada em correção monetária e ganhos improdutivos.

É muito importante o brasileiro entender algo sobre esse nosso passado recente, algo que permanece nos destruindo até hoje. Inflação é doença da moeda, e como tal empobrece a todos. Por causa disso, ela sempre reúne em pouco tempo um consenso político no sentido de sua erradicação ou promove rupturas, tal como aquela que levou Hitler ao poder na Alemanha. Mas no Brasil tivemos três décadas de inflação acima de 20% sem nunca mexer no cerne da questão. Por quê? Porque nós inventamos uma moeda para os ricos que tinham excedente e estavam no sistema bancário: a correção monetária (que repunha primeiro mensalmente e depois diariamente as perdas da inflação). Enquanto isso, os pobres e a classe média ficavam com a moeda em espécie, que no fim do mês já tinha derretido em valor de compra ou como reserva de valor.

A inflação era tributo cobrado dos pobres e dado aos ricos. Ninguém remediado neste país realmente tinha interesse pessoal no fim da inflação e de seu alimentador inercial, a correção monetária. Nunca nenhum manual de economia do mundo entendeu essa peculiaridade brasileira. Não há um *paper* que eu conheça produzido em qualquer academia respeitável que demonstre essa obviedade. A inflação no Brasil, ao contrário dos manuais, não era, como já disse, uma doença da moeda, mas sim uma negociata, como hoje segue sendo a especulação financeira.

Mas com o impeachment de Collor surgiu na história do país um presidente chamado Itamar Franco. Depois de o Brasil ter passado pela hiperinflação e o caos político do Governo Collor, por duas moratórias da dívida externa e sucessivos planos econômicos que envolveram desde congelamento de preços ao confisco de poupanças, Itamar estava determinado a enfrentar os poderosos interesses por trás da inflação e da correção monetária, e reuniu uma maioria política e um grupo de economistas para isso. Foi concebido e lançado o Plano Real, que eu tive a honra de administrar num momento crítico de sua consolidação.

Quando fui chamado por Itamar para assumir o Ministério da Fazenda, a inflação projetada para o mês estava em 3%, além de haver ágio estabelecido em certos setores e uma pressão generalizada de desabastecimento na economia brasileira. Nessas circunstâncias, com a capacidade instalada da produção brasileira 100% ocupada trabalhando algumas vezes a três turnos e a taxa de desemprego ao seu menor nível histórico, só havia uma chance de salvar a estabilização e não deixar o Plano Real morrer da mesma doença que matou o Plano Cruzado: um choque de oferta. Então o fiz, explicitamente garantindo que aquilo não era paradigma de política industrial e comércio exterior, apenas uma medida emergencial. Antecipei a vigência da tarifa externa comum do Mercosul e baixei as tarifas alfandegárias naqueles segmentos de produtos em que estava havendo ágio e desabastecimento, portanto, pressão inflacionária. Importando mais barato as mercadorias que o consumidor brasileiro queria comprar, acabamos com o jogo do ágio que quase enterrou o Real.

Recebi naquele momento o câmbio sobrevalorizado e os juros muito altos, que deveriam, como repeti exaustivamente na época, ser expedientes temporários em direção a um novo governo que fosse capaz de, para além do tratamento tópico da febre, que era a inflação, trabalhar a verdadeira infecção, que era o colapso do modelo econômico. Isso evidencia que não estou engessado por interdições ideológicas na gestão econômica que se sobreponham ao interesse nacional brasileiro. Tais expedientes foram, naquele momento, fundamentais para controlar os preços dos produtos afetados pelo dólar e garantir a moeda nascente através do fluxo de dólares para um país sem reservas. Os juros elevados naqueles primeiros meses tinham ainda outra função essencial: proteger o Brasil de uma crise bancária, compensando transitoriamente o inflado sistema bancário nacional, viciado em inflação, pela receita perdida com o antigo ganho inflacionário. Isso garantiria uma transição menos abrupta para o sistema. Sem esse "antibiótico" monetário e cambial, não teríamos conseguido nos livrar das pressões inflacionárias do câmbio e teríamos enfrentado uma crise bancária de consequências imprevisíveis. Poderíamos ter sido derrotados pela memória inflacionária.

Mas não fomos. Fizemos o que era preciso e fomos muito bem-sucedidos naquela missão histórica. A superinflação foi finalmente derrotada. Entreguei o comando da economia a Pedro Malan, o ministro da Fazenda de FHC, com inflação de um dígito e profunda saúde fiscal, tendo ajudado a consolidar o maior superávit primário da história, de 5,21% do PIB.[14] Para alcançar este resultado, estados e municípios contribuíram com um superávit de somente 0,77% do PIB.[15] O Brasil tinha então uma módica

---

14 Banco Central. Disponível em: https://www3.bcb.gov.br/sgspub/localizarseries/localizarSeries.do?method=prepararTelaLocalizarSeries. Acessado em 18 de maio de 2018.
15 O superávit primário gerado somente pelo governo federal e Banco Central, excetuando-se o das empresas estatais, foi de 3,25% do PIB, também o maior da série histórica.

dívida interna de R$61,7 bilhões[16] e uma dívida externa de US$119 bilhões.[17] O total da dívida líquida consolidada do setor público (a soma das dívidas e dos créditos internos e externos do Estado) em relação ao PIB estava num dos níveis mais baixos dos últimos quarenta anos: 30,01% do PIB.[18] Era chegada a hora da segunda fase do Plano, necessária para a estabilização: a limpeza das contas públicas e a elevação das receitas do Estado, que garantissem uma suave mas progressiva desvalorização do câmbio e a diminuição das taxas de juros, criando o círculo virtuoso de crescimento que caracteriza as economias saudáveis.

Porém, com o fim da ciranda inflacionária, a elite brasileira logo viu nas altas taxas de juros o novo imposto para continuar a tirar dos pobres para dar aos ricos: foi o início do vício do rentismo.

O NOVO RENTISMO

Os dois primeiros anos do Real geraram uma bolha de consumo que sustentou a popularidade de FHC no início de seu governo. Com o fim do imposto inflacionário, a população que não tinha como se proteger da inflação experimentou um súbito aumento do poder de compra. Como toda essa "sobra" de dinheiro foi para o consumo, o aumento das importações gerou a necessidade de dólar e fez disparar o seu preço. Isso forneceu a desculpa que o sistema financeiro e a elite viciada em ganhos fáceis queriam para

---

16 Isso, a valores de hoje, corrigidos pelo IGP-M, equivaleria a R$388,6 bilhões, menos do que o Brasil pagou só de juros em 2017. Ipeadata. Produto Interno Bruto (PIB); Dívida mobiliária interna federal. Disponível em: http://www.ipeadata.gov.br
17 CERQUEIRA, Ceres Aires. *Dívida externa brasileira*. Banco Central do Brasil: Brasília, 2003. Disponível em: http://www.bcb.gov.br/htms/Infecon/DividaRevisada/03%20Publica%C3%A7%C3%A3o%20Completa.pdf
18 *A dívida pública brasileira*. Brasília: Câmara dos Deputados, Coordenação de Publicações, 2005. Disponível em: http://www2.camara.leg.br/a-camara/estruturaadm/altosestudos/pdf/Livro%20DIVIDA%20PUBLICA.pdf

manter os juros mais altos do mundo: atrair dólares para ganhar com nossa dívida, e diminuir o crédito e o consumo para controlar a inflação.

Para minha grande decepção, o partido que eu tinha ajudado a fundar para implantar uma social-democracia no Brasil, o PSDB, e o plano econômico que tinha ajudado a consolidar, o Real, se desvirtuaram completamente durante o Governo FHC, se deixando corromper pelos interesses do novo rentismo e pela embriaguez eleitoreira de uma emenda de reeleição obtida por suborno. Logo após a posse, esses novos protagonistas da vida econômica passaram a comandar o governo e a submeter todas as outras frações do capitalismo nacional, cooptando a maioria da classe política. Ou seja, o Plano Real foi uma iniciativa muito séria, mas era como uma espécie de antipirético, um comprimido para febre. Melhor explicando: a inflação não era a doença; era, como as febres, um sintoma das doenças. É preciso tratar a febre alta, mas, controlada a febre, é preciso levar o paciente a identificar a infecção. Essa sim é a doença. A doença era o colapso do modelo e a febre era a inflação. FHC experimentou a popularidade extraordinária do fim da febre e em vez de levar o paciente para a terapia ou cirurgia, levou o paciente para o baile funk, se é possível tratar com bom humor com esse momento crítico de nossa história.

Esse quadro me obrigou ao rompimento com o partido e o governo assim que consumada a traição ao plano de estabilização. Acho importante lembrar que, se estivesse na época movido por uma ambição vazia e oportunista, eu, naquele momento jovem ex-governador mais popular do país e ex-ministro do Real, teria ficado montado na máquina esperando concorrer à presidência pelo governo, acumpliciado com a plutocracia e os interesses internacionais. Em vez disso, fui para um período de estudos em Harvard, me afastando temporariamente da vida política e correndo o risco de para ela não poder retornar. Um político que se afasta da vida pública, como eu já fiz duas vezes nestes 40 anos, dificilmente volta com relevância. Ainda mais se o fizer para enfrentar os poderosos, e não para se acumpliciar com eles. E foi exatamente o que eu fiz quando voltei: me filiei sozinho a um partido então minúsculo, o PPS, que tinha apenas dois deputados, para denunciar a grave manipulação da séria iniciativa, porém precária, do Plano Real pelo Governo FHC e esse processo que viria a destruir as contas públicas brasileiras e nossa economia industrial.

Todas essas críticas saíram em artigos semanais no *Jornal do Brasil*, *Estado de S. Paulo* ou nos livros que publiquei. Da mesma forma saíram as críticas sobre o que eu via como uma falta de projeto do PT, que incrivelmente tinha se posicionado contrário ao Governo Itamar Franco, mesmo tendo sido um dos principais responsáveis pelo impeachment de Collor, e ainda mais inacreditavelmente se colocado contra o Plano Real.

Infelizmente, tudo se deu como denunciei. A estabilização seguiu ancorada nos juros escorchantes e câmbio sobrevalorizado, novos vícios destrutivos da elite nacional dos quais ela não se livrou até hoje. Quando FHC entregou o governo em 2002, o custo médio anual da dívida interna ainda era de 27,6%[19] contra uma inflação de 12,53%, o que significava juros reais de cerca de 15%. Quando falo esses números em seminários internacionais, as audiências se recusam a acreditar. Já a política cambial foi, por quatro anos, uma dolarização disfarçada, que, acompanhada de reformas e abertura de mercado, devastou nossa indústria. Quanto ao processo de privatizações, não serviu ao objetivo de modernização ou ajuste das contas públicas, mas somente ao de entregar criminosamente metade do patrimônio público tão arduamente construído por nosso povo durante cinquenta anos em troca de preços irrisórios e títulos podres, que só estavam ali para mascarar a mais vergonhosa doação de riqueza pública.

---

19 Idem.

Concorri à Presidência em 1998 com o objetivo maior de denunciar aquela ruinosa condução de nossa economia, mas o conluio da grande imprensa com o Governo FHC impediu a realização de qualquer debate naquela eleição. Isso mesmo. Numa das maiores democracias eleitorais do planeta Terra, a grande imprensa – televisões, rádios e jornais – não promoveu nem um único debate entre os presidenciáveis. O que dá uma ideia muito concreta do poder que o novo rentismo exerce e já exercia àquela data sobre o país. Evitando o confronto comigo e com Lula, o presidente FHC se reelegeu para o que havia sido, até Dilma e Temer, o mandato mais ruinoso da história brasileira.

Ao fim desse período trágico, os números eram impressionantes e resistem a qualquer defesa. Quando FHC toma posse, lembre-se de que eu era ministro da Fazenda no dia anterior, os números eram: de Pedro Álvares Cabral a Itamar Franco, dívida interna bruta de 37% do PIB, com correspondência de financiamento de toda uma poderosa rede de infraestrutura e de estatais. Ativos privatizáveis superiores a US$100 bilhões em telefonia, mineração e distribuição de energia elétrica, por exemplo. Apenas oito anos depois, a dívida pública saltava para 76% do PIB. Nossa carga tributária havia sido elevada de 26% em 1995 para 32,1%,[20] e metade de nosso patrimônio construído durante os períodos Vargas, JK e militar (inclusive Petrobras, que tem hoje quase metade de seu capital em posse de investidores nacionais e internacionais) vendida. Haviam achatado os salários do funcionalismo por oito anos e sucateado a infraestrutura do país sem a realização de uma única obra de vulto. Nossa dívida externa tinha saltado para US$220 bilhões,[21] e a dívida interna decuplicara em termos

---

20   IBGE. Séries históricas e estatísticas. Carga tributária bruta. Disponível em: http://seriesestatisticas.ibge.gov.br/series.aspx?vcodigo=SCN49
21   CERQUEIRA, Ceres Aires. Op. cit.

nominais, de R$61,7 bilhões para R$623 bilhões,[22] elevando a proporção dívida líquida/PIB de 30,01 para 59,93%.[23]

Naquele período, o país tinha quebrado três vezes e recorrido duas vezes a empréstimos do Fundo Monetário Internacional (FMI). A cada vez que o fazia, entregava mais um naco de sua soberania e de seus legítimos interesses de desenvolvimento. Esse enorme aumento de carga tributária foi efetuado não para diminuir as taxas de juros, mas para pagá-las. E é esse governo que segundo parte de nossa imprensa governou com responsabilidade o país.

E isso não era tudo. Segundo estudo do Ipea de 2004, cerca de 20 mil clãs familiares, num país de mais de 200 milhões de habitantes, apropriavam-se de 70% dos juros que o governo pagava aos detentores de títulos da dívida pública.[24] Desde então, rigorosamente nada foi feito para mudar esse descalabro moral inédito no mundo. Estava estabelecida uma plutocracia rentista que controlava o sistema político. Quando Lula assina a chamada "Carta aos brasileiros", era então parte da esquerda brasileira que também se submetia ao modelo.

O POPULISMO CAMBIAL

Concorri às eleições de 2002 certo de que um novo ciclo teria que se iniciar no país. Novamente sem falsas promessas, alertei ao povo brasileiro que um ajuste fiscal duro no primeiro ano seria necessário. Enfrentei uma campanha dura de desconstrução de imagem para abafar o fato de eu ter colocado o dedo na ferida da agiotagem nacional. No primeiro turno, no entanto,

---

22   Ipeadata. Produto Interno Bruto (PIB); Dívida mobiliária interna federal. Disponível em: http://www.ipeadata.gov.br
23   Ipeadata. Produto Interno Bruto (PIB); Dívida pública total (líquida). Disponível em: http://www.ipeadata.gov.br/exibeserie.aspx?serid=38388
24   CAMPOS, A.; BARBOSA, A.; POCHMANN, M.; AMORIN, R.; SILVA, R. *Atlas da exclusão social volume 3:* Os ricos no Brasil. 2ª ed. São Paulo: Cortez Editora, 2004.

foram escolhidos o candidato do governo, José Serra, e Lula. Apoiei então, pela segunda vez, Lula num segundo turno presidencial.

Em seu primeiro mandato, o presidente Lula me convidou para ser seu ministro da Integração Nacional, com a diretriz expressa de viabilizar a transposição do rio São Francisco. Esse era um projeto brasileiro que permanecia no papel desde o tempo do Império, de vital importância para enterrar a indústria da seca e a tragédia de seus fluxos migratórios. Foi uma tarefa que aceitei com muita dedicação e convicção, e que, graças a Deus, foi muito bem-sucedida. Meu entusiasmo com ela vinha do fato de conhecer o drama da seca intimamente e ter certeza de seu impacto positivo na questão. Mais uma vez essa certeza vem da experiência acumulada em quarenta anos de vida pública. Quando governei o Ceará nos anos 1990, assumi o mandato com o estado na iminência de um colapso no abastecimento de água de Fortaleza. Correndo contra o relógio, o governo e os trabalhadores cearenses construíram um canal de 120 km em noventa dias: o Canal do Trabalhador. O abastecimento da capital de meu estado foi garantido por ele até a conclusão de outro canal para esse fim, liberando o Canal do Trabalhador para a irrigação de uma área até então praticamente desértica que hoje virou um pomar empregando milhares de pessoas. Essa foi a primeira transposição de bacia, que mostrou na prática a viabilidade da posterior transposição do São Francisco projetada e iniciada por mim.

O Governo Lula tentou realizar uma inflexão suave na política econômica, sem abandonar a ortodoxia do chamado tripé macroeconômico (câmbio flutuante,[25] metas de inflação e superávit primário). As taxas de juros iniciaram uma trajetória de queda consistente, com a taxa Selic che-

---

25 "Câmbio flutuante" é uma forma de se determinar o valor de troca da moeda nacional por outras moedas fundamentalmente na oferta e demanda do mercado. O governo influenciaria o mínimo possível a determinação desse valor, e para evitar flutuações mais bruscas neste lançaria mão de compra e venda de moeda nacional com os recursos de suas reservas internacionais.

gando a 10,75% em dezembro de 2010.[26] O resultado é que, ao contrário do Governo FHC, foram gerados sucessivos superávits primários, derrubando a relação dívida líquida/PIB para 38,48% no fim de 2010.[27]

Mas Lula não reverteu o rentismo (manteve as maiores taxas reais de juros do mundo na maior parte de seu governo) nem o processo de desnacionalização e desindustrialização da economia (embora tenha executado políticas importantes, como a de conteúdo nacional da Petrobras, investimentos em refinarias e a reativação da indústria naval). No entanto, Lula escapou não só da estagnação que tem sido o padrão desde 1980 como também da crise econômica de 2008. Por quê? Em minha opinião porque, além da relativa queda das taxas de juros e de políticas industriais setoriais, ele lidou bem com dois fenômenos que herdou:

1) O medo do Governo Lula fez, no fim do Governo FHC, a busca por dólar levar a moeda a ser negociada no dia 17 de outubro de 2002 a R$3,92 (o equivalente a R$11,01 em valores atuais). Seu governo entregou essa taxa, em 31 de dezembro de 2010, a R$1,66 no dólar comercial[28] (R$2,49 em valores atuais[29]). Essa queda, possibilitada pelo grande afluxo de dólar com o valor das commodities e a compra de bônus da dívida pública, criou uma sensação de enriquecimento maior do que a lastreada no avanço do PIB, e uma bolha de consumo felicitante que, ao mesmo tempo, diminuía ainda mais a competitividade de nossa indústria.

---

26   Banco Central. Histórico das taxas de juros. Disponível em: https://www.bcb.gov.br/Pec/Copom/Port/taxaSelic.asp
27   Banco Central. Portal de dados abertos. Disponível em: https://www3.bcb.gov.br/sgspub/consultarvalores/consultarValoresSeries.do?method=consultarGraficoPorId&hdOidSeriesSelecionadas=4536
28   Banco Central. Cotações e boletins. Disponível em: http://www4.bcb.gov.br/pec/taxas/port/ptaxnpesq.asp?id=txcotacao
29   Valores de abril de 2018 pelo IGP-M. Banco Central. Calculadora do cidadão. Disponível em: https://www3.bcb.gov.br/CALCIDADAO/publico/exibirFormCorrecaoValores.do?method=exibirFormCorrecaoValores&aba=1

2) O déficit crônico nas contas externas brasileiras foi mascarado por uma alta extemporânea do preço das commodities (minério de ferro, petróleo, grãos) no mercado mundial, que cobriu nosso déficit na conta de produtos manufaturados.

A bonança foi bem aproveitada pelo governo para melhorar o perfil da dívida interna e externa, acumular reservas recordes e financiar a retomada do crescimento. Paralelamente, políticas sociais exitosas, assim como o aumento real do salário mínimo, elevaram o poder de consumo de nosso mercado interno. Esse ciclo virtuoso foi interrompido com a maior crise do capitalismo neste século e uma das maiores de sua história, a crise econômica de 2008, da qual o Governo Lula pareceu se sair muito bem, com um choque de crédito governamental que supriu o desaparecimento do dinheiro do mercado causado pelo pânico da crise.

A QUEDA DO PREÇO DAS COMMODITIES

O início do mandato de Dilma foi marcado pela estagnação mundial causada pela crise econômica de 2008 e por uma série de ações moralizantes e medidas que tinham a intenção de melhorar a competitividade de nossa indústria. Na Petrobras, executou uma mudança completa nos quadros da diretoria, demitindo aqueles que depois viriam a ser denunciados na Operação Lava Jato, provocando a fúria da base fisiológica do Congresso, liderada por Eduardo Cunha.

Para aumentar a produtividade industrial, depois de uma alta nos seis primeiros meses, começou a baixar a taxa básica de juros até a Selic alcançar 7,25%.[30] Paralelamente, para incentivar o consumo, pressionou o se-

---

30   Banco Central. Histórico das taxas de juros. Op. cit.

tor bancário a diminuir o *spread*[31] com os créditos mais baratos oferecidos pelos bancos públicos. Obrigou as prestadoras de energia a baixarem suas tarifas e tentou, via renúncia fiscal, desonerar fiscalmente a indústria.

Esta última medida, além de completamente ineficaz, causou um buraco na arrecadação federal de R$342 bilhões[32] entre 2011 e 2015. Esses recursos foram drenados pelas remessas de lucros das multinacionais, pressionadas por suas matrizes no momento agudo da crise, ou ainda diretamente para o bolso do empresariado nacional, que não investiu ou investirá neste país enquanto os juros pagos pelo governo remunerarem mais que a taxa de retorno médio dos negócios, e não tiver garantias da retomada dos investimentos do Estado para alavancar a economia.

No geral, a política econômica do início do primeiro mandato de Dilma fez o país crescer entre 2011 e 2013 a uma média de 3% ao ano, mesmo diante da recessão mundial. Mas então, no começo de 2013, a política de queda das taxas de juros foi abandonada rapidamente sob pressão da mídia e dos bancos, os maiores sócios do rentismo brasileiro, que fizeram uma feroz campanha sobre uma alta inexistente da inflação, a famosa "inflação do tomate". Essa volta da alta dos juros, somada aos protestos de junho de 2013, selou o futuro do Governo Dilma, sendo uma das principais causas do desequilíbrio fiscal que se agravaria em 2014 e 2015, até chegar ao colapso no Governo Temer.

Como se não bastasse, então outra triste realidade, a da desindustrialização brasileira, novamente bateu à nossa porta. Já tivemos, em 1985, a indústria de transformação responsável por 21,8% do PIB na-

---

31 É a diferença entre o preço de compra e venda de uma ação, título ou transação monetária. Geralmente, se refere à diferença entre o juro que o banco paga para receber um capital e o juro que ele cobra para emprestar o mesmo capital, este último certamente maior.
32 Receita Federal. Desonerações instituídas. Disponível em: http://idg.receita.fazenda.gov.br/dados/receitadata/renuncia-fiscal

cional.³³ Em 2016, a indústria de transformação respondeu por somente 11,7% do PIB.³⁴ É verdade que a diminuição da participação da indústria no PIB é um fenômeno comum às economias avançadas. Entre 1970 e 2007, a participação da indústria no PIB dos países da Europa Ocidental e países de língua inglesa caiu de 25% para 15%. Mas nós não somos um país desenvolvido. Os apelos a uma economia "pós-industrial" ainda são nada mais que um luxo no discurso de nações altamente industrializadas. Nos países em desenvolvimento da Ásia (incluindo a China), a participação da indústria no PIB praticamente se manteve: foi de 32% em 1970 para 31% em 2007.³⁵ Já nós, chegamos em 2017 a valores correlatos aos que alcançávamos em 1910.³⁶

Enquanto a grande maioria da química fina usada em nossos medicamentos, componentes de nossos carros e computadores continuavam importados, o preço das commodities que sustentavam nosso padrão de consumo e comércio com o exterior despencou, voltando a níveis do início dos anos 2000. Para termos uma ideia, nos primeiros meses do Governo Dilma chegamos a vender nossa tonelada do minério de ferro a cerca de US$190. Em janeiro de 2016, às vésperas da derrubada de Dilma, o Brasil chegou a vendê-lo a US$38.³⁷ O governo reagiu a isso

---

33   Em série histórica com metodologia já em desuso e contabilizando a participação da indústria como um todo no PIB, chegou-se a 35,9% em 1980. Fiesp. *Panorama da Indústria de Transformação brasileira*, 18ª edição, 2019. Disponível em: https://www.fiesp.com.br/indices-pesquisas-e-publicacoes/panorama-da-industria-de-transformacao-brasileira/
34   Fiesp. *Panorama da Indústria de Transformação brasileira*, 14ª edição, 2017. Disponível em: https://www.fiesp.com.br/indices-pesquisas-e-publicacoes/panorama-da-industria-de-transformacao-brasileira/. Acessado em 18 de maio de 2018.
35   BONELLI, R. & PESSÔA, S. *Desindustrialização no Brasil, um resumo da evidência*. Rio de Janeiro: FGV, 2010. Disponível em: http://bibliotecadigital.fgv.br/dspace/bitstream/handle/10438/11689/Desindustrializa%C3%A7%C3%A3o%20no%20Brasil.pdf?sequence=1
36   BONELLI, R. & GONÇALVES, R. *Para onde vai a estrutura industrial brasileira*. Rio de Janeiro: Ipea, 1998. Disponível em: https://www.ipea.gov.br/portal/index.php?option=com_content&view=article&id=3806
37   Vale. Índices de minério de ferro. Disponível em: http://www.vale.com/mozambique/PT/business/mining/iron-ore-pellets/Paginas/Iron-Ore-Indices.aspx

com mais populismo cambial, mantendo nossa moeda sobrevalorizada para deter a inflação, e, diante do agravamento do desequilíbrio, em vez de esclarecer nossa nova situação à população, preferiu escondê-la para disputar as eleições.

Dilma cai com o mesmo filme de FHC em 1999: passadas as eleições de 2014 o Brasil começa a desvalorizar sua moeda, levando a cotação do dólar de cerca de R$2,40 para aproximadamente R$4 em somente um ano. Ou seja, desvaloriza sua moeda em cerca de 40%[38] e atira a taxa de juros a 14,25%[39] com o ministro Joaquim Levy na Fazenda. O país, que já vivia os impactos econômicos negativos das desonerações e consequente degradação do superávit primário, da crise política e da Operação Lava Jato (que, segundo a Consultoria Tendências,[40] derrubou o PIB de 2015 em 2,5%), viveu uma tempestade perfeita.

Uma associação de gângsteres no Congresso, determinados a deter a Lava Jato e a recuperar os espaços para roubar, decidiu não mais deixar Dilma governar a partir da metade de 2015. No momento de crise mais aguda do orçamento, promoveram, com o apoio do então deputado Jair Bolsonaro, uma farra fiscal com uma série de reajustes enormes e irresponsáveis ao Judiciário e ao Legislativo, ao mesmo tempo que impediam o governo de gerar receitas para bancá-las. Isso, somado aos efeitos paralisantes da Lava Jato, à queda das commodities, ao rombo dos juros, ao aumento do desemprego, das recuperações judiciais e falências, nos jogou na mais aguda crise econômica de nossa história e criou as condições políticas para o golpe de Estado que encerrou o mais longo período de normalidade democrática da República e cujos efeitos radicalizantes sentimos até hoje.

---

38   Banco Central. Cotações e boletins. Op. cit.
39   Banco Central. Histórico das taxas de juros. Op. cit.
40   COSTAS, Ruth. "Escândalo da Petrobras 'engoliu 2,5% da economia em 2015'." *BBC Brasil*, dez. 2015. Disponível em: http://www.bbc.com/portuguese/noticias/2015/12/151201_lavajato_ru

Assim terminava no Brasil a era dos governos do PT, deixando um saldo medíocre, resultado de sua falta de projeto nacional de desenvolvimento e covardia em enfrentar os verdadeiros gargalos brasileiros. De um lado, a importante política de recuperação do salário mínimo e o Bolsa Família, que, apesar de ser um programa compensatório e não emancipatório, foi fundamental para que durante algum tempo eliminássemos a miséria absoluta. Do outro, a completa falta de reformas estruturais. O resumo do saldo dessa política pode ser vislumbrado em alguns números frios. O crescimento médio do PIB no Governo FHC foi de 2,3% ao ano, nos governos do PT, 2,6%. A fatia da indústria de transformação no PIB era de 16,9% em 2003, e em 2014, de 10,9%.[41] Em 2003, o Brasil era o oitavo país mais desigual do mundo,[42] e em 2016, o décimo.[43] Segundo estudo de Thomas Piketty,[44] concentramos renda entre 2001 e 2015. A fatia da renda nacional apropriada pelos 10% mais ricos da população subiu de 54,3% para 55,3%, enquanto a apropriada pelos 10% mais pobres subiu de 11,3% para 12,3%, e a apropriada pelos 40% intermediários caiu de 34,4% para 32,4%, o que indica que o discurso de um novo país de classe média nunca passou de mera ilusão.

O EFEITO LAVA JATO

A Operação Lava Jato poderia ter prestado um serviço importante e histórico ao Brasil, que sofre cronicamente com a impunidade das classes

---

41 IBGE. Escolho o ano de 2014 como parâmetro para não contaminar a avaliação com o efeito desindustrializante da Operação Lava Jato.
42 Pnud. Relatório de Desenvolvimento Humano 2005.
43 Pnud. Relatório de Desenvolvimento Humano 2017.
44 MÁXIMO, Wellton. "Desigualdade de renda no Brasil não caiu entre 2001 e 2015, revela estudo." *Agência Brasil*, set. 2017. Disponível em: http://agenciabrasil.ebc.com.br/economia/noticia/2017-09/desigualdade-de-renda-no-brasil-nao-caiu-entre-2001-e-2015-revela-estudo

política e empresarial. Suas revelações evidenciaram aos brasileiros o controle do país pela plutocracia através da força do dinheiro sujo. Não devemos, no entanto, nos acumpliciar com outra espécie de crime, mais grave ainda que os primeiros, que é o desrespeito à Constituição e aos direitos individuais por parte de alguns membros do Judiciário e do Ministério Público. A corrupção rouba nosso dinheiro e nosso trabalho. O vilipêndio do Estado de Direito rouba nossa liberdade e nossa justiça. A força-tarefa da Lava Jato muitas vezes não agiu com a responsabilidade requerida para operação tão crucial, desprezando a preservação dos empregos e riquezas produzidas pelas empresas envolvidas, como ocorre em todo o mundo desenvolvido. Corrupção é praticada por pessoas físicas, não por empresas. Devemos punir as pessoas responsáveis pela corrupção, condenar CPFs, não CNPJs.

O resultado é que a Lava Jato comprometeu cadeias inteiras de nosso já combalido setor industrial, particularmente a cadeia do petróleo, indústria naval e engenharia civil, causando um impacto no PIB que já pode ter ultrapassado os 5% desde agosto de 2014. Sem contar a paralisação do programa nuclear brasileiro, fato que merece apuração mais aprofundada. O quanto essa operação teria se valido de informações de serviços de inteligência estrangeiros interessados diretamente em desmontar certas cadeias produtivas brasileiras? Recente entrevista do ex-embaixador dos EUA Thomas Shannon torna essa pergunta algo que merece consideração séria.[45] Mesmo porque, na sequência dessa operação, Jair Bolsonaro ainda entrega aos EUA a possibilidade de entrar no setor de engenharia civil no Brasil.

As estimativas indicam que o volume total de desvio de dinheiro apurado pela Lava Jato poderia ter chegado até R$16 bilhões. Passa na cabeça

---

45   HALL, K.; HERDY, T.; AMADO, G. "O braço americano da Lava Jato." *Época*, jul. 2019. Disponível em: https://epoca.globo.com/mundo/o-braco-americano-da-lava-jato-23782895

de alguém que tal volume de dinheiro poderia transitar de corruptores a corruptos sem a ajuda central de parte dos bancos? Fica evidente, também por esse ângulo, o caráter omisso e interesseiro, quando não, pura e simplesmente cúmplice, de alguns agentes da Lava Jato.

Da mesma forma, faltou várias vezes a essa operação o cuidado necessário para não jogar todos os políticos na mesma vala comum, criminalizando, com vazamentos espetaculosos e seletivos, meras doações legais e declaradas, misturando propina e doação oficial no mesmo cesto. Quando se faz isso, em vez de livrar a política do crime, se criminaliza a atividade política. O efeito é deslegitimar a representação popular e o sufrágio universal e legitimar ambições de pessoas não eleitas que querem usurpar funções de instituições que extraem sua legitimidade da vontade popular diretamente expressa através do voto. Ao "saírem de suas caixinhas", ou seja, ao perderem os limites constitucionais de atuação, em alguns momentos membros dessa operação colocaram em risco não só ela própria, semeando nulidades que podem servir para a anulação de sentenças no futuro (como aconteceu com as operações Satiagraha e Castelo de Areia), como o próprio Estado de Direito. Não queremos uma democracia sequestrada. Nem pelo poder do dinheiro da corrupção, nem pela usurpação do poder concedido pelo sufrágio universal.

A delação premiada é um instituto precário. Por isso a lei prevê que sem a paralela produção de provas sobre o conteúdo da acusação ela não pode ser usada para condenar ou reduzir pena. Isoladamente ela não tem valor de prova exatamente porque é feita por um criminoso confesso e em vista do prêmio de redução de pena, podendo ser usada como arma contra inimigos políticos. No caso concreto da Lava Jato, também assistimos à prática de prisões provisórias indefinidas para forçar delações, o que compromete sua credibilidade, assim como as empresas envolvidas.

Sinto-me com autoridade para chamar atenção para todas essas questões e fatos porque, como sou obrigado a lembrar, não fui sequer citado nem nesse conjunto de delações, que alcançam vinte anos da vida política nacional, nem em qualquer outro escândalo. É claro que ser acusado sem provas, na delação de um criminoso confesso, não significa nada. Ainda assim, creio ser esse um fato digno de nota. Sempre tive um comportamento intransigente com a corrupção, e nunca sequer respondi a um inquérito nem para ser absolvido, mesmo tendo sido deputado estadual, federal, secretário de estado, prefeito, governador e ministro duas vezes.

Ainda gostaria de lembrar que a destruição econômica do país não é causada por esses desvios éticos, mas sim por nossa desindustrialização e escoamento de nossos recursos para os juros da dívida interna. Apesar do terrível impacto moral na sociedade, razão pela qual o combate à corrupção não deve ter tréguas, seu impacto no orçamento nacional é extremamente limitado, ao contrário do que a imprensa faz parecer. Mesmo porque a corrupção leva predominantemente um percentual dos recursos para investimento do Estado, e em 2017 os investimentos federais foram previstos em 1,4% do orçamento. Enquanto isso, perdemos quase 10% deles no pagamento de uma das taxas de juros mais altas do mundo.[46] A corrupção, sendo uma distorção gravíssima porque destrói a confiança da população no sistema, não é a causa de nosso atraso econômico. Essa é uma narrativa falsa imposta por aqueles que não querem mudar o modelo que fracassa inapelavelmente desde os anos 1980, e que poderia ser perfeitamente chamado de corrupção institucionalizada, pois é o sequestro do Estado e de suas energias por uma minoria de poderosos barões do sistema financeiro. O aumento da corrupção é só mais um sintoma de nossa degradação como sociedade e da percepção generalizada de injustiça e impunidade.

---

46   Projeto de Lei Orçamentária Anual – Ploa 2017. Disponível em: http://www.orcamentofederal.gov.br/clientes/portalsof/portalsof/orcamentos-anuais/orcamento-2017/p_ploa

Democracia golpeada

Outro componente básico da pior depressão de nossa história é a crise política causada pelo golpe de 2016. Remédio para governo ruim é pressão popular e, no limite, as eleições seguintes. Impeachment em nossa Constituição é um remédio extremo para retirar um presidente contra o qual haja provas de crime de responsabilidade dolosamente praticado no exercício do mandato. É um processo político, pois levado a cabo pelo Congresso Nacional, mas que não pode prescindir do elemento jurídico e legal: a comprovação do crime doloso de responsabilidade. E isso, evidentemente, não inclui uma manobra fiscal (a "pedalada fiscal") aprovada por pareceres técnicos, executada por um membro do segundo escalão, que é feita todo ano desde FHC e que não envolve dolo ou desvio de recursos.

Não resta mais qualquer dúvida razoável hoje de que o Brasil sofreu um golpe. O uso de uma forma constitucional sem o conteúdo acusatório adequado não torna legal o processo. E hoje sabemos que o mesmo Congresso que se inflamou contra as pedaladas tornou-as legais dois dias depois de afastar a presidente legítima.[47] Esse mesmo Congresso negou a autorização para investigação do golpista que ocupou a Presidência da República desonrando nosso país e nosso povo, mesmo diante de malas de dinheiro e confissões de crimes gravadas. O ex-presidente da Câmara e hoje condenado por corrupção Eduardo Cunha, que outrora me processou por tê-lo chamado de corrupto, aceitou e conduziu o pedido de impeachment. Alguns meses depois estava condenado por corrupção e preso na Papuda,

---

47 "Após impeachment, Senado transforma pedaladas fiscais em lei." *Jornal do Brasil*, set. 2016. Disponível em: https://www.jb.com.br/index.php?id=/acervo/materia.php&cd_matia=820982&dinamico=1&preview=1

e teria delatado, segundo a imprensa,[48] deputados que teriam recebido dinheiro para votar pelo impeachment.

Julgo que esse golpe tinha basicamente três interesses poderosos que o levaram a cabo. O primeiro e o mais evidente hoje era o do sindicato dos corruptos que se articulavam em torno de Cunha, e queriam "parar a sangria" da Lava Jato e se livrar da cadeia. O segundo e menos evidente para a população eram os interesses da oligarquia rentista brasileira, que através dos bancos e da mídia queria, num momento agudo de crise econômica, garantir a geração de excedentes a qualquer custo para pagar os juros, o serviço da dívida. Por fim, o último dos interesses poderosos estava mais oculto, e não teríamos como falar abertamente dele hoje se não fossem os documentos revelados por Edward Snowden e Julian Assange, que mostraram, logo antes do início da Lava Jato, a espionagem norte-americana na Petrobras[49] e na Presidência da República que foi denunciada por Dilma e Ângela Merkel na Organização das Nações Unidas (ONU).[50] Esse interesse queria acabar com a Lei do Pré-sal, colocar a mão em nossas reservas de petróleo, tomar a base de Alcântara, permitir a construção de bases militares norte-americanas na América do Sul, acabar com o Brics e com o financiamento pelo BNDES das empresas brasileiras que atuam no exterior. Não surpreende, nem um pouco, que todos esses interesses tenham sido promessas de campanha do homem que atualmente ocupa a Presidência da República.

---

48   "A lista de Eduardo Cunha." *O Globo*, jul. 2017. Disponível em: http://noblat.oglobo.globo.com/meus-textos/noticia/2017/07/lista-de-eduardo-cunha.html. Acessado em 18 de maio de 2018.
49   "EUA espionaram Petrobras, dizem papéis vazados por Snowden." *BBC Brasil*, set. 2013. Disponível em: http://www.bbc.com/portuguese/noticias/2013/09/130908_eua_snowden_petrobras_dilma_mm
50   CORRÊA, Alessandra. "ONU aprova resolução contra espionagem apresentada por Brasil e Alemanha." *BBC Brasil*, dez. 2013. Disponível em: http://www.bbc.com/portuguese/noticias/2013/12/131218_onu_espionagem_ac

Todos, para desgraça nacional, conseguiram tudo o que queriam e que eu havia denunciado incansavelmente desde o fim de 2014, cumprindo meu dever com o país. E é com o aprofundamento do desastre econômico causado pelas medidas pós-golpe que eu quero concluir esse diagnóstico.

DE NOVO A DEVASTAÇÃO DO NEOLIBERALISMO

O déficit público em 2014 inteiro, que motivou a campanha da mídia por um representante da banca na Fazenda, foi de R$17 bilhões. Diminuir em um ponto os juros médios teria provavelmente resolvido o problema. Mas Dilma cedeu e resolveu aplicar a maior parte do programa — contra o qual se bateu e derrotou na eleição — para que a banca e a mídia aplacassem a direita radicalizada. Promoveu um choque de juros e tarifas públicas assim que fechadas as urnas e nomeou Joaquim Levy, funcionário do Bradesco e egresso da Universidade de Chicago, para administrar a economia brasileira. Esse foi, certamente, um dos maiores estelionatos eleitorais a que pude assistir durante minha vida política. Seus efeitos deletérios para a crença na democracia representativa e a reputação da esquerda serão ainda sentidos por muitos anos. Como explicar agora à população que o que o PT aplicou de fato em 2015 foi o receituário neoliberal?

Com o Brasil em recessão, crise política e setores inteiros da indústria paralisados pela Lava Jato, Levy (que depois veio a se tornar presidente do BNDES no Governo Bolsonaro) jogou querosene para apagar o fogo da crise, cortando investimentos e mantendo os maiores juros reais do mundo. Ao fazê-lo, colapsou as contas de 2015, levando o setor público a comprometer assombrosos 8,4% do PIB nacional em pagamento de juros, ou R$501,8 bilhões, o recorde da história brasileira.[51]

---
51 BARBOSA, Nelson. Op. cit.

Com o golpe consumado em abril de 2016, os golpistas dobraram a aposta no neoliberalismo nomeando Henrique Meirelles (que tinha sido por oito anos presidente do Banco Central do Governo Lula) ministro da Fazenda. O novo governo tentou acertar o rombo fiscal causado por queda de receita com mais corte de investimentos. O resultado está aí.

Em 2016, o serviço da dívida levou 44% do orçamento federal. Em 2017, levou cerca de 49% de um orçamento de R$3,5 trilhões, ou seja, R$1,72 trilhões.[52] Em 2018 estima-se que tenha levado outros 52% de um orçamento de R$3,55 trilhões, ou seja, R$ 1,85 trilhão.[53] O descontrole da dívida pública, sua apropriação do orçamento nacional foram galopantes sob o governo daqueles que a mídia trata como responsáveis fiscais.

Para termo de comparação, podemos lembrar que a Previdência, ao contrário da campanha difamatória, consumiu somente 16,8% (R$598,2 bilhões) do orçamento de 2018, os gastos com pessoal, 8,5% (R$301,3 bilhões, aí incluídos inativos e pensionistas da União[54]), e as despesas discricionárias, de onde saem os investimentos, tragicamente, somente 1,8% (R$65 bilhões).[55]

Enquanto isso, os juros (R$342,67 bilhões em 2018, ou 9,7% do orçamento[56]) e a sonegação (estimada em R$550 bilhões em 2018[57]) destruíram as contas públicas.

Ao contrário da maciça propaganda positiva de nossos meios de comunicação, o colapso da nossa economia só se agravou. Em março de

---

52   Lei Orçamentária Anual – 2017. Disponível em: http://www.planejamento.gov.br/assuntos/orcamento-1/orcamentos-anuais/orcamento-anual-de-2017
53   Lei Orçamentária Anual – 2018. Disponível em: http://www.planejamento.gov.br/assuntos/orcamento-1/orcamentos-anuais/orcamento-anual-de-2018
54   O valor chega a R$323,7 bilhões se contabilizarmos os R$22,4 bilhões referentes à contribuição patronal ao regime próprio dos servidores.
55   Lei Orçamentária Anual – 2018. Op. cit.
56   Relatório anual da dívida pública federal – 2018. Receita Federal. Disponível em: http://www.tesouro.fazenda.gov.br/relatorio-anual-da-divida
57   Sindicato Nacional dos Procuradores da Fazenda Nacional. Sonegômetro. Disponível em: http://www.quantocustaobrasil.com.br/

2018, o déficit do governo central era de assombrosos R$25,53 bilhões,[58] maior que o déficit de todo o ano de 2014 (de R$17 bilhões). Curiosamente, agora esse déficit é tratado como fruto de "responsabilidade fiscal" por grande parte de nossos "especialistas econômicos".

Ao contrário da propaganda de gestão responsável da economia, o Governo Temer foi o maior desastre fiscal da história brasileira. Terminou seu mandato tendo como meta obter, em vez de um superávit primário, um déficit primário (!) de R$139 bilhões.[59] Obteve R$120,3 bilhões, simplesmente, cerca de sete vezes maior que o de 2014.[60]

Um dos motivos para esse déficit foi a rápida degradação das contas da Previdência diante do desemprego e da informalidade crescentes. A crise atual dessas contas é fundamentalmente uma crise de receita, e não de despesa.

Com menos pessoas formalmente empregadas, a arrecadação previdenciária diminui. No primeiro trimestre de 2018, a taxa de desemprego no Brasil era de 13,1% da população ativa, o que equivalia a 13,7 milhões de brasileiros desempregados, contra os somente 6,5% registrados no último trimestre de 2014.[61]

A informalidade avançou a passos largos. O Brasil perde em média 1 milhão de empregos formais por ano desde 2015.[62] Em 2017, pela primeira

---

58 "Dívida do governo bate novo recorde em março." *Estado de S. Paulo*, abr. 2018. Disponível em: http://economia.estadao.com.br/noticias/geral,setor-publico-tem-rombo-de-r-25-135-bilhoes-em-marco,70002289680
59 Orçamento anual de 2018. Disponível em: http://www.planejamento.gov.br/assuntos/orcamento-1/orcamentos-anuais/2018/orcamento-anual-de-2018
60 MÁXIMO, Wellton. "Déficit primário somou R$ 120,3 bilhões em 2018." *Agência Brasil*, jan. 2019. Disponível em: http://agenciabrasil.ebc.com.br/economia/noticia/2019-01/deficit-primario-somou-r-1203-bilhoes-em-2018
61 IBGE. "Desemprego volta a crescer no primeiro trimestre de 2018." *Agência IBGE*, abr. 2018. Disponível em: https://agenciadenoticias.ibge.gov.br/agencia-noticias/2012-agencia-de-noticias/noticias/20995-desemprego-volta-a-crescer-no-primeiro-trimestre-de-2018.html
62 IBGE. Pesquisa Nacional por Amostra de Domicílios Contínua – Pnad Contínua. Disponível em: https://www.ibge.gov.br/estatisticas-novoportal/sociais/trabalho/9171-pesquisa-nacional-por-amostra-de-domicilios-continua-mensal.html?=&t=series-historicas

vez neste século, a quantidade de brasileiros trabalhando na informalidade superou a de brasileiros com emprego formal.

Já a reforma trabalhista que entrou em vigor veio complicar mais ainda esse quadro dramático. Prometendo 2 milhões de empregos[63] novos, ela nada entregou diante de mais de 13 milhões de desempregados em fevereiro deste ano.[64] O que ela veio de fato incentivar é a extinção progressiva do trabalho formal tradicional e a geração de postos de trabalho que não contribuem necessariamente com a Previdência, o que causa maior degradação nas contas públicas.

Depois do mandato de um governo federal que fez tudo o que a mídia e a banca mandaram, a dívida bruta já passou dos 66,7% do PIB – no mês em que Temer assumiu o governo – para incríveis 76,7% do PIB em dezembro de 2018.[65] Essa disparada do endividamento ocorreu mesmo com a entrada dos recursos arrecadados com a repatriação de dinheiro de origem duvidosa evadido do país e com os recursos tomados da descapitalização do BNDES (o único banco que financiava nosso desenvolvimento). Ocorreu mesmo com os recursos da "venda" (com o barril de petróleo mais barato que uma latinha de Coca-Cola) de campos inteiros do nosso pré-sal a empresas estrangeiras, a maioria estatais, evidenciando a falácia neoliberal que prega a privatização da Petrobras.

Outra ilusão vendida pelo Governo Temer era sobre os juros efetivamente pagos pela dívida pública, nossa verdadeira taxa de juros reais. Juros reais são o rendimento do dinheiro investido descontada a inflação

---

63 AGUIAR, Adriana. "Reforma trabalhista não gerou volume de empregos esperado." *Valor Econômico*, nov. 2018. Disponível em: https://www.valor.com.br/legislacao/5969407/reforma-trabalhista-nao-gerou-volume-de-empregos-esperado

64 PARADELLA, Rodrigo. "Desemprego sobe para 12,4% e população subutilizada é a maior desde 2012." *Agência IBGE*, mar. 2019. Disponível em: https://agenciadenoticias.ibge.gov.br/agencia-noticias/2012-agencia-de-noticias/noticias/24110-desemprego-sobe-para-12-4-e-populacao-subutilizada-e-a-maior-desde-2012

65 Relatório anual da dívida pública federal – 2018. Receita Federal. Op. cit.

do período, ou seja, quanto efetivamente o credor ficou mais rico por emprestar o dinheiro.

Essa ilusão é possível devido à composição de nossa dívida interna. Temos quatro tipos básicos de títulos na dívida pública federal, cujos rendimentos possuem indexadores diferentes. O primeiro, correspondendo a somente 35,5% de nossa dívida em 2018,[66] remunera o credor a taxas flutuantes. A maioria desses títulos é indexada à Selic. Temos, no entanto, ainda títulos com rentabilidade prefixada, vinculados a índice de preços e até ao câmbio. Ou seja, a Selic não é nossa taxa média de juros.

Para uma estimativa adequada dos juros reais pagos por nossa dívida interna, precisamos saber o custo médio efetivo dessa, que é uma composição das taxas efetivamente pagas por todos os tipos de títulos.

Portanto, enquanto a taxa Selic terminou o ano de 2018 em 6,5%, o custo médio efetivo de nossa dívida terminou em dezembro de 2018 em 9,86% nos últimos doze meses.[67] Como a inflação de 2018 pelo IPCA fechou em 3,75%, a verdade é que, considerando a taxa de juros real passada (taxa *ex-post*), nossa taxa real em 2018 foi de aproximadamente 6,11%. Sob qualquer critério que se adote, estamos entre os seis países que pagaram juros reais mais altos do mundo em 2018, com a Argentina neoliberal de Macri liderando o ranking.

Se o governo paga por seus papéis, de forma segura, mais do que paga a taxa de retorno dos negócios no Brasil, não é preciso ser prêmio Nobel em economia para deduzir que ninguém vai pegar dinheiro emprestado para colocar num negócio que remunera menos que os juros bancários.

---

66 Relatório anual da dívida pública federal – 2019. Receita Federal. Disponível em: http://sisweb.tesouro.gov.br/apex/cosis/thot/transparencia/arquivo/31542:1064336:inline:28082283733871
67 Tesouro Nacional. Séries temporais. Custo médio mensal da Dívida Pública Mobiliária Federal interna (DPMFi). Disponível em: https://sisstn.tesouro.gov.br/series-temporais-ext/#/

E o custo de tantos desastres econômicos é a volta do aumento da miséria em nosso país. Só em 2017, enquanto os órgãos de imprensa falavam de recuperação econômica, 1,5 milhão de brasileiras e brasileiros voltaram à extrema pobreza. Em 2018 eram 14,8 milhões de irmãs e irmãos, compatriotas, nessa desesperadora condição.[68] Desde o golpe, estima-se que no mínimo 4 milhões de pessoas tenham voltado à extrema pobreza no Brasil.[69]

O desastre do aumento da miséria é agravado por outro desastre moral, que é o aumento da desigualdade no décimo país mais desigual do mundo. O neoliberalismo tem sido de fato nada mais que um aparato discursivo para justificar políticas de concentração de renda, e o que entrega é o aumento da riqueza em mãos dos super-ricos. Em 2016, o índice Gini (um dos parâmetros de desigualdade usados no mundo) calculado pela Fundação Getulio Vargas (FGV) voltou a subir depois de 22 anos de queda.[70] A mesma política econômica que atirou mais de 4 milhões de pessoas na extrema pobreza produziu, só em 2017, um aumento de 39% no número de bilionários brasileiros. O Brasil levou quinhentos anos para produzir 31 bilionários e somente o ano de 2017 para produzir mais doze deles. Enquanto o país agonizava, o patrimônio dessas pessoas cresceu, em média, 13% em 2017. Hoje, os cinco homens mais ricos do Brasil têm riqueza correlata à da metade da população mais pobre. Ou

---

68   VILLAS BÔAS, Bruno. "Pobreza extrema aumenta 11% e atinge 14,8 milhões de pessoas." *Valor Econômico*, abr. 2018. Disponível em: http://www.valor.com.br/brasil/5446455/pobreza-extrema-aumenta-11-e-atinge-148-milhoes-de-pessoas
69   PRENGAMAN, P.; DILORENZO, S.; TRIELLI, D.. "Em 2 anos, milhões ficam abaixo de pobre no Brasil e ganham menos de R$140." *Uol*, 2017. Disponível em:
https://economia.uol.com.br/noticias/redacao/2017/10/24/pobreza-miseria-brasil-recessao.htm?cmpid=copiaecola
70   COSTA, D.; GONÇALVEZ, K.. "Com crise, desigualdade no país aumenta pela primeira vez em 22 anos." *O Globo*, mar. 2017. Disponível em: https://oglobo.globo.com/economia/com-crise-desigualdade-no-pais-aumenta-pela-primeira-vez-em-22-anos-21061992

seja, cinco cidadãos têm no Brasil a riqueza equivalente a mais de 100 milhões de pessoas.[71]

O colapso social descrito aqui se reflete no aumento da violência que assombra nossas famílias. Em 2016 tivemos 57.549 assassinatos registrados, enquanto em 2017 tivemos mais de 60 mil.[72] Contando com as mortes causadas por intervenção policial, tivemos cerca de 70.200 óbitos em 2016, o que equivaleu a 12,5% das mortes violentas em todo o planeta![73] Mais um título mundial terrível para nós: o país que mais mata no mundo. O Atlas da Violência de 2018 trouxe outra comparação alarmante. Nos últimos onze anos, por volta de 553 mil pessoas foram assassinadas no Brasil. Na Síria, em sete anos de guerra, a ONU estima cerca de 500 mil mortos. Ou seja, nos últimos onze anos, o Brasil teve mais assassinatos que um país em guerra civil há sete anos.

Infelizmente, o que nosso governo atual promete em relação a esse quadro é distribuir ainda mais armas, autorizar a posse e o porte, para que alunos torturados mentalmente possam facilmente transformar o Brasil numa filial dos assassinatos em massa típicos dos EUA.

A violência é um fenômeno de múltiplas causas. Mas todos os fatores que pressionam os índices de violência pioraram no Governo Temer: a miséria, a desigualdade, a sensação de impunidade e de injustiça, o mau exemplo das autoridades.

---

71 "Super-ricos estão ficando com quase toda riqueza, às custas de bilhões de pessoas." *Oxfam Brasil*, jan.2018. Disponível em: https://www.oxfam.org.br/noticias/super-ricos-estao-ficando-com-quase-toda-riqueza-as-custas-de-bilhoes-de-pessoas
72 O número de 59.109 homicídios ainda não conta com os números completos de Tocantins e Minas Gerais e não leva em conta os mortos em decorrência de ação policial. CAESAR, G.; REIS, T. "Brasil registra quase 60 mil pessoas assassinadas em 2017." *G1*, mar. 2018. Disponível em: https://g1.globo.com/monitor-da-violencia/noticia/brasil-registra-quase-60-mil-pessoas-assassinadas-em-2017.ghtml
73 CHADE, Jamil. "Brasil tem maior número de mortes violentas do mundo."*Estado de S. Paulo*, dez. 2017. Disponível em: http://brasil.estadao.com.br/noticias/geral,brasil-tem-maior-numero-de-mortes-violentas-no-mundo-diz-entidade,70002111415

O país que temos hoje é, na medida das pioras descritas, um produto tanto do estelionato eleitoral do PT quanto do golpe, apoiado por Bolsonaro, que para derrubar uma presidente legítima ajudou a implodir a economia com uma série de pautas-bombas cujo objetivo era somente o de enfraquecê-la. A imagem da classe política se degradou terrivelmente em todo esse processo, a ponto de, em 2017, pesquisa da Latinobarômetro[74] informar que, para 97% dos brasileiros, "o país está governado por alguns grupos poderosos em seu próprio benefício".

A queda no abismo

Foi nesse ambiente social, econômico e político dramático que chegamos ao processo eleitoral de 2018. Precisávamos então visceralmente de um debate amplo, racional e aberto na sociedade sobre nossa história, problemas e propostas. Precisávamos de uma campanha responsável para que saíssemos das eleições com um projeto discutido pela sociedade e por ela legitimado, que tivesse força o suficiente para superar a pior crise de nossa história.

Mas a campanha acabou se tornando mais um componente de aprofundamento da crise.

Creio que a grande maioria dos brasileiros, concordando ou não comigo, reconheceria que eu fui o candidato que mais se esforçou por promover um debate racional e propositivo na campanha, em cima de problemas e propostas. Outros candidatos, em maior ou menor medida, também tiveram uma postura séria a esse respeito, como João Amoedo, Geraldo Alckmin, Álvaro Dias, Marina Silva, João Goulart Filho e Guilherme Boulos.

---

74   Latinobarômetro 2017. Disponível em: http://www.latinobarometro.org/LATDocs/F00006433-InfLatinobarometro2017.pdf

Mas a eleição infelizmente acabou dominada pelo ódio e a polarização irracional causada pela prisão de Lula e o atentado a Bolsonaro.

A estratégia da direita estava montada desde o início: manter a esquerda dividida e atrair o centro, trazer a eleição para questões comportamentais e paixões ideológicas e evitar a todo custo que o país discutisse em profundidade sua situação e os resultados do Governo Temer, menos ainda propostas para sair dela.

O que o país não pode esquecer é que, para essa estratégia ter dado certo, ela precisou ter sido encampada pelo PT. A esse partido, que venceu as últimas quatro eleições sem programa claro, interessavam a polarização promovida por Bolsonaro e uma campanha emocional e irracional, que se valesse da comoção sobre a prisão de Lula e da oposição às aberrações defendidas pelo candidato de extrema direita. Dessa forma, a atual burocracia do PT evitaria ter que explicar as terríveis acusações de corrupção generalizada e o estelionato eleitoral do segundo Governo Dilma, aumentando suas chances de manter sua base eleitoral. A burocracia do PT apostou na radicalização do país, dançando na beira do abismo.

Como sabemos, tragicamente para o Brasil, essa estratégia foi muito bem-sucedida para Bolsonaro e para o PT. Ao transformarem as eleições num circo de *fake news* e debates sobre absurdos, Bolsonaro venceu, o PT sobreviveu e o Brasil foi atirado no abismo do neoliberalismo, do protofascismo, do colonialismo norte-americano e do governo tecnicamente mais desqualificado da história brasileira.

Essa estratégia também contou com a cumplicidade de grande parte da imprensa brasileira. Nunca poderei esquecer que Bolsonaro foi à bancada do Jornal Nacional entregar algo que ele chamou de "kit gay", como se tivesse sido distribuído pela gestão de Haddad em nossas escolas. O jornalismo da Globo tinha obrigação de ajudar a desmentir essa afirmação absurda, mas se limitou a um tímido e discreto desmentido.

É bastante evidente que o uso maciço de divulgação de *fake news* por WhatsApp interferiu no ambiente e no resultado eleitoral. Produziam-se falsas peças de "reportagens" que eram distribuídas em massa, em sua maioria por redes bolsonaristas, mas também por redes petistas. Tudo leva a crer que esse uso foi criminoso não só pelo conteúdo, mas pela forma de financiamento milionário e distribuição, segundo reportagem da *Folha de S.Paulo*.[75] Diante dos indícios de crime de caixa dois, o PDT entrou com Ação de Investigação Judicial contra a coligação de Bolsonaro, ação que foi aceita, instaurada e ainda corre no TSE a passos de tartaruga manca.

---

75 MELLO, Patrícia Campos. "Empresários bancam campanha contra o PT pelo WhatsApp." *Folha de S.Paulo*, out. 2018. Disponível em: https://www1.folha.uol.com.br/poder/2018/10/empresarios-bancam-campanha-contra-o-pt-pelo-whatsapp.shtml

O novo contexto geopolítico

É NATURAL QUE EM PAÍSES de grandes populações e grandes territórios, seus respectivos povos não percebam objetivamente a grave centralidade que é a importância da forma como esses países estão inseridos e são condicionados pelo mundo. É muito comum no meio do povo dos EUA a crença de que Buenos Aires é a capital do Brasil, por exemplo. Mas isso é um grande engano. Por isso, é preciso ajudar o nosso povo a entender que um país não se desenvolve de forma isolada, ele sempre buscará fazê-lo inserido num contexto geopolítico, e para ser bem-sucedido deve conseguir se posicionar adequadamente nele.

Mas não basta uma nação se posicionar e se organizar da forma certa para se desenvolver. Ela tem que ser capaz de impedir que potências estrangeiras destruam essa organização e sabotem esse desenvolvimento. Porque é isso o que todas tentarão, de modo mais ou menos audacioso de acordo com seu nível de poder e interesse, o tempo todo. Pensar qualquer coisa diferente disso é de uma ingenuidade inaceitável, e não se sustenta à luz da história brasileira e mundial, antiga e recente.

Todos os países têm como interesse legítimo ampliar seu poder, sua riqueza, sua segurança e seus mercados e diminuir suas vulnerabilidades. Quando um país não age de acordo com esses interesses é porque está sendo governado por prepostos de potências estrangeiras.

No entanto, cada contexto internacional encerra suas contradições e conflitos de interesses, e é nesses conflitos que surgem as possibilidades para um país de tradição pacífica e economia limitada como o nosso. Foi aproveitando a necessidade de aliados na Segunda Guerra que Vargas arrancou dos EUA capital, tecnologia e aceitação para desenvolver nossa siderurgia, e foi aproveitando a Guerra Fria que o regime militar garantiu, por mais de uma década, algum espaço para nosso projeto industrial. Sim, porque nem aos EUA, nem à China, nem a nenhum país industrializado interessa o desenvolvimento de nossa indústria e tecnologia. Só conseguiremos fazer isso com um projeto nacional, muita vontade política, investimento próprio, diplomacia hábil e soberana, força militar e um razoável aparato de contrainteligência para impedir a sabotagem estrangeira.

Nossa invejável produção agrícola e mineral, as dimensões de nosso território e a tradição de nossa política externa, orientada pela busca da solução pacífica dos conflitos e respeito à soberania de todos os países, ainda nos dão algumas vantagens na construção de acordos internacionais que podem compensar em parte nossa momentânea falta de poder militar, tecnológico, industrial e de serviço de inteligência. E esses acordos devem ser buscados para viabilizar nosso projeto nacional de desenvolvimento, assim como este deve ser pensado dentro das possibilidades e dos riscos oferecidos pelo cenário internacional. Vou então aqui oferecer minhas impressões sobre esse cenário atual e alguns elementos para sua avaliação.

A FALÊNCIA DA PROPOSTA NEOLIBERAL

Nos anos 1990 venderam como novidade um processo que começou com as caravanas nômades em tempos imemoriais: a "globalização". A chamada Terceira Revolução Industrial trouxe uma transformação profunda no sistema produtivo do capitalismo mundial com o surgimento da eletrônica, gerando avanços tecnológicos que se aceleram cada vez mais com a robotização e a inteligência artificial. Aproveitando esses avanços que aceleraram as comunicações e os transportes, aumentaram imensamente os volumes de comércio e o trânsito de capitais, os mercados financeiros empurraram a propaganda de que a globalização seria o vento da modernidade e do progresso, e que para usufruir de seus benefícios era necessário retirar as barreiras primitivas levantadas pelos Estados Nacionais e abrir de forma indiscriminada os mercados periféricos aos produtos manufaturados e à especulação financeira. Muitos deram um nome e uma máscara acadêmica a esse discurso bem remunerado: era o neoliberalismo.

Mas nunca as condições reais de empreender, produzir ou buscar trabalho estiveram globalizadas. A única coisa que realmente está globalizada é a informação em tempo real, e essa informação está predominantemente direcionada à disseminação e imposição de um padrão de aspiração de consumo dos países ricos ao mundo todo.

A primeira década do século XXI marcou a ruína da prática neoliberal de desregulamentação do mercado, com a segunda maior crise da história do capitalismo, que começa com a crise do *subprime*.[1] A ruína do neoliberalismo foi tão grande que hoje é reconhecida até por órgãos que ajudaram

---

1   Termo em inglês que designa crédito de alto risco de inadimplência, e, portanto, cobra juros altos.

a disseminá-lo, como o FMI,[2] e o rótulo é rejeitado por neoliberais como uma manifestação de "ignorância" daquele que o usa.

A crise financeira do *subprime* foi a culminação de uma era de imensa integração global e informatização total dos mercados financeiros, acompanhada de selvagem desregulamentação sustentada pela ideologia de quinta categoria (vendida como ciência boa) do neoliberalismo. Foi desencadeada em julho de 2007, a partir da queda da bolsa de Nova York motivada pela explosão da bolha de concessão de empréstimos hipotecários de alto risco, e ficou simbolizada na quebra do banco Lehman Brothers.

Esse nível incrível de integração e velocidade dos mercados também mudou drasticamente o padrão de funcionamento do sistema financeiro internacional. Desde a década de 1980 mantivemos relações descuidadas com os ciclos financeiros internacionais cada vez mais velozes, que variam entre épocas de muita oferta de dinheiro com juros baixos e épocas de enxugamento e juros altos que quebram os países que dependem de financiamento externo. Como se não bastasse, essa integração e velocidade deixam empresas e países cada vez mais expostos a ataques especulativos, muitas vezes executados por garotos de vinte anos em suas estações de trabalho, tratando vidas, empregos, empresas e países como variáveis num videogame. Enfim, a matriz financeira que orientou nosso antigo projeto de desenvolvimento está definitivamente alterada.

A essência do que o neoliberalismo quer para os governos nacionais é que eles somente exerçam o papel de administrar serviços públicos, executar programas de renda mínima e garantir os interesses do capital financeiro internacional. Acima de tudo, o neoliberalismo exige que o Estado Nacional abra mão de sua capacidade de investimento direto e seu papel de coordenação da economia.

---

2   "O estranho dia em que o FMI criticou o neoliberalismo." *BBC Brasil*, jun. 2016. Disponível em: http://www.bbc.com/portuguese/geral-36668582

A propaganda neoliberal é disseminada por países que estão na ponta tecnológica, prometendo o paraíso para aqueles que abrirem suas fronteiras nacionais ao livre-comércio e ao trânsito de capitais especulativos, desmontarem o Estado e deixarem que ao empreendedor privado individualista caiba todo esforço de investimento e empreendimento nacional, de preferência com as menores regulações ou tributos possíveis.

Os dois principais problemas com tão delirante discurso são, primeiro, afirmar que o empreendedor privado vai aumentar sua produtividade só por competir mais ou ainda resolver enfrentar sem ajuste cambial ou alfandegário as empresas estrangeiras que estão na ponta tecnológica, que possuem crédito a juros negativos e escala maior.

O segundo, e principal, é que um país não pode se dar ao luxo de simplesmente deixar fechar todas as suas indústrias por elas não poderem produzir tão bem e barato quanto as grandes corporações dos países mais desenvolvidos. Ao contrário do discurso de propaganda dos interesses estrangeiros, o consumidor de um país nem sempre tem a ganhar com isso, porque para pagar mais barato por um tênis ele primeiro tem que ter dinheiro suficiente.

Não devemos praticar nem a abertura indiscriminada nem o fechamento indiscriminado. O que um país deve procurar é encontrar o ponto ótimo, cambial e alfandegário, no qual ele possa exportar todo excedente do que produz de forma competitiva para pagar com esses dólares a importação dos bens em que ele é mais improdutivo e as remessas de lucros que as multinacionais efetuam para suas sedes. Todo o resto, que a nação não tem recursos para importar, deve buscar produzir internamente para garantir o nível ótimo de vida daquele seu estágio de desenvolvimento, e, é claro, sempre procurando através de política industrial o aumento de produtividade nesses setores. Afinal de contas, é melhor produzir o suficiente para ter dinheiro para pagar por um tênis menos sofisticado e um pouco mais caro do que não ter dinheiro para comprar tênis algum porque o país não tem produção nacional para trocar por ele ou porque a pessoa não tem emprego ou renda. E isso se faz com câmbio responsável e políticas alfandegárias pontuais. Ou seja, é parte central de um Projeto Nacional de Desenvolvimento organizar uma política industrial e de comércio exterior.

É isso o que todo país que defenda seus interesses fez, faz e sempre fará. Discurso neoliberal só prospera em países periféricos através dos porta-vozes do interesse internacional, geralmente muito bem remunerados. Recentemente pude assistir com satisfação a discursos acalorados no Congresso norte-americano, nos quais se protestava veementemente contra a compra da Budweiser norte-americana pela Ambev brasileira, assim como ler sem surpresa sobre as restrições de importação dos EUA sobre o aço plano brasileiro, simplesmente porque era melhor e mais barato que o deles. Pude testemunhar também a perigosa e aberta guerra comercial entre os EUA e a China.

Existem muitos outros exemplos desse inabalável protecionismo norte-americano, dos quais podemos citar alguns: o *Buy American Act*, lei que define imposições para compras governamentais de conteúdo nacional; a Defense Advanced Research Projects Agency (Darpa), agência estatal de fomento ao desenvolvimento de tecnologias militares que, de fato, abastece o mercado privado dessas tecnologias, que passam a ter uso comercial (o caso mais famoso é o da internet); a *Super 301*, instrumento de defesa comercial previsto no *Omnibus Foreign Trade and Competitiveness Act*, aprovado em 1988, em pleno Governo Reagan, arauto do neoliberalismo. Por fim, um exemplo bastante paradigmático é o *Committee on Foreign Investment in the United States* (CFIUS), um comitê interministerial, presidido diretamente pelo presidente norte-americano, que supervisiona e tem poder de veto sobre investimentos estrangeiros nos EUA de acordo com critérios sobre segurança nacional e soberania econômica. Como se vê, o protecionismo dos EUA não depende da coloração do partido que ocupe o poder, e sim de uma institucionalidade estatal permanente.

A defesa do livre-comércio pelos EUA ou por qualquer país desenvolvido é assim: defesa do protecionismo quando perdem produtividade, defesa do livre-comércio quando ganham produtividade. E só nas áreas em que ganham. Em 2018, Donald Trump proibiu a compra da Qualcomm, uma empresa privada norte-americana de alta tecnologia, por uma empresa chinesa. Enquanto isso, o governo brasileiro autorizou a compra da Embraer, cabeça do único setor de alta tecnologia em que o Brasil tem superávit, que é o aeroespacial. E lá era um negócio privado. Aqui, o próprio governo usou sua *golden share*[3] para autorizar o projeto.

Isso acontece porque, como me referi aqui, as condições de produzir não são globais, são dramaticamente locais. Na maior parte do primeiro mundo hoje, desde a crise econômica de 2008 se operam juros reais ou muito baixos ou negativos (abaixo da inflação do período). Então, enquanto o Japão hoje trabalha com juros negativos, no Brasil uma pequena empresa contrata um empréstimo a 1,65% ao mês. Quem se financia barato destrói quem se financia caro. Essa única diferença competitiva, o custo do capital, seria suficiente para esmagar em condições de livre-comércio indiscriminado toda a indústria nacional. Mas ainda há mais duas: a diferença tecnológica e a escala.

A diferença tecnológica. Não existem mais condições de competição entre retardo tecnológico e ponta. Dos anos 1990 para cá vimos a aceleração de uma mudança estrutural muito mais grave e insidiosa para nosso projeto nacional, a mudança nas velocidades dos ciclos tecnológicos na sociedade da informação, com a microeletrônica, a nanotecnologia, a inteligência artificial, e está chegando o 5G. No pós-guerra, os ciclos eram lentos e podiam ser alcançados por um país retardatário

---

3   *Golden share* é o nome que se dá a uma parcela especial de ações de uma empresa que, apesar de minoritária, garante poderes especiais de veto ou decisão ao poder público, que fica em posse delas. Ela geralmente é criada quando o Estado vende o controle acionário de empresas que têm interesse público sensível, como a indústria de defesa.

com projeto próprio em dez ou quinze anos. Hoje, simplesmente, isso não é possível. Não existem mais condições de competição entre retardo tecnológico e tecnologia de ponta. E a indústria brasileira tem hoje um retardo tecnológico muito alto.

Por fim, a escala. Quanto mais bens ou serviços são produzidos com sua capacidade instalada, menor é o que se chama de "custo marginal", o custo total imposto pela produção de uma unidade a mais daquele produto. Ou seja, quando você usa toda a sua estrutura de bens de produção e mão de obra para produzir uma única calça, o custo dela é o da totalidade dos custos dos bens de produção imobilizados e mão de obra utilizada, mais o custo do material usado em sua confecção (vamos deixar de lado outras variáveis como transporte, para simplificar). Quanto mais calças são feitas, mais esse custo se divide por cada unidade. No limite, quanto maior a produção de um bem ou serviço com a mesma estrutura, mais o custo marginal tende somente ao valor da matéria-prima usada para produzir esse bem ou serviço a mais. E mesmo nesse custo as condições melhoram com o aumento de escala: quem compra tecido para produzir 1 milhão de calças o compra mais barato que quem compra tecido para produzir mil calças. Com um mercado interno reduzido pela desigualdade e pobreza, além de uma população menor, o Brasil não tem condições de competir abertamente em escala com uma indústria chinesa, por exemplo.

Custo de capital, tecnologia e escala: um grande desequilíbrio em qualquer uma dessas variáveis elimina as condições de competição entre duas indústrias ou serviços. Estamos em desvantagem nas três. Isso explica por que quem queria e quer a abertura indiscriminada e definitiva no Brasil não quer o aumento de produtividade ou a diminuição dos preços de nossa indústria, mas sua dizimação, que significará diminuição brutal de empregos qualificados e renda nacional, assim como alto desemprego crônico. Explica também nossa tragédia dos anos 1980 para cá. Em 1980, cerca de um terço do PIB brasileiro era industrial. Em 2018, não chega a 11%, e despencando. E o incrível é perceber a falta que um projeto nacional faz. Nesse período tivemos o resto da ditadura, o neoliberalismo tosco de Collor, o nacionalismo bem-intencionado de Itamar Franco, o neoliberalismo ilustrado de FHC, e o mais doido de tudo: treze anos de autorreferidos governos de esquerda de Lula e Dilma.

No entanto, essas mudanças econômicas mundiais também mostram por que não podemos optar simplesmente por uma volta ao nosso velho modelo nacional-desenvolvimentista baseado em empréstimos internacionais, protecionismo generalizado e dependência da inteligência tecnológica alheia. O que propomos fazer, explicarei nos próximos capítulos.

Novos padrões de espionagem e desestabilização

A revolução da informática, com a disseminação de aplicativos de celular, sites de serviços e, principalmente, das redes sociais que permitem a coleta e o processamento gigantesco de dados, o chamado *big data*, criou um novo padrão de espionagem e desestabilização no mundo. Aprofundou-se a utilização da chamada "guerra híbrida", marcada por estratégias não militares de guerra, como espionagem e manipulação de agitação política, mas agora concentradas nas redes sociais. Nesse novo contexto tecnológico surgem os ciberataques e a disseminação de conteúdos de interesse político das potências cibernéticas, incluindo as *fake news*. Esse padrão pode ser visto claramente em ação nas chamadas "revoluções coloridas", na Primavera Árabe, na eleição de Donald Trump, no Brexit, nas "jornadas de junho" e muito fortemente nas eleições de 2018 no Brasil.

O objetivo nessas ações é explorar as vulnerabilidades políticas de uma nação-alvo para alcançar o máximo possível no processo que consiste em desestabilizar sua gestão e economia, derrubar seu governo e no limite colocar em seu comando títeres fracos e acossados. Outro tipo de ação de espionagem hoje é a executada por hackers, que atuam roubando segredos industriais, comerciais e governamentais e causando danos em sistemas de informação a partir de suas estações de trabalho seja nos serviços de inteligência das grandes potências ou como terceirizados de grandes corporações, como aconteceu nas usinas nucleares do Irã ou mesmo no Brasil, com a infiltração na Petrobras, na Embraer e no próprio governo federal.

Não podemos ser ingênuos em acreditar que esforços de desenvolvimento ou de modificar fundamentos da ordem mundial não vão provocar ações desestabilizadoras. Os documentos revelados em 2013 por Edward Snowden e em 2016 pelo site Wikileaks, de Julian Assange, especialmente no que tange à espionagem da Petrobras, mais recentemente, ou, mais atrás, no caso do Projeto Sivam, são uma mostra concreta do tipo de recursos usados hoje na política e comércio internacionais. Temos que levar em consideração esse novo cenário na construção de instrumentos suficientes de contrainteligência que permitam ao Brasil proteger seu governo, indústria e sociedade dessas forças desestabilizadoras.[4]

Alguns, inclusive no atual governo brasileiro, parecem comemorar essa situação dramática por achar que esse poderio de desestabilização está sendo controlado pelos EUA. Mas estes mesmos que hoje comemoram, em breve podem estar em pânico com um mundo de dados sob domínio do 5G chinês.

A Huawei, empresa chinesa desenvolvedora do 5G, prevê que em pouco tempo seu advento (em virtude do aumento exponencial de velocidade de transmissão de dados na rede) tornará possível robôs comandados a distância, executando trabalhos pesados ou perigosos, e mesmo boa parte de nossas tarefas domésticas, com a conexão de todos os eletrodo-

---

4   BALZA, Guilherme. "'Brasil é o grande alvo dos EUA', diz jornalista que obteve documentos de Snowden." *Uol*, set. 2013. Disponível em: https://noticias.uol.com.br/internacional/ultimas-noticias/2013/09/04/brasil-e-o-grande-alvo-dos-eua-diz-jornalista-que-obteve-documentos-de-snowden.htm

mésticos à internet, além de centros de processamento de dados gigantescos alimentados por uma quantidade inimaginável de dados pessoais, biológicos e ambientais, coletados 24 horas por dia. Será que é preciso dizer o tamanho do poder que o eventual uso inescrupuloso disso terá para manipular corações e mentes ao redor do mundo? Ou mencionar o risco de sabotagem de toda a estrutura de máquinas e robôs de uma sociedade totalmente conectada?

Esse é o verdadeiro motivo da luta entre EUA e China pelo controle da plataforma 5G no mundo. É por isso que Trump vetou a compra da americana Qualcomm pela chinesa Broadcom. Não se trata de uma mera guerra comercial, mas da guerra por soberania nacional e controle dos dados mundiais.

O Brasil e a América Latina

A integração latino-americana não é um "discurso bolivariano", ela é para nós um imperativo econômico e estratégico previsto na Constituição. Em seu artigo quarto, parágrafo único, ela diz: "A República Federativa do Brasil buscará a integração econômica, política, social e cultural dos povos da América Latina, visando à formação de uma comunidade latino-americana de nações".

Nossa região hoje se encontra, toda ela, regredindo no pouco de industrialização que conseguiu para retornar à condição exclusiva de fornecedora de matérias-primas, única que interessa aos EUA, China e Europa. Espremidos pelo jogo econômico bruto desses gigantes, todos hostis ao surgimento de novos focos de concorrência ou poder político e econômico, a América Latina e o Caribe precisam se integrar para aproveitar ao máximo as vantagens comparativas de suas economias e a proximidade geográfica, além da convergência de interesses na criação de um bloco que fortaleça a região na defesa de sua soberania.

Para isso, a América Latina precisa tanto enfrentar suas oligarquias locais, avessas à integração por conta das suas alianças históricas com os EUA, quanto superar as desconfianças mútuas entre suas nações. O Brasil, por exemplo, tinha, até o meio da década de 1990, uma imagem de país explorador, imperialista e desrespeitoso com seus vizinhos. A partir de iniciativas como a liderança na criação do Mercosul, a imagem brasileira progressivamente começou a mudar. Tive a honra de ajudar na consolidação dessa iniciativa preliminar de integração sul-americana quando ministro da Fazenda de Itamar Franco, antecipando a vigência da tarifa externa comum do bloco que já estava acordada no Tratado de Ouro Preto (que concluiu a criação do Mercosul), assinado por mim, para entrar em vigor em janeiro do ano seguinte. Com esse tratado, em dezembro de 1994, os países do Mercosul passaram a não mais cobrar tarifa no comércio intrarregional.

Na direção oposta, o atual governo ameaça de guerra a Venezuela, uma nação irmã e vizinha, situação inédita de tensão e quebra de confiança entre as nações latino-americanas. Essa bravata infame, feita para agradar os interesses de propaganda dos EUA, além de arriscar a vida de brasileiros e a integridade do território nacional, lança sobre o Brasil um nível de desconfiança no continente que jamais tivemos antes. Não podemos permitir que a tradição diplomática pacífica criada pelo barão do Rio Branco seja jogada no lixo com tamanha vileza e irresponsabilidade com nosso país e os membros de nossas Forças Armadas. Isso não significa, nem de longe, a aprovação ao regime de Nicolás Maduro. É somente, neste caso, o Brasil assumir seu papel natural de mediador, nunca o de instrumento dos interesses de outras nações de fora da região.

O Mercosul nasceu da emergência em responder à investida norte-americana para a assinatura da Alca (Área de Livre Comércio das Américas), que, em função de nossas assimetrias competitivas, teria esmagado qualquer possibilidade de o Brasil sobreviver como país industrial.

Infelizmente, o Mercosul ainda não realizou sua promessa original e continua lutando contra os esforços internacionais por sua inviabilização. Esses esforços atualmente têm contado com a colaboração do Governo Bolsonaro, sempre diligente em defender o interesse nacional dos EUA.

Creio ainda que devemos apoiar iniciativas em curso para a melhoria da infraestrutura regional de transportes e gasodutos sul-americanos, tais como a construção do Corredor Bioceânico, da Estrada do Pacífico e do Anel Energético Sul-americano. São projetos de interesse evidente para o Brasil.

O Brasil e os EUA

Nossa vocação diplomática é para a amizade pan-americana, para a cooperação e a boa relação com nosso poderoso vizinho. Cooperação, entretanto, não exige subordinação, e essa postura não significa que temos que antagonizar os norte-americanos: trata-se simplesmente de construir uma relação bilateral que afirme nossos interesses, independência e soberania.

Nossa política externa em relação aos EUA tem que levar em consideração o histórico de intervenções que eles patrocinaram no Brasil e na América Latina nos últimos cem anos, não podendo ser ingênua. O governo de Michel Temer não reagiu às negociações do Governo Macri para permitir a instalação de uma base norte-americana na tríplice fronteira, permitiu o uso da Base de Alcântara pelos EUA e realizou com esse país exercícios militares conjuntos em plena Amazônia, abrindo o território nacional. Isso é um gravíssimo precedente, contrário a todas as nossas tradições diplomáticas e que eleva as desconfianças e a tensão de toda a região.

Mas o Governo Bolsonaro, nos poucos meses que antecederam a versão final deste livro, levou a subordinação brasileira aos interesses norte-americanos a um patamar inédito de humilhação internacional. O presidente brasileiro que grita USA e bate continência para a bandeira dos EUA entregou, sem qualquer contrapartida, a Base de Alcântara a esse país e, com ela, a soberania sobre parte do território nacional. Da mesma forma, está expandindo fortemente as importações norte-americanas de derivados (enquanto um terço de nossa capacidade de refino está paralisado), autorizou uma importação imensa de etanol subsidiado dos EUA, constrangendo ainda mais o setor sucroalcooleiro brasileiro, que já está em agonia, concedeu uma cota de importação de 750 mil toneladas de trigo norte-americano subsidiado que tem potencial de destruir a já incipiente produção de trigo brasileira, e prometeu renunciar ao status de país "em desenvolvimento" do Brasil na OMC (Organização Mundial do Comércio), em troca de uma promessa de apoio dos EUA à entrada do Brasil na OCDE (Organização para a Cooperação e Desenvolvimento Econômico). Tudo isso, vale repetir, sem nenhuma contrapartida, destruindo empregos no Brasil e financiando com nossos poucos tostões empregos nos EUA. Ou seja, trocou algo concreto, que nos permite realizar políticas de compras governamentais internas e um prazo de dez anos para nos adaptar a acordos feitos dentro da organização, por uma promessa de status simbólico que em nada favorece nossa luta por desenvolvimento. Só para se ter ideia do tamanho dessa aberração, a China, o maior país emergente do mundo sob o ponto de vista industrial, não abriu mão desse status. Se isso não fosse terrivelmente grave, seria possível brincar que Bolsonaro é semelhante a Trump. Trump busca proteger os interesses dos EUA, Bolsonaro também.

Em 1964, um sorridente embaixador brasileiro representando um governo golpista que era títere dos EUA disse a famosa frase: "O que é bom para os EUA é bom para o Brasil". Acho que nem mesmo uma criança de dez anos acredita nisso. O que é bom para os EUA é bom para os EUA. O que é bom para o Brasil é bom para o Brasil. Às vezes essas coisas são boas juntas, às vezes não. Um governo brasileiro realmente patriota é aquele que negocia as primeiras e se recusa a alinhar-se às segundas.

O Brics

O grupo formalizado entre as economias emergentes de Brasil, Rússia, Índia, China e África do Sul[5] é a mais extraordinária tentativa dos últimos vinte anos de mudar o panorama unipolar da geopolítica mundial depois do fim da União Soviética. Ele é nossa melhor esperança de construção de um mundo multipolar que supere o desenho regulatório das instituições criadas pelo acordo de Breton Woods, no fim da Segunda Guerra, e ajude a criar uma ordem mundial assentada na paz, na não violência e na autonomia dos povos.

O Brasil pode se beneficiar de acordos especiais entre os membros desse bloco para viabilizar e proteger sua reindustrialização, mesmo diante das diferenças significativas de interesses e regimes políticos entre eles. No Brics podemos buscar ter um ambiente para negociar um regime de preferências comerciais industriais para um mercado de 3 bilhões de pessoas, transferências tecnológicas sensíveis (foguetes e satélites, por exemplo), além de uma estrutura de financiamento que não tenha que se submeter às políticas ruinosas do FMI.

O Banco do Brics – fundado em Fortaleza, em 2014 – é uma agência multilateral de financiamento mundial alternativa ao Banco Mundial e ao FMI, instrumentos geopolíticos do mundo unipolar. Pela primeira vez des-

---

5 "S" de South Africa.

de Breton Woods teremos potencialmente uma fonte de financiamento de projetos de desenvolvimento que não está obrigada a seguir o receituário neoliberal. Essa iniciativa, como todas as que interessam à soberania nacional, foi sabotada pelo Governo Temer e está sendo enterrada pelo atual governo. Um governo legitimamente comprometido com o interesse nacional precisa resgatar essas iniciativas e usá-las para promover nosso desenvolvimento.

O Brasil no mundo

O resumo do que acredito diante desse panorama é que o Brasil deve se mover no contexto geopolítico no sentido de qualificar suas relações internacionais, defendendo dois grupos de valores. Um: resgatar, modernizado, o ideário da melhor tradição do Itamaraty que herdamos do barão do Rio Branco, mas já está em nossa prática desde Pedro II: solução pacífica dos conflitos, não intervenção em assuntos domésticos, respeito à autodeterminação dos povos e por uma ordem internacional assentada no direito e não na violência. Devemos nos guiar, bilateral ou multilateralmente, pela busca de um regime de preferências comerciais que nos permita ganhar escala para nosso esforço de reindustrialização, um regime de transferências tecnológicas que nos ajude a superar o atraso tecnológico em setores sensíveis e, por fim, necessitamos de um mecanismo de financiamento rebelde que não nos obrigue a aceitar o receituário falido imposto pela hegemonia norte-americana nas instituições de Breton Woods: Banco Interamericano, FMI e Banco Mundial.

A diplomacia brasileira não pode ser conduzida por fanatismos ideológicos como no atual governo, muito menos por alinhamentos espúrios, mas sim respeitando a autonomia dos povos e atuando de forma a proteger os interesses comerciais brasileiros. O compromisso manifestado por Bolsonaro com a mudança da embaixada brasileira em Israel para Jerusalém, só para ficar num exemplo, não só compromete as exportações brasileiras de frango e vários produtos para o mundo árabe como nos coloca no centro de um conflito que não é nosso, trazendo o Brasil para a rota do terrorismo internacional.

A integração latino-americana e o Brics continuam a ser as melhores oportunidades de parcerias estratégicas para o país, graças a algumas características complementares entre as economias dos blocos. A aliança estratégica vem do abandono da condição de subordinado. Evidentemente, devemos tomar cuidados soberanos com as aspirações imperialistas de todos os parceiros, não só dos EUA. Não estamos procurando trocar de imperialismo, mas nos livrar dele. E não poderemos fazer isso sem o desenvolvimento de uma adequada estrutura de contrainteligência brasileira operada por patriotas e preparada para o mundo contemporâneo.

Ao Brasil não interessa entrar de cabeça em nenhum dos dois grandes jogos imperialistas de nosso tempo, o norte-americano e o chinês. Assim como Rio Branco fez entre Inglaterra e EUA, Getúlio Vargas fez entre os EUA e a Alemanha e Ernesto Geisel fez entre os EUA e a União Soviética, o que cabe a nós, volto a dizer, é defender os interesses do Brasil em meio a esses conflitos, para criar o espaço em que nosso país será capaz de recriar sua capacidade tecnológica e industrial e se reposicionar no concerto das nações.

A nós só interessa uma via própria.

No entanto, é urgente a articulação de um esforço internacional para enfrentar alguns problemas da modernidade: regular o uso de novas tecnologias para espionagem e desestabilização e enfrentar o fluxo internacional de capital sujo (paraísos fiscais e ataques especulativos), esforço sem o qual a estabilidade econômica e política de países periféricos e em desenvolvimento não será mais possível.

As informações sobre o que aconteceu nesse contexto tanto no plebiscito do Brexit quanto nas últimas eleições presidenciais nos EUA não nos permitem ser ingênuos a ponto de acreditar que elas não estão acontecendo também nos assuntos brasileiros (as tratativas de entrega do pré-sal e da Embraer são crimes inomináveis contra o Brasil).

Um projeto para o Brasil

Durante a última década, percorri o Brasil conversando com a academia, trabalhadores, associações de produtores e outras organizações sociais, debatendo os problemas e propostas para o País, escutando suas inquietações, opiniões e dados, numa das experiências mais ricas da minha vida política. Com isso, a visão e as propostas que eu tinha para o Brasil se refinaram, novas ideias surgiram e o resultado hoje é antes um projeto de todo um campo político do que meu próprio.

É esse projeto que apresentarei aqui com dois objetivos. O primeiro é dar aos brasileiros uma visão clara de como o País tem jeito, como ele pode dar certo, como a solução de nossos principais problemas está ao alcance de nossa organização e vontade política. O segundo é oferecer esse conjunto de ideias aos atuais tomadores de decisão, com os quais estabelecemos o critério programático que orientará nossa atuação política diante deste governo. Mas também definirá o mérito de nossas diferenças com as demais forças que conosco movem a oposição. Da mesma forma, este conjunto de ideias aqui defendidas devem ser a base de nossa cíclica discussão com outras forças da oposição, como o PT. Caso alguma iniciativa dos atuais governantes coincida com nossas ideias e valores, não nos furtaremos ao diálogo. Por outro lado, será a contradição entre o rumo do governo e nossos valores aquilo que orientará nossa dura oposição. Não acreditamos na política do quanto pior melhor, e francamente, não queremos ver o circo pegar fogo para rir da cara do palhaço, porque, nesse caso, o palhaço somos nós, a nação brasileira.

Somos oposição a isso que está aí. Mas somos oposição ao governo, não ao país. Não apostaremos no quanto pior melhor, porque o pior é a ruína da vida de milhares de famílias brasileiras. Portanto pretendemos apoiar propostas que forem na direção de nosso projeto, e nos opor da maneira mais eficiente possível às propostas do governo que visem à destruição de nossa soberania e dos direitos da população.

Há condições necessárias ao êxito civilizatório?

Em meu período de estudos em Harvard me dediquei a investigar esse problema. Analisando dados sobre todos os países que alcançaram desenvolvimento econômico e social (o Brasil do pós-guerra ao fim da década de 1970 experimentou basicamente desenvolvimento econômico, acumulando imensa dívida social), busquei identificar algum padrão nessas experiências. Ou seja, me perguntei se por detrás das imensas diferenças entre as nações haveria algo em comum que explicasse por que algumas são desenvolvidas e outras não. Acredito que encontrei três:

1. *Alto nível de formação bruta de capital* – O fator principal de explicação do desenvolvimento de um país não é o crédito cíclico que ele tenha com a comunidade internacional, mas sim sua taxa interna de poupança. Ele precisa ter como sustentar com seus próprios recursos o investimento necessário para crescer e se modernizar. O crédito é também bem-vindo, mas será tanto melhor e mais barato quanto mais alto for o nível de poupança interna de

um país. Nenhuma nação sustenta seu desenvolvimento com dinheiro dos outros. A única exceção a essa condição são os EUA posteriores à quebra do padrão-ouro, porque têm o dólar e podem simplesmente emitir moeda em larga escala para trocar por mercadorias com outros países, porque ela é a moeda aceita nas trocas internacionais. Essa é uma singularidade irrepetível.

Exceção à parte, um alto nível de poupança doméstica vinculada ao investimento está presente em todo experimento civilizatório bem-sucedido. Saindo do economês, poupança interna é o quanto sobra entre o que o país produziu e o que o país consumiu e, portanto, pode reinvestir. Pensemos num agricultor isolado que plantou milho a partir de uma saca de grãos do produto e colheu seis sacas de grãos. Suponhamos ainda que a família dele tenha consumido quatro delas em um ano. No caso, sobraram duas que ele poupou e agora pode usar de insumo para a próxima safra, na expectativa de dobrá-la.

Enquanto a média mundial de formação bruta de capital[1] foi de 24,19% do PIB em 2015, a China poupou 45,4% e a Coreia do Sul, 28,9%. Já a União Europeia, estagnada, poupou em 2015 19,8% do PIB. O Brasil poupou somente 17,4%. Em 2017, a situação ainda ficou bem pior, com somente 15% de formação bruta de capital.[2]

Seria bom avaliar aqui, para efeitos de síntese, os casos extremos. A China, país de maior crescimento no mundo nos últimos dez anos, manteve no período uma taxa média de formação de capital de 45,4% do PIB. Sua média desde o ano de 1970 até 2015 foi de 38,5%. Já o Brasil, que alcançou o máximo de média de 22,9% durante o "milagre econômico", apresenta uma média a partir de 1980 de 19,67% do PIB de poupança inter-

---

[1] Indicador que representa quanto as empresas aumentaram seus bens de capital. "Bens de capital" são os bens que usamos para produzir outros bens, como máquinas e equipamentos. Sua relevância é indicar se a capacidade de produção de um país está crescendo ou não.
[2] World Bank Data. Gross capital formation. Disponível em: http://data.worldbank.org/indicator/NE.GDI.TOTL.ZS?locations=CN-BR-KR-DE-EU

na.[3] Compensamos por muito tempo nossa baixa taxa de formação bruta de capital com empréstimos externos e emissão de moeda. Esta última é uma forma de poupança forçada imposta à sociedade pelo Estado. Seu problema é que, quando provoca oferta maior do que a que pode ser suprida pela capacidade ociosa da economia, tem efeito inflacionário. As restrições trazidas pela Lei de Responsabilidade Fiscal acabaram com esse expediente heterodoxo no Brasil e ajudaram na estabilidade da moeda e sanidade fiscal, no entanto, não foram acompanhadas do esforço correspondente para elevar as taxas de poupança interna. Muito importante afirmar neste ponto que, ao contrário da retórica passiva neoliberal, o nível de poupança e investimento de um país não é consequência fatalista do acaso, e sim de arranjos institucionais que a política faz ou deixa de fazer. Trata-se, na prática, de como cada país organiza seu sistema de impostos, seu sistema de Previdência, seu mercado de capitais, ou como suas instituições estabelecem ou não conexões entre a poupança de longo prazo da sociedade e o investimento de longo prazo.

2. *Coordenação estratégica governo-empresariado-academia* – Não há caso de desenvolvimento econômico e social de uma nação no mundo que não conte com a coordenação de um governo, forte e empoderado, com seus empreendedores e academia nacional. Nosso compromisso é inarredável com a democracia, mas cabe dizer, a bem da verdade, que na história essa coordenação veio indistintamente de governos autoritários ou democráticos. O caso chinês e o coreano são exemplos de coordenações autoritárias, enquanto a recuperação europeia do pós-guerra e o *New Deal* nos EUA são exemplos de coordenações democráticas. No Brasil, igualmente, já tivemos coordenações dos dois tipos, sempre com resultados muito fortes no PIB.

---

3   Idem.

Nada substitui um projeto nacional, e por sua natureza o mercado não pode oferecer a gestão e a coordenação deste. É o Estado que tem que organizar as forças políticas, econômicas e acadêmicas, criando as condições de investimento e trabalho para superar os gargalos da economia em direção a metas. Deve fazer isso contando com uma academia ocupada em encontrar as respostas tecnológicas aos problemas de desenvolvimento.

3. *Investimento em gente* – Trabalho técnico, empreendimento, gestão, avanço científico e tecnológico são realizados por pessoas. Assim, parece evidente que outra condição *sine qua non* do êxito civilizatório é o investimento em gente. Prioritariamente em educação, óbvio, mas não é razoável pedir produtividade de uma nação que condena 200 mil cidadãos à malária por ano em uma única região. E a história confirma essa dedução.

O experimento coreano, por exemplo, tem trinta anos, e foi marcado por investimento maciço em educação, assim como o chinês. Já as primeiras universidades europeias datam do século XIII, as norte-americanas, do século XVII. Atualmente, com o nível de desenvolvimento tecnológico e complexificação das atividades econômicas, um alto nível de escolaridade é imprescindível até para a operação de máquinas, que dirá para a gestão da tecnologia. Mais do que nunca é necessária uma educação que ensine a aprender, relacionar criticamente informações e se adaptar às mudanças rápidas das tecnologias de produção, afastando-se do paradigma fordista que ainda predomina no Brasil.

Conceito de "Projeto Nacional de Desenvolvimento"

Neste termo, cada palavra tem um significado muito forte, e implica um conjunto potencial de conflitos políticos. Significa, por exemplo, no concreto, abandonar de uma vez por todas o equívoco da retórica neoliberal de que o desenvolvimento vai ocorrer pelo espontaneísmo individualista das forças de mercado. Isso nunca aconteceu na história da humanidade. Juntas, as palavras "projeto", "nacional" e "desenvolvimento" formam a essência daquilo que produziu os grandes experimentos civilizatórios da humanidade.

Projeto é um conjunto de metas para as quais se estabelecem prazos, métodos de execução, supervisão, avaliação e controle, bem como orçamentação e definição de fontes de recursos. Pressupõe recuperar a capacidade de planejamento de curto, médio e longo prazos do país. Ele requer, no caso de um projeto nacional, uma visão de país hegemônica, baseada num diagnóstico realista de que sociedade somos e queremos vir a ser. Só o Estado pode coordenar um projeto nacional, e para tanto ele tem que ter capacidade de planejamento e um corpo técnico competente. Para que mobilize a sociedade numa democracia, um projeto nacional deve ser fruto de um profundo debate público, efetivando uma aliança entre os trabalhadores, o mundo da produção e a academia.

O "nacional" do termo lembra que não há um modelo universal a ser seguido, pois as condições de empreender, produzir e trabalhar seguem dramaticamente nacionais e não globais. Significa abrir mão da ideia mistificadora de globalização total. Acesso a matérias-primas, parque instalado, geografia, poder militar, condições de financiamento, formação de mão de obra, cultura e tantas outras características é algo radicalmente local e exige a criação de um projeto de desenvolvimento adaptado àquela nação.

Por "desenvolvimento" entendemos o aumento tanto da riqueza produzida por um país como das capacidades e habilidades de seu povo, suas condições de vida e felicidade. Para a superação do subdesenvolvimento não basta o crescimento econômico, é preciso romper com os mecanismos de dependência, e que haja crescimento humano e justiça social, boa distribuição de renda e serviços públicos de qualidade.

Então precisamos de um Projeto Nacional de Desenvolvimento surgido do debate da sociedade, sua academia, sindicatos e classe empresarial produtiva. É nisso que eu tenho me empenhado nestes últimos muitos anos de andanças pelo país, e é sobre nossas ideias para a construção desse projeto que peço sua reflexão agora.

O Brasil que queremos

Para esboçar o tipo de sociedade que queremos não estou aqui simplesmente adotando os ideais social-democratas e trabalhistas de toda a minha vida pública, nem mesmo o projeto de país assumido em estatuto por meu partido, o PDT, mas sim o conjunto de valores e expectativas que a população brasileira reiteradamente afirma, entre outros meios, por pesquisas de opinião como o Datafolha[4] e o Latinobarômetro.[5]

O retrato do país desejado pelo povo brasileiro que emerge dessas pesquisas de opinião é flagrantemente o de um Estado de bem-estar social, o chamado *Welfare State*. Consciente ou inconscientemente, nosso modelo almejado de sociedade é o do desenho europeu (ou canadense, ou japonês), baseado em serviços públicos universais, não o modelo dos EUA.

Considerados os critérios usados pela pesquisa Datafolha, a grande maioria dos brasileiros, 76%, acha que o investimento do Estado é que deve ser o motor do desenvolvimento econômico, contra 20% que atribuem esse papel à iniciativa privada.[6] Da mesma forma, consideram como fato dado que saúde e educação são deveres do Estado, e esperam desses serviços gratuidade e qualidade. Uma maioria esmagadora de 90,5% dos brasileiros considera a distribuição de renda do país muito injusta (45%) ou

---

4 Datafolha. Esquerda-direita 2017. Disponível em: http://media.folha.uol.com.br/datafolha/2017/07/03/d2a8a70683c9fa81dcaebffab0375823df9674ca.pdf
5 Latinobarômetro 2016. Disponível em: http://www.latinobarometro.org/latNewsShowMore.jsp?evYEAR=2016&evMONTH=9
6 Datafolha. Esquerda-direita 2017. Op. cit.

injusta (45,5%), contra somente 6,6% que a consideram justa.[7] Esses dados se harmonizam perfeitamente com outra pesquisa, a Oxfam-Datafolha, que revelou que 91% dos entrevistados concordam que, no Brasil, "poucas pessoas ganham muito dinheiro enquanto muitos ganham pouco".[8] Além disso, 72% dos brasileiros apoiam o aumento de carga tributária sobre a renda das pessoas de altíssima renda. Aspiramos, para nós e nossos filhos, a um padrão geral de renda e consumo característicos da classe média.

Então as bases do país que a grande maioria dos brasileiros quer estão dadas. Um Estado de bem-estar que garanta saúde e educação públicas e de qualidade para seu povo, que tenha capacidade de planejamento e investimento na economia, que garanta uma distribuição mais justa da riqueza e uma sociedade civil mais rica, com uma economia baseada na livre-iniciativa.

No entanto, apesar de os valores almejados serem similares aos da social-democracia europeia, os caminhos para construirmos a sociedade sonhada pela maioria dos brasileiros terão que ser próprios, terão que ter seus pés bem calcados na realidade de um país latino-americano no século XXI. Temos que traçar nossas metas a partir da nossa realidade objetiva.

E sejam quais forem nossos caminhos, para viabilizar esse país que queremos não há alternativa que não seja voltar a crescer, e a crescer muito, porque ainda não produzimos riqueza suficiente para sustentar nossas aspirações.

---

[7] Latinobarômetro 2015. Disponível em: http://www.latinobarometro.org/latNewsShow.jsp
[8] "Pesquisa Oxfam Brasil/Datafolha revela a percepção sobre desigualdades no Brasil." *Oxfam Brasil*. Disponível em: https://oxfam.org.br/noticias/pesquisa-oxfam-brasil-datafolha-revela-a-percepcao-sobre-desigualdades-no-brasil/

O Brasil que temos

O Brasil que temos é muito diferente do que queremos. Ele é pobre, brutalmente desigual e ainda tem a proporção de gasto estatal deprimida em todos os serviços públicos.

A desigualdade é a maior tragédia brasileira. Somos simplesmente um dos dez países mais desiguais do mundo, só conseguindo ficar atrás de África do Sul, Namíbia, Haiti, Botsuana, República Centro-Africana, Zâmbia, Lesoto e nossos vizinhos Colômbia e Paraguai,[9] mesmo depois de quatorze anos de governos autorreferidos de "esquerda".

Estudo de 2015 mostra que a concentração de renda brasileira supera a de qualquer outro país com informações disponíveis. A décima parte mais rica de nossa população apropria-se de 52% da renda das famílias brasileiras, o centésimo mais rico, de 23,2%, o milésimo mais rico, de 10,6%, e, pasmem, o meio milésimo mais rico, de 8,5% de nossa renda. São índices incríveis e terríveis. Como termo de comparação, o meio milésimo mais rico no Uruguai se apropria de 3,3% da renda, e na Noruega, de 1,7%.[10]

Já o discurso midiático do Estado inchado no Brasil é o que se chama uma meia-verdade. Tem muita distorção e desperdício, e, por outro lado, muito menos Estado onde ele é necessário. O tamanho médio do Estado brasileiro é a metade do tamanho do Estado nos países desenvolvidos. Enquanto a proporção de trabalhadores empregados no serviço público nos países da OCDE em 2013 foi de 21,3%, no Brasil, segundo

---

9   Pnud. Relatório de Desenvolvimento Humano 2015. Disponível em: http://hdr.undp.org/sites/default/files/hdr15_overview_pt.pdf
10 GOBETTI, S.; ORAIR, R. "Tributação e distribuição da renda no Brasil: novas evidências a partir das declarações tributárias das pessoas físicas." IPC-IC, 2015. Disponível em: http://www.ipc-undp.org/pub/port/OP312PT_Tributacao_e_distribuicao_da_renda_no_Brasil_novas_evidencias_a_partir_das_declaracoes_tributarias_das_pessoas_fisicas.pdf

a mesma organização, a proporção foi de 12,11.[11] Os EUA, frequentemente citados como modelo pelos defensores da diminuição do Estado, têm 15,3% dos empregados no governo, enquanto países escandinavos como a Dinamarca e a Noruega, nossas referências de serviço público, têm 35% de servidores. Na prática, esqueça as estatísticas e pense você: o Brasil tem mais ou menos polícia do que precisa? O Brasil tem mais ou menos professores do que precisa? O Brasil tem mais ou menos médicos do que precisa?

A alegação de que apesar de poucos nossos funcionários públicos são caros também é uma meia-verdade. De acordo com relatório do Banco Central Europeu, a média dos gastos com salários de servidores públicos na zona do euro era de mais de 10% do PIB em 2008.[12] No Brasil, o gasto com salários de servidores em 2013 foi de 4% do PIB.[13] E não custa lembrar que o PIB per capita europeu é em média três vezes maior do que o nosso. Como se não bastasse, mais uma vez no Brasil os valores médios escondem nossa brutal desigualdade. Para uma correta avaliação do gasto salarial com servidores no Brasil é preciso comparar os vencimentos entre os Poderes e dentro do próprio Executivo. Em 2013, a despesa salarial mensal média do Executivo federal foi de R$6.968, ou seja, menos da metade da vigente no Legislativo (R$14.069) e no Judiciário (R$13.276). Dentro do Executivo ainda há fortes assimetrias. A média salarial do Banco Central, por exemplo, era de R$20.113, quase três vezes maior que a mé-

---

11 OECD iLibrary. Government at a Glance 2015. Disponível em: http://www.oecd-ilibrary.org/governance/government-at-a-glance-2015/employment-in-the-public-sector_gov_glance-2015-22-en
12 HOLM-HADULLA, F.; KAMATH, K.; LAMO, A.; PÉREZ, J.; SCHUKNECHT, L. *Public Wages in the Euro Area Towards Securing Stability and Competitiveness*. European Central Bank, 2010. Disponível em: https://www.ecb.europa.eu/pub/pdf/scpops/ecbocp112.pdf
13 FREIRE, A.; PALOTTI, P. (Orgs.). "Servidores públicos federais: novos olhares e perspectivas." Brasília: Enap Cadernos, 2015. Disponível em: https://repositorio.enap.gov.br/bitstream/1/2396/1/Caderno_42_Servidores%20p%C3%BAblicos%20federais_novos%20olhares%20e%20perspectivas.pdf

dia do Executivo e duas vezes maior que a das empresas públicas, que era de R$10.776.[14] Distorções injustas precisam ser eliminadas, porém mais uma vez é preciso deixar claro, sem demagogia, que não será daí que poderá sair o dinheiro que tão desesperadamente nos falta para investir. Ou alguém em sã consciência pode achar que o salário de R$2.415,89 de um professor da prefeitura da cidade mais rica do Brasil, a cidade de São Paulo, é salário de marajá?

E ao contrário da propaganda liberal sobre a falta de retorno do serviço público a nossos impostos, a verdade é que com os recursos que efetivamente chegam aos sistemas de educação e saúde o Brasil opera milagres. Eu compreendo a revolta da classe média brasileira com a falta de retorno dos impostos, pois ela paga dobrado para viver ao ser descontada na fonte pelo imposto de renda, sem ter como dele se evadir, e por não acreditar nos serviços públicos paga por saúde, educação e segurança privadas. Evidentemente, apesar disso, nossos serviços públicos estão muito aquém dos oferecidos pelo Japão, Canadá e estados europeus, padrão desejado pela população brasileira e cobrado por sua imprensa. Os motivos principais são basicamente três, e não são nem a incompetência, nem a corrupção, nem o desperdício, apesar de maus exemplos existirem.

Esses motivos são muito simples de entender para quem não quer simplesmente odiar a educação e a saúde públicas: somos hoje em média três vezes mais pobres que os países europeus e ainda pagamos menos impostos sobre a riqueza total produzida do que eles. Como se não bastasse, de nosso pobre orçamento saem centenas de bilhões (cerca de 10% dele) todo ano para o pagamento de juros exorbitantes. Não há mágica que possa compensar esse subfinanciamento.

---

14   PALLOTI, P. & FREIRE, A. "Perfil, composição e remuneração dos servidores públicos federais: trajetória recente e tendências observadas." Brasília: Consad, 2015. Disponível em: http://repositorio.enap.gov.br/bitstream/1/2237/1/009.pdf

Sim, apesar da propaganda desinformativa, nossa carga tributária é menor do que a europeia.[15] Como ela está concentrada nas costas dos pobres e da classe média, a maioria dos eleitores costuma se indignar quando esse mero fato é lembrado. Meu dever, no entanto, é fugir da demagogia, e tentar explicar a verdade ao povo brasileiro.

A carga tributária média na Europa em 2014 foi de 41,5% do PIB.[16] Para citar alguns dos países europeus de melhor nível de vida e suas cargas naquele ano, temos a Bélgica com 47,9%, a Dinamarca com 50,8%, a Alemanha com 39,5%, a França com 47,9%, a Itália com 43,7%, a Noruega com 38,9% e a Finlândia com 44,0%. Já no Brasil, segundo o Tesouro Nacional, a carga tributária em 2017 foi de 32,36% do PIB.[17]

E nossos impostos incidem sobre uma base média de riqueza muito, muito menor. Em 2016, nosso Produto Interno Bruto per capita ajustado por paridade de poder de compra, ou seja, o índice que mede o quanto produz em média cada cidadão brasileiro, foi de US$15.127,81. O da Finlândia foi de US$43.052,72; Bélgica, US$46.383,23; Alemanha, US$48.729,59; Dinamarca, US$49.695,96; França, US$41.466,26; e Noruega, US$59.301,67.[18]

Para resumir, enquanto o Estado dinamarquês tem em média US$25.245,54 para gastar anualmente por cidadão para prover saúde, educação, segurança, Judiciário e Previdência, o Estado brasileiro tem US$4.904,43

---

15   Apesar disso é alta se compararmos com os países emergentes. A carga tributária na China em 2019 ficou em torno de 17,5%; na Rússia, 24,2%; e na Argentina, 30,2%. Os EUA (cerca de 27%) e o Chile (cerca de 20%) devem ser comparados com ressalvas, pois o primeiro, além de sustentar seu modo de vida imprimindo a moeda mundial, não tem sistema público de saúde, e o segundo não oferece previdência.
16   Eurostat. Total receipts from taxes and social contributions. Disponível em: http://ec.europa.eu/eurostat/statistics-explained/images/c/ca/Total_tax_revenue_by_country%2C_1995-2014_%28%25_of_GDP%29.png
17   Tesouro Nacional. "Carga tributária bruta do Governo Geral foi de 32,36% do PIB em 2017." Disponível em: http://www.tesouro.fazenda.gov.br/-/carga-tributaria-bruta-do-governo-geral-foi-de-32-36-do-pib-em-2017
18   World Bank Data. Disponível em: https://datacatalog.worldbank.org/

para os mesmos objetivos. Exigir serviços da mesma qualidade é inaceitável e mais do que irrealista. Sobretudo se lembrarmos que gastamos hoje o equivalente a 25% de nossa arrecadação com juros de nossa dívida interna.[19] O fato de estarmos pagando esses juros com mais dinheiro emprestado não diminui, mas aumenta essa tragédia transferindo seus custos para o futuro.

Todos os gastos públicos no Brasil, à exceção do serviço da dívida, estão extremamente deprimidos. Consideremos o exemplo da saúde. Caso pertencesse à OCDE, organização de cooperação econômica entre os países desenvolvidos que ainda inclui o Chile e o México, o Brasil seria simplesmente o antepenúltimo em gastos per capita em saúde, atingindo menos de um terço da média da OCDE. Para piorar, teríamos igualmente a terceira pior proporção de gastos públicos em saúde, ou seja, a maior parte desse gasto per capita é privada. Com nossos 3,6% do PIB[20] de gastos públicos em saúde, ficaríamos somente acima de Turquia e México.

Então tudo se resume ao fato de sermos muito mais pobres, pagarmos menos impostos e brutalmente mais juros do que os europeus. Não é a corrupção ou a incompetência que nos faz ter serviços públicos piores. O fato de, apesar de tudo isso, ainda oferecermos um precário sistema universal de saúde e de educação é quase um milagre. Mas esse "milagre" tem nome: o trabalho dos servidores do Estado. Esse reconhecimento não desconsidera meu testemunho de que muitos brasileiros são maltratados em postos de saúde, que muitos jovens brasileiros têm mais medo da polícia do que de bandidos nas comunidades ou ainda que aqui e ali a exacerbação corporativista transforma partes do serviço público em verdadeiras castas.

---

19   O cálculo é com base na estimativa de R$340,9 bilhões de pagamento de juros líquidos da União em 2017 (BC) contra uma receita primária de R$1.342,4 trilhão no mesmo ano (Receita Federal).
20   OCDE Brasil. Relatórios econômicos da OCDE: Brasil 2015. Disponível em: http://www.oecd.org/eco/surveys/Brasil-2015-resumo.pdf

O QUE FAZER AGORA?[21]

Enquanto pensamos, e temos que pensar, no país que queremos construir para nossos filhos, temos que enfrentar, na partida, a maior depressão de nossa história. Completamos em 2019 a pior década em matéria de desenvolvimento econômico dos últimos 120 anos. A radiografia desse terrível número se encontra por qualquer ângulo que se deixe considerar. Do segundo mandato de Dilma para cá são 13 mil indústrias fechadas, 5 milhões de pequenas empresas às portas da falência, 13 milhões de desempregados, 41,2 milhões de brasileiros, recorde histórico, empurrados para a informalidade, 63,5 milhões de brasileiros com o nome sujo no SPC e Serasa, 65% das famílias, recorde histórico, endividadas e mais de R$1 trilhão e duzentos bilhões (recorde histórico) de endividamento empresarial.

Enquanto isso, o Governo Bolsonaro promete dobrar a dose do veneno que está matando o país desde o fim do primeiro mandato de Dilma: corte de investimentos públicos, congelamento de salários, eliminação de direitos e juros altos na ponta para os consumidores e as empresas (reconheço aqui que uma política acertada do governo tem sido até a última revisão deste livro a queda da taxa Selic, num nível jamais produzido pelo governo do PT. Mas essa medida, que melhora as contas públicas, não tem se refletido na queda dos juros oferecidos aos consumidores e às empresas pelos bancos nacionais, o que continua sufocando a atividade econômica). Uma tentativa de ajuste feita no lombo da classe média e baixa enquanto os ricos seguem em seu paraíso fiscal terrestre.

Não acredito que este governo vá fazer diferente até que seja tarde demais. O que acreditamos que deveria ser feito para debelar a emer-

---

21 Todo esse cenário, que ao fim de 2019 era terrível, será dramaticamente piorado com o surto do novo coronavírus. Tudo o que proponho aqui continua, em minha opinião, tendo que ser feito, mas provavelmente precisaremos de medidas muito mais amplas depois da crise, que só teremos condições de avaliar em alguns meses.

gência da crise é um conjunto de quatro linhas de ação imediatas. Precisamos consertar os quatro motores mais importantes da ativação do crescimento econômico colapsado: o consumo das famílias, o investimento empresarial, o investimento público e a política industrial e de comércio exterior.

Recuperar o consumo das famílias
Estamos acostumados a analisar o PIB pelo lado da oferta, da produção, como quando afirmamos que a participação da indústria na produção nacional voltou aos níveis de 1910. Mas o importante quando queremos avaliar os principais fatores que levam ao crescimento é analisá-lo pelo lado da demanda, ou seja, de quem consome o que é produzido pelo país. E cerca de 60% do consumo do que é produzido no Brasil vem das famílias brasileiras. O consumo das famílias é produto imediato de três fatores: emprego, renda e crédito. Emprego e renda vêm depois, no crédito pode-se agir agora.

Temos hoje 63 milhões de brasileiras e brasileiros endividados, com o nome sujo no SPC e na Serasa. São de forma geral cidadãs e cidadãos que compraram no cartão de crédito ou fizeram um crediário e foram surpreendidos pela crise e pela alta dos juros no Governo Dilma. Isso tirou sua capacidade de contrair pequenos financiamentos e, portanto, sua capacidade de consumo.

A primeira ação para reaquecer a economia deveria ser restituir gradualmente a capacidade de financiamento das classes média e baixa, com um programa de refinanciamento governamental que ajudasse nossos compatriotas a limpar o nome no SPC e Serasa. A dívida média de cada pessoa com nome sujo no Brasil no fim do ano de 2018 era de R$4.200,00. Mas cerca de 80% disso era somente de juros sobre juros, multas, comissão de permanência e outras taxas (no Brasil, os juros ao consumidor são os mais altos do mundo, mais de quatro vezes maior do que a maior taxa de nossos vizinhos latino-americanos).[22] Abaixo há uma lista atualizada do custo das modalidades de crédito ao consumidor até o momento da última revisão.[23] As empresas costumam oferecer planos de refinanciamento individualizados quando avaliam que as dívidas se tornaram impagáveis. O que proponho é que o governo federal use sua força para negociar coletivamente essas dívidas com os credores, conseguindo o máximo de desconto nelas, e derrubá-las para uma média de R$1.400, o que representaria um desconto médio de 70% na dívida (nos atuais leilões da Serasa, o cidadão desprotegido consegue até 90% de desconto).

Em conjunto com a renegociação das dívidas, se abriria uma linha de financiamento nos bancos públicos e nos privados que desejassem participar do programa. As pessoas poderiam parcelar seus saldos devedores, já com desconto, em até 36 vezes e três meses de carência. Com juros decentes e dívida descontada, estimamos que cada parcela média mensal ficaria em torno de R$40 por mês. Assinando o contrato de parcelamento, o nome do devedor já seria retirado do cadastro negativo. A garantia desses milhões de microfinanciamentos viria de um sistema de aval solidário, muito bem-sucedido em regiões do Brasil como no Programa Crediamigo, do Banco do Nordeste, que apresenta uma taxa de inadimplência de apenas cerca de 1,4%.

Nos últimos dois governos, o Brasil gastou R$354 bilhões para perdoar a dívida de empresas e empresários com a Receita Federal e a Previdência, por meio do Refinanciamento de Dívidas Fiscais (Refis). Que motivo pode ser dado para considerar populista esse tipo de programa, que ajuda

---

22 CAMPOS, Elisa. "Juros do cartão de crédito no Brasil são os mais altos entre as principais economias da América Latina." *Época Negócios*. Disponível em: http://epocanegocios.globo.com/Revista/Common/0,,ERT287278-16357,00.html
23 BOMFIM, Mariana. "Juro do cheque especial sobe para 318%; rotativo do cartão vai a 295,5%." *Uol*, mar. 2019. Disponível em:
https://economia.uol.com.br/noticias/redacao/2019/03/27/juros-cheque-especial-cartao-de-credito-banco-central.htm

as empresas e seus proprietários, é racional e desejável economicamente, e limpa o nome dos pobres e da classe média recuperando sua capacidade de financiamento e senso de dignidade? Infelizmente, no Brasil, tudo o que é voltado para ajudar o povo diretamente é tachado de populismo pela direita. Mas nós vemos a economia como um instrumento para promover a felicidade humana, e não como um fim em si mesmo.

Consolidar o passivo privado
O investimento privado é puxado pela expansão do consumo. Hoje a indústria brasileira está com apenas 66% da sua capacidade instalada ocupada, e o endividamento empresarial, como já disse, é o maior da história. Passa de R$1,2 trilhão o volume dessa dívida na iminência de inadimplir. Ocupação de capacidade instalada vem depois. Porém, o sistema financeiro brasileiro, que criminosamente concentra em apenas cinco bancos 85% de todas as transações financeiras (imprudência produzida pelos governos brasileiros dos últimos dezesseis anos), recusa-se a refinanciar esse passivo. Isso é compreensível, pois deriva de sua aversão ao risco. Não é deles que se deve esperar a responsabilidade pela retomada do crescimento do país.

Temos que procurar ajudar a resolver o problema do endividamento das empresas antes que a onda de falências acabe por destruir completamente o tecido produtivo brasileiro e o próprio sistema bancário por consequência. O Estado, no entanto, não pode mais uma vez simplesmente socializar o prejuízo privado através dos bancos públicos, que é o que geralmente acontece no Brasil quando a banca não aceita mais refinanciar uma grande empresa quebrada. Vimos exemplo recente com a transferência dos passivos da Oi para o Estado. Enquanto era lucrativa recebia financiamento dos bancos privados. Na iminência de quebrar, por um passe de mágica, todas as suas dívidas foram assumidas pelo BNDES, BB e Caixa Econômica Federal. Isto é o neoliberalismo: lucro privado, prejuízo socializado, ou seja, pago pelo povo.

Minha proposta é transferir cerca de US$50 bilhões a US$70 bilhões das reservas brasileiras no exterior (em cerca de US$380 bilhões hoje), em vez de vender dólar barato para cevar a especulação, para um fundo soberano ou mesmo para capitalizar o Banco do Brics, criando uma linha de crédito para as empresas brasileiras. Dado que nossas reservas internacionais não estão remuneradas, pois recebem em média juros negativos, com parte delas criaríamos um grande programa de refinanciamento das empresas brasileiras, oferecendo um redesconto em que os devedores trocariam os juros altos e prazos curtos dos bancos privados nacionais por juros internacionais com prazos maiores. Não é um programa de resgate ou transferência de recursos, é um programa de crédito, mediante garantias contratuais patrimoniais e condicionado à execução de planos de investimento e emprego. Uma vez que os juros estão próximos de zero, o custo de *hedge*[24] para cobrir eventuais riscos cambiais correria por conta das empresas tomadoras. Tal programa de refinanciamento devolveria às grandes empresas brasileiras a capacidade de investimento e eliminaria o risco de uma crise bancária que desorganizaria dramaticamente nossa economia.

Sanear as finanças públicas
Ninguém precisa ser Nobel em economia para entender que em momentos de forte depressão econômica quem pode e deve tomar iniciativas anticíclicas é o setor público. Saiamos da leitura mofada, que já nenhum intelectual sério reproduz o dogmatismo neoliberal, e observemos a história do mundo. Roosevelt respondeu à depressão de 1929 com o que ele chamou de *New Deal*, que na prática estabeleceu um choque de investimento público para ressuscitar a economia privada colapsada. O Plano Marshall na Europa destruída obedece à mesma lógica, assim como a experiência de MacArthur no Japão. Os movimentos contemporâneos do BC da Europa e

---

24   *Hedge*: seguro que protege uma operação financeira do risco de grandes flutuações de preço de um determinado ativo financeiro.

as iniciativas fiscais da Alemanha demonstram a absoluta atualidade dessa lógica. André Lara Resende está escrevendo, mais uma vez de forma atualizada, sobre a relativização, especialmente no curto prazo, da autorreferida "austeridade fiscal". Larry Summers, ninguém menos do que o ex-secretário do Tesouro americano, vendo a ineficiência dos juros próximos de zero que não estão conseguindo reanimar a economia global desde 2018, já fala claramente que o motor fiscal deve novamente ser chamado a cumprir sua insubstituível tarefa. É preciso ficar claro que não é possível pensarmos em voltar a crescer enquanto o governo gasta R$0,33 (33 centavos de reais) de cada R$100 do orçamento para investimento e gasta cerca de R$10 de cada R$100 para pagamento de juros líquidos. As promessas de retomada do crescimento no governo desde Dilma até Bolsonaro são pura demagogia ou a mais sofrida mentira.

Enquanto o déficit primário do governo foi de R$118 bilhões em 2017, só a União pagou em juros R$328,1 bilhões[25] (segundo estudo da FGV, o setor público inteiro pagou R$400,8 bilhões de juros no mesmo ano). Em 2017, assistimos a um aumento de R$446 bilhões na dívida pública, ou simplesmente 14,33% em relação a 2016. Assumida pelo Governo Temer em abril de 2016 em 66,7%, nossa dívida bruta fechou o ano de 2018 em 76,7% do PIB.[26]

Este é um rumo suicida. O déficit primário de março do atual governo foi de R$18,6 bilhões, um valor maior, volto a lembrar, que o déficit primário do ano inteiro de 2014, no qual grande parte da mídia, a serviço da propaganda regiamente paga pelos bancos, disse que o país estava quebrado. Mas só de juros nominais pagamos no mesmo mês de março de 2019 incríveis R$43,5 bilhões![27] No acumulado dos últimos 12 meses até março

---

25 Relatório anual da dívida pública – 2017. Receita Federal. Disponível em: http://www.tesouro.fazenda.gov.br/web/stn/relatorio-anual-da-divida
26 BC. Nota para a imprensa. Publicada em 31/01/2019.
27 BC. Nota para a imprensa. Publicada em 30/04/2019.

de 2019, gastamos em juros nominais R$384,5 bilhões. Isso equivale a 5,5% do PIB (tudo o que o Brasil produziu), 10,7% do orçamento da União (tudo o que o governo federal gastou) e 26,4% da arrecadação da União (tudo o que pagamos de impostos para o governo federal), que atingiu em 2018 R$1,457 trilhão.[28] Quem não consegue enxergar que esse estado de coisas é insustentável?

Precisamos ajustar as contas públicas, e só há dois meios para isso: aumentar receitas e diminuir despesas. Devemos fazer um pouco dos dois. Dizer o contrário é enganar o país.

Temos que ter uma política fiscal responsável e transparente, com todas as receitas e todas as despesas públicas amplamente debatidas pela sociedade. Não devemos ter compromisso com qualquer despesa que não seja plenamente justificada. Todas as contas do governo devem ser postas em xeque e rigorosamente avaliadas, garantindo todas as receitas que pudermos para aumentar nossa taxa de investimento. Mas é só olhar para o orçamento da União que salta aos olhos onde as despesas têm que ser cortadas substancialmente: na conta de juros. Temos que trazer os juros brasileiros abaixo da rentabilidade média dos negócios o quanto antes. Uma taxa real de 2% hoje já estaria muito acima da média mundial, hoje negativa.

Na outra ponta, não podemos prescindir de um aumento de receita. Com o Brasil voltando a crescer, as empresas reestruturando suas contas e as famílias gradualmente voltando a consumir, a arrecadação voltará a subir. Mas esse é um efeito de médio prazo, e para o país voltar a crescer temos antes de aumentar o nível de investimento público.

A minha proposta é que retiremos 20% de todas as isenções fiscais distribuídas no país sem qualquer critério ou obrigação de investimento, ainda que, aqui e ali, bem-intencionadas. Só essa providência arrecadaria a preço

---

28 "Arrecadação federal de 2018 tem melhor resultado em quatro anos." *Governo do Brasil*, jan. 2019. Disponível em: https://www.gov.br/pt-br/noticias/financas-impostos-e-gestao-publica/2019/01/arrecadacao-federal-de-2018-tem-melhor-resultado-em-quatro-anos

de hoje algo ao redor de R$66 bilhões por ano. Só esse passo é mais da metade do déficit primário de R$130 bilhões previsto para o ano de 2019.

No entanto, isso não é o suficiente, mesmo porque as vendas já estão deprimidas. Temos que aumentar impostos dos mais ricos, mas devemos fazê-lo de forma comedida e sem afetar a classe média, a produção e o investimento. Como medida imediata de aumento de receita para os estados, que estão, na sua maioria, em situação pior que a União, proponho aumentar imediatamente o imposto sobre grandes heranças (esqueçam a classe média, que não tem mais nada para dar) para 8% em todo o Brasil, teto máximo permitido pela lei atual. O Ceará já cobra assim. A média hoje está em 3,86%,[29] ousaria afirmar, uma das menores taxas do mundo. Isto nos garantiria ao menos R$20 bilhões adicionais de arrecadação por ano, atingindo somente os 0,3% mais ricos do país.

Da mesma forma poderíamos tirar da gaveta o projeto veiculado recentemente da criação de uma alíquota de 35% do imposto de renda para pessoas físicas que ganham acima de R$20 mil por mês. É claro que esse valor é só um exemplo que deve ser negociado. Sou obrigado a lembrar aqui que na minha gestão como ministro da Fazenda eu criei essa alíquota, que FHC revogou assim que assumiu. Segundo o IBGE, apenas 325,5 mil brasileiros estavam nessa condição em 2015, ou 0,3% da população ocupada no Brasil.

Outra ideia na direção de um sistema tributário que, para além de arrecadar, mude estruturalmente uma das mais perversas distribuições de renda do mundo, é um tributo progressivo sobre patrimônios superiores a R$10 milhões com alíquotas de 0,5% a 1%. Devo lembrar que esse tributo já existe na nossa Constituição e remanesce sem cobrança ou mesmo regulamentação desde 1988.

---

29   PINTO, Bianca. "Brasil é um dos que menos tributam herança no mundo." *Estado de S. Paulo*, maio 2014. Disponível em: http://economia.estadao.com.br/noticias/geral,brasil-e-um-dos-que-menos-tributam-heranca-no-mundo-imp-,1170532

Mas a medida que nos garantiria um aumento substancial mais rápido de receita seria a volta da tributação na distribuição de lucros e dividendos das grandes corporações. É claro que a volta desse tributo deveria vir acompanhada de uma revisão no imposto de renda da pessoa jurídica. Mas uma alíquota de 27,5%, igual ao imposto de renda dos meros mortais brasileiros, garantiria cerca de R$80 bilhões, sem efeitos inibitórios da atividade econômica, porque só incidiria sobre os recursos retirados da empresa. Todos os países do mundo cobram esse tributo, menos o Brasil e a pequena Estônia, no Leste Europeu. Eu, quando ministro da Fazenda do Governo Itamar Franco, cobrei esse tributo. FHC o revogou e os dezesseis anos dos Governos Lula-Dilma-Temer o mantiveram revogado. Entre 2008 e 2015, dezenove dos 34 países da OCDE elevaram a tributação sobre dividendos para enfrentar a crise,[30] entre eles Reino Unido e EUA. O Brasil, com seu rombo fiscal gigante e 10º país mais desigual do planeta, continua isentando essa renda dos mais ricos.

Há outras providências para tornar o sistema tributário brasileiro menos injusto e regressivo, como demonstraremos adiante. Mas apenas com esses exemplos teríamos cerca de R$170 bilhões a mais, só na perna da receita, para zerar o déficit e dizer de onde vem o dinheiro para uma sólida e expressiva retomada do investimento público.

Superar o desequilíbrio externo
A cada vez que o Brasil, nas últimas décadas, atingiu o número pífio de crescimento de 2,5%, apresentou-se um rombo nas contas em dólar do país com o estrangeiro. Simples de entender. Dos anos 1980 para cá, o país experimenta o pior processo de desindustrialização da história do capitalismo mundial. Ciclicamente, nos últimos tempos, por puro populismo cambial, o Brasil explodiu nessas ocasiões o seu déficit. A últi-

---
30   GOBETTI, S.; ORAIR, R. Op. cit.

ma vez que crescemos esse número pífio, ainda com Dilma Rousseff, a diferença entre o que o Brasil exportou de produtos industrializados e o que importou foi de US$124 bilhões, valor que, ao câmbio de 2019, equivaleria a R$515 bilhões por ano. Se faltam dólares nesse volume, o preço do dólar em real, que é a taxa de câmbio, sobe. Subindo o dólar, há uma inevitável tendência de que todos os preços da economia brasileira subam na mesma proporção. Precisamos ajudar o povo a entender esse preço central de nossa economia. Porque nosso povo, tenho eu repetido em minhas palestras pelo país, não compra dólar, mas come pão. E o pão é feito do trigo que não produzimos em quantidade suficiente, e que, portanto, temos que importar, pagando em dólar. Subindo o dólar, sobe o preço do trigo e, portanto, o preço do pão. Nosso povo anda de ônibus. Como estamos importando um terço do óleo diesel que usamos e os preços da Petrobras foram dolarizados, toda vez que o dólar sobe, o preço do diesel sobe, bem como o preço das passagens de ônibus. Em outras palavras, subiu o dólar, sobem os preços. O nome disso é inflação, e o governo tem que interromper qualquer crescimento aumentando a taxa de juros, o que explica por que o Brasil não sai do atoleiro. Portanto, se quisermos retomar o crescimento em níveis suficientes para gerar os empregos e a renda de que precisamos, temos que reequilibrar as contas do nosso país em dólar.

É preciso matar, de uma vez por todas, a ilusão de que seremos capazes de pagar a conta da justa aspiração de nosso povo de acessar um padrão de consumo moderno (eletroeletrônicos, química fina, meios diagnósticos médicos, informática e tudo mais de alto valor agregado) com soja, milho, minério de ferro bruto e petróleo bruto. Essa conta não fecha. Para consertar isso, há duas tarefas. Uma de médio e longo prazos e outra de prazo mais curto. A médio e longo prazos, celebrarmos uma política industrial e de comércio exterior explorando cadeias produtivas em que o Brasil tem potencial vantagem comparativa global: cadeia do petróleo, gás e bioenergia, complexo industrial da saúde, complexo industrial da defesa e complexo industrial do agronegócio.

Temos que reequilibrar as contas externas brasileiras, e não o faremos de maneira sustentável mantendo nosso modo de consumo e vendendo produtos de baixo valor agregado. O Brasil precisa se reindustrializar em direção a sua base primária e possibilidades tecnológicas. Veremos isso também nas propostas de longo prazo, mas a curto prazo o que pode ser feito para reequilibrar as contas externas é manter o câmbio num valor realista que fortaleça nossa competitividade sistêmica e enfraqueça o consumismo.

O QUE FAZER PARA O FUTURO: UM PROJETO NACIONAL

As metas que já posso esboçar como base de um novo grande projeto nacional de desenvolvimento são derivadas de dois conjuntos de premissas já expostos neste capítulo. O primeiro é sobre as condições necessárias para o êxito civilizatório. O segundo é sobre o conjunto de conquistas que queremos realizar como nação, o tipo de sociedade que queremos construir. Vou apresentar essas metas aqui em cinco grupos:

1. *Recuperação do Estado* – Saneamento estrutural das contas públicas com recuperação da capacidade de investimento através da superação do rentismo, reforma pactuada da Previdência e equilíbrio das contas externas;
2. *Reforma tributária* – Visando a simplificação, a desoneração da produção e do investimento, o aumento da poupança interna e a justiça fiscal;
3. *Reindustrialização* – Coordenação de um novo grande projeto de industrialização, começando por quatro áreas em que temos

vantagem comparativa global potencial, através de uma nova política de ciência, tecnologia e inovação, financiamento, compras governamentais e criação de uma nova geração de empreendedores;
4. *Revolução educacional* – A real transformação da educação em prioridade orçamentária e não somente discursiva, aliada a uma reforma pedagógica.
5. *Agregação de valor ao produto rural* – A vocação do Brasil de se tornar "celeiro do mundo" está próxima de se tornar realidade. Com um mínimo de vontade política, pode ser um legado de nossa geração.

Vamos ao projeto.

Recuperar o Estado

Sou obrigado a lembrar, antes de tudo o que tenho a dizer, que meu compromisso, como gestor, com a sanidade fiscal é inquestionável. Quando governador, resgatei no mercado secundário 100% da dívida mobiliária do Ceará com quinze a 25 anos de antecedência de seu vencimento, caso inédito no Brasil, e ainda deixei os títulos no Tesouro para serem usados em caso de necessidade pelos futuros governadores. Fui prefeito, governador e ministro da Fazenda sem ter registrado um único dia de déficit fiscal em minha biografia. A cultura fiscal que ajudei a criar no Ceará permanece até hoje, atravessando gestões como as de meu irmão Cid Gomes e do atual governador Camilo Santana. A crise fiscal que atingiu praticamente todos os estados brasileiros só afetou o Ceará na sua taxa de investimento, sendo que o estado permanece o mais saudável do Brasil em termos fiscais.

A sanidade fiscal estrutural do Estado é essencial para seu funcionamento, para a expectativa dos agentes econômicos nacionais e internacionais e para a condução soberana do desenvolvimento. Um Estado saudável fiscalmente é um Estado capaz de intervir com efetividade em infraestrutura, políticas anticíclicas e programas sociais. Se dizer de esquerda e não gerar excedentes de recursos públicos para financiar a mudança de vida dos mais pobres é só retórica.

Um sacrifício desses não pode ser feito para manter o rentismo e cobrir o custo da agiotagem sobre o povo brasileiro. Precisamos sanear estruturalmente as contas públicas para que o Estado recupere a capacidade de investimento, sem a qual jamais cresceremos acima das taxas vegetativas nas quais patinamos há 38 anos.

Todos os gastos públicos do Brasil com educação, saúde, segurança, ciência e tecnologia estão abaixo da média mundial de países desenvolvidos e até mesmo de países mais pobres do que o nosso. Isso não elimina a necessidade de revisar e extinguir gastos ineficientes dessas áreas, mas evidencia que não é do corte nessas contas que virá a saúde financeira do Estado. Se quisermos fazer um esforço sério de recuperação fiscal do Estado não podemos ficar nas ações pirotécnicas de fechamento de ministérios e demissão de algumas centenas de cargos comissionados, pois, como sabemos bem hoje, isso não dá bilhão. Precisamos, isso sim, atacar diretamente as duas maiores contas do Orçamento da União: dívida pública e sua despesa de juros, e Previdência Social.

Racionalizar a dívida pública

O único gasto público que ultrapassa, e muito, a média mundial é o gasto com os juros da dívida pública. Essa política suicida fez do Brasil o paraíso do parasitismo, onde uma renda segura e fácil remunera melhor que qualquer atividade produtiva bem-sucedida. Esse modelo, que só serviu a uma minoria de 20 mil famílias,[31] chegou ao seu limite. Se o Brasil não compreender isso profundamente, não teremos como sair da terrível crise em que nos encontramos.

Portanto, para recuperar estruturalmente a saúde das contas públicas precisaremos desarmar bombas atuais e futuras, e tanto diminuir despesas quanto aumentar receitas. No primeiro caso, teremos que enfrentar as duas maiores despesas públicas, com uma reforma previdenciária justa e austeridade na administração da dívida.

Antes de falar da mudança que teremos que promover na gestão da dívida pública, tenho o dever de lembrar que temos que tratar desse assunto com o máximo de responsabilidade. Na dívida pública não estão só os recursos do especulador estrangeiro e da plutocracia rentista nacional; estão também os recursos das poupanças, FGTS e fundos de pensão das brasileiras e dos brasileiros.

Dito isso, temos que dividir o problema da dívida em problemas de estoque e de fluxo. O problema do fluxo é o do custo da dívida. Não podemos voltar a praticar uma alta taxa de juros reais enquanto o mundo pratica taxas de juros negativas. Não podemos perder essa janela de oportunidade histórica para rompermos com mais de duas décadas de rentismo. Mais do que meramente baixar a Selic, precisamos urgentemente reduzir a taxa de juros que se cobra na ponta, dos empresários e consumidores, para um nível abaixo da rentabilidade média dos negócios. Caso contrário, o Brasil mergulhará no processo de sua dissolução.

Na questão do estoque da dívida, ainda temos que distinguir entre o problema de seu volume e o de seu perfil. É preciso encerrar definitivamente quaisquer dúvidas morais ou econômicas que ainda pairem sobre o principal da dívida. Com a garantia intransigente do cumprimento

---

31 CAMPOS, A.; BARBOSA, A.; POCHMANN, M.; AMORIN, R.; SILVA, R.. *Atlas da exclusão social volume 3*: Os ricos no Brasil. São Paulo: Cortez Editora, 2004.

dos contratos, sem dar margem a aventuras, temos que obedecer à ordem constitucional ainda não cumprida de promover uma auditoria da dívida pública. É fundamental que a sociedade saiba, transparentemente, quanto custa sua dívida e como ela se estrutura, como foi contraída, com que contrapartidas, quem ganha com ela, o quanto dela já foi pago e, principalmente, se não há embutida nela qualquer fraude ou ilegalidade. Sem essa transparência, a sociedade brasileira continuará sem controle nem conhecimento da dívida que garroteia nossas vidas. A determinação dessa auditoria está escrita na Constituição Federal Brasileira, no Artigo 26 do Ato das Disposições Transitórias. E é simples de entender. Quem de nós num bar, ao pedir a conta, não a confere antes de pagá-la? Não se trata, portanto, de negar a dívida: trata-se de conferi-la.

Já na questão do perfil é preciso acabar com a farra da oferta de títulos prefixados antes da diminuição das taxas de juros e de pós-fixados antes de seu aumento. Da mesma forma é necessária a imediata interrupção da criação, de poucos anos para cá, de um tipo de operação que existe no mundo inteiro para garantir liquidez entre os bancos, a chamada "operação compromissada". Entre nós, isso virou uma escandalosa fraude que atenta contra a Constituição e impõe escuridão sobre praticamente um quarto de toda a dívida pública brasileira. É necessário investigar os impactos dessa operação financeira nos limites do endividamento público.

Pelo caminho da administração austera, podemos começar a aproveitar o deságio de nossos títulos no mercado secundário da dívida, entesourando tantos deles quanto o caixa do Tesouro permitir e o alto deságio durar. Como já lembrei aqui, quando governador do Ceará, consegui entesourar dessa forma 100% da sua dívida mobiliária. Isso não pode ser repetido em escala nacional, mas nada impede que o façamos em parte de nossa dívida. Com todas essas sinalizações de sanidade fiscal presente e futura (contando também com uma reforma previdenciária justa e uma reforma tributária progressiva), podemos começar a precificar esses efeitos futuros numa ampla operação de mudança do perfil da dívida em prazos e tipos de remuneração.

Uma reforma da Previdência justa[32]

Complementando a tarefa de recuperação da saúde fiscal e capacidade de investimento do Estado, não podemos prescindir da melhoria do perfil de longo prazo do orçamento da Previdência.

A Previdência Social tem o objetivo básico de garantir uma vida digna às pessoas na velhice, particularmente quando perdem a capacidade física para o trabalho. É uma função básica do Estado nas sociedades contemporâneas. Ao mesmo tempo, o mundo passou a encarar, nas últimas décadas, a Previdência como o principal instrumento de formação de capital doméstico, ou poupança vinculada ao investimento e geração de emprego.

Pensamos que uma nova reforma da Previdência brasileira é fundamental por três motivos básicos. Primeiro, o motivo deste subitem: ajudar a garantir o equilíbrio fiscal do Estado ao longo do tempo. Segundo, eliminar injustiças do sistema que criou ilhas de privilegiados sustentados pelo povo brasileiro. Terceiro, transformá-la de fonte de déficit num poderoso instrumento de formação bruta de capital – poupança interna –, aumentando o potencial de investimento do país.

Vou então aqui oferecer, em primeiro lugar, uma explicação sobre a natureza dos diferentes regimes de previdência, seguida de um diagnóstico de nossos principais problemas na área, depois avaliar a reforma do atual governo e, por fim, apresentar nossa proposta para uma nova reforma justa e eficiente da Previdência Social.

---

32   A última versão deste livro foi concluída antes da aprovação final do texto da reforma da Previdência de 2019. Continuo acreditando que ajustes na reforma são necessários.

A natureza de nossos regimes de previdência

Temos no Brasil três regimes de previdência. O primeiro é o chamado *regime geral* do trabalhador do setor privado, o INSS. O segundo é o *regime próprio* de previdência, de setores do funcionalismo público. Por fim, temos o *regime complementar*, que pode tanto estar nos planos de capitalização da iniciativa privada como nos fundos públicos como o Funpresp, previdência complementar dos servidores federais, criado pelo governo do PT.

Os dois primeiros desses regimes são *regimes de repartição*. O regime financeiro de repartição se caracteriza pelo pacto entre contribuintes de hoje repartindo entre si o custo do pagamento dos benefícios dos aposentados de hoje. Eles o fazem na confiança de que os contribuintes do futuro, quando chegar sua hora, pagarão seus benefícios de aposentadoria.

Quando se tem uma base grande de jovens na ativa para cobrir poucos idosos aposentados, pode-se garantir boa aposentadoria com uma contribuição mensal módica, pois como valor das contribuições se calcula somente o necessário para cobrir o pagamento dos benefícios do mesmo período. É um gigantesco seguro coletivo, em que todos diminuem o risco de todos. Embora nada impeça que um regime de repartição eventualmente forme alguma reserva para o futuro, normalmente ele não o faz, pois sua essência é recolher hoje o que repartirá hoje.

Mas há problemas típicos nesse regime, e eles aparecem quando a taxa de natalidade desce, a longevidade sobe e a formalidade diminui. Nesse quadro, no qual a proporção contribuintes/beneficiários diminui, temos que, na mesma proporção, aumentar o valor da contribuição para continuar pagando os benefícios, assim como introduzir financiamentos de natureza tributária, através dos quais a sociedade como um todo paga o desequilíbrio do sistema.

O terceiro de nossos regimes, o complementar, é um *regime de capitalização*. No regime financeiro de capitalização, o próprio trabalhador, enquanto na ativa, poupa individualmente o volume de recursos que seria necessário para sustentar seu benefício previdenciário. Esse regime tem duas vantagens. A primeira é que cada um poupa uma parcela da própria riqueza que gerou durante a vida laboral, de acordo com o que quer receber de proventos. Não vive da riqueza gerada por outros e não depende dela. A segunda, também muito importante, é que o conjunto dessa riqueza reservada acaba se tornando uma fonte para financiar investimentos de longo prazo que o sistema privado não tem, ou seja, um grande fator de formação bruta de capital da nação (poupança interna).

Mas o regime de capitalização tem também desvantagens, e elas são potencialmente gravíssimas. É um regime que, se deixado à gestão da iniciativa privada, pode ser muito inseguro e instável. Nele, ao se individualizar as contas, abre-se mão de dividir o risco do infortúnio pessoal de acidentes e doenças e de eventuais prejuízos das instituições financeiras depositárias. Além disso, o cálculo do benefício que será recebido se torna vulnerável às variações das taxas de juros médias dos investimentos dos fundos de capitalização. Outra fragilidade é que o aumento na expectativa de vida na sociedade destrói as estimativas feitas na época de recolhimento do benefício. Uma pessoa que recolhe na expectativa de ter recursos para cobrir benefícios até 85 anos de idade, ao viver 95, fica sem recursos para sua aposentadoria, logo no período de maior vulnerabilidade de sua vida. Por fim, não podemos desconsiderar que a maioria do povo brasileiro hoje não pode nem comer direito com seu salário, e a expectativa de que possam, nesse quadro, poupar adequadamente para a aposentadoria é cínica.

Por isso nós propomos integrar todos os sistemas brasileiros num sistema único e misto, que é hoje adotado na maioria dos países. Esse sistema acaba com grande parte das distorções dos dois sistemas originais e reúne a maior parte de suas qualidades, como veremos à frente em nossa proposta.

Os desafios da previdência brasileira
Apresentada pela propaganda do governo como a grande vilã do orçamento federal, a Previdência Social consome cerca de 19% dele (R$637,9 bilhões em

2019).³³ No entanto, o valor do conjunto das aposentadorias e pensões pagas no Brasil, quando incluem regimes próprios como o dos militares (que estão escondidos sob a rubrica de despesa de pessoal e encargos), chega até cerca de R$720 bilhões (ou 21% do orçamento). Diante dessa proporção, torna-se irrelevante a questão contábil sobre se a previdência já é hoje deficitária ou não. O problema de fato se trata da decisão do quanto de nossa arrecadação total estamos dispostos a dedicar a essa função. Porque o valor atual é, sim, um valor muito significativo comparado ao orçamento e ao PIB brasileiro, e está ajudando a sufocar nossa capacidade de investimento. A dimensão dessa desproporção pode ganhar materialidade ao compararmos esses R$720 bilhões com os R$114 bilhões previstos para a educação (3% do orçamento) e os mesmos R$114 bilhões previstos para a saúde.³⁴ Outro dado que impressiona são os R$150 bilhões da Previdência dedicados às pensões de viúvas, o dobro do repasse da União a todos os estados e municípios brasileiros. É importante pontuar que não estou aqui fazendo julgamentos de valor, apenas colocando os números para orientar nossa discussão sem demagogias ou mistificações.

Atualmente o sistema de impostos e contribuições criados ao longo do tempo para dar sustentabilidade à Seguridade Social, por causa das renúncias fiscais, por exemplo, já não cobre suas despesas em cerca de R$50 bilhões, mas isso não era assim há três anos.³⁵ É sempre impreciso falar de déficit ou superávit da Previdência, já que essa bolsa de impostos foi criada para sustentar a Seguridade Social como um todo e, além da Previdência, engloba, por exemplo, todo o orçamento do Bolsa Família, Loas³⁶ e Saúde. Esclarecido isso, temos que dizer que o déficit antes da reforma era muito menor do que o propagado

---

33   Lei Orçamentária Anual – 2019. Disponível em: http://www.planejamento.gov.br/assuntos/orcamento-1/orcamentos-anuais/orcamento-anual-de-2019
34   Idem.
35   MELO, Karine. "Relatório de CPI do Senado diz que Previdência Social não tem déficit." *Agência Brasil*, out. 2017. Disponível em: http://agenciabrasil.ebc.com.br/politica/noticia/2017-10/relatorio-de-cpi-do-senado-diz-que-previdencia-social-nao-tem-deficit
36   Lei Orgânica da Assistência Social.

pelo governo, apesar da queda recente de arrecadação da Previdência causada pelo rápido aniquilamento de postos formais de trabalho. Em sua maior parte, o problema do suposto déficit que o governo e a mídia alegavam existir era causado pela DRU, a Desvinculação de Receitas da União. Este dispositivo permitia ao governo retirar 30% das receitas vinculadas à Seguridade Social para outras finalidades. O propalado déficit de R$180 bilhões da Previdência era, na verdade, um déficit de financiamento da Assistência Social como um todo, que ficava desse tamanho depois que suas receitas eram tungadas pelos remanejamentos da DRU. Para resumir a tragédia, como você já pode ter intuído, parte do dinheiro da Seguridade Social e de sua aposentadoria também estava servindo para cobrir o buraco dos juros brasileiros.

Mas o fato é que a demografia brasileira mudou muito desde a criação da Previdência por Getúlio Vargas. Nossa estrutura etária era uma pirâmide composta de uma grande base de jovens e pequeno topo de idosos. Tínhamos então cerca de oito trabalhadores na ativa para bancar o benefício de um único aposentado, enquanto o brasileiro médio tinha uma expectativa de vida de cerca de 45 anos. O nível de formalização do trabalho era alto. O regime de repartição era, então, um ótimo negócio. Tínhamos uma base grande de jovens na ativa para cobrir poucos idosos aposentados, que tinham uma expectativa de vida curta. Podíamos então garantir boas aposentadorias com uma contribuição mensal pequena.

Só que hoje experimentamos no Brasil a taxa de natalidade descendo, a longevidade subindo e a formalidade diminuindo. As novas gerações vão se tornando cada vez menores, e nossos filhos teriam que arcar sozinhos com nossas aposentadorias cada vez mais longas. Nossa antiga pirâmide etária virou um "botijão de gás" etário, com um topo de idosos equivalente à base de jovens, e uma maioria em idade economicamente ativa. Essa inversão forçou uma queda na proporção original de oito para um, para 1,5 trabalhadores por aposentado. E essa piora na proporção, que ainda está longe da estabilização, é um processo comum a todo o mundo, embora mais veloz no Brasil pela renitência da crise dos anos 1980 para cá. Só para termos uma ideia, o Japão levou 110 anos para ter 30% de sua população acima de 70 anos. O Brasil alcançou essa proporção em apenas 40 anos.

É por isso que as sociedades que enfrentaram mais cedo o fenômeno da inversão demográfica foram obrigadas a reformar suas previdências. O regime de repartição puro hoje só é adotado, além do Brasil, por Venezuela e Argentina, que, neste caso, não parecem ser boa companhia. A esmagadora maioria dos países optou por complementar o regime de repartição com o regime de capitalização.

O segundo problema básico da Previdência são os setores específicos altamente deficitários. Em outras palavras, grupos de beneficiados que recebem muito mais do que pagam ou puderam pagar. O principal deles em volume de recursos é o da aposentadoria rural. A previdência rural foi introduzida pela Constituição de 1988, e se trata de um grande esforço reparatório do país a seus trabalhadores do campo, que não tinham quaisquer garantias até então. A generosidade de nossa Constituição de 1988, em meu juízo em muito boa hora, pôs para dentro do sistema para receber, num ato só, 10 milhões de trabalhadores rurais que nunca tinham contribuído. Esse passo, é simples de entender, gera parte do desequilíbrio que estamos estudando. O déficit do setor é insanável a curto prazo, mas tende a diminuir a longo prazo. Em 2015, no entanto, a soma de suas contribuições ao sistema totalizava somente cerca de 2% da arrecadação, enquanto a soma de seus benefícios respondia por 22,5% das despesas.[37]

Há setores de servidores públicos que também contribuem com muito menos do que recebem do Estado. São os de servidores militares, Ministério Público, Poder Judiciário e Poder Legislativo. Enquanto o déficit *per*

---

[37] Associação Nacional dos Auditores Fiscais da Receita Federal do Brasil & Fundação Anfip de Estudos da Seguridade Social e Tributário. "Análise da Seguridade Social 2015." Brasília: Anfip, 2016. Disponível em: https://www.anfip.org.br/wp-content/uploads/2018/12/20161013104353_Analise-da-Seguridade-Social-2015_13-10-2016_Anlise-Seguridade-2015.pdf

capita do trabalhador do setor privado está em média em R$1.400 por ano, o déficit médio do servidor legislativo está em R$26.000 por ano, e o do servidor militar está em incríveis R$ 127.000. Em outras palavras e números, os servidores militares gastam R$47 bilhões do Estado por ano em benefícios e contribuem com somente R$3 bilhões para seu regime de previdência. Essa diferença sai do bolso de todos os brasileiros, dos impostos que você paga. Recebendo por regimes independentes do regime geral, para esses beneficiários não há teto previdenciário, o que os transforma numa verdadeira casta privilegiada à luz da miséria brasileira. De novo, não antecipo qualquer juízo de valor ou de justiça. Trago os números com a mesma boa-fé, apostando na inteligência de nosso povo para a compreensão do problema.

Assim, podemos sintetizar as causas do problema de financiamento da Previdência em três grandes fatores. O primeiro é universal e inexorável, o problema da mudança do perfil etário da população. O segundo é estrutural e especificamente brasileiro, são as aposentadorias rurais e as ilhas de 2% de privilegiados do sistema que consomem mais de um terço de seus recursos. O terceiro é conjuntural e diz respeito ao aumento do desemprego e da informalidade na crise, com a correspondente diminuição da base de contribuintes, e só pode ser eliminado com a volta do crescimento. A terceirização irrestrita e a precarização do emprego aprovada pela reforma trabalhista, no entanto, tendem a degradar mais essa situação ao longo dos próximos anos.

O projeto de reforma do governo
A proposta originalmente apresentada pelo Governo Bolsonaro era cruel, injusta e ineficiente. Penalizava o pobre que não conseguiu contribuir tempo o suficiente para se aposentar, o trabalhador da iniciativa privada e a base do funcionalismo público do Executivo. Além disso, escolhia um modelo falido de financiamento que só servia aos bancos privados nacionais.

Ela era cruel, entre outras coisas, porque estabelecia uma idade mínima para homens e mulheres que não costuma ser sequer alcançada como expectativa de vida em certas regiões do país. Ao mesmo tempo, ainda propunha que os benefícios de prestação continuada – conferidos àqueles que atingiram a idade mínima, mas não têm tempo de contribuição suficiente em carteira para a aposentadoria – perdessem a remuneração atual de um salário mínimo e passassem a receber R$400.

Ela era injusta, pois não equalizava todos os regimes de contribuição, deixando a aposentadoria militar como está: a mais deficitária de todas e com regimes de idade e contribuição totalmente independentes do regime geral.

Ela era ineficiente porque extinguia o regime de repartição e defendia a adoção do regime de capitalização puro, sem contribuição patronal, e entregue à gestão privada com todos os riscos a isso inerentes. Este é exatamente o fracassado modelo chileno. O Chile é o único de sessenta países que pesquisamos que adota o regime de capitalização individual puro sem cobrar contribuição patronal. E ao mesmo tempo que no Brasil o governo submete uma proposta ao Congresso para implantar esse modelo, no Chile o Parlamento começa a discutir a sua revogação, pois seu resultado foi a transformação da maior parte dos idosos chilenos em pessoas pauperizadas, desesperadas, deprimidas e com altas taxas de suicídio.

Consideramos que a economia que a reforma do governo alegava que conseguiria ao longo dos próximos dez anos, de cerca de R$1 trilhão e 72 bilhões, era insuficiente e irrealista diante das propostas oferecidas. Pedimos memória de cálculo da alegada poupança com a proposta e não recebemos; ao contrário, lançaram sigilo sobre os supostos dados que a fundamentariam.

A proposta que passou, modificada pelo Congresso, à parte a rejeição do regime de capitalização proposto, não mudou os piores aspectos da proposta de Bolsonaro. Os R$850 bilhões da economia alegada viriam da reparametrização do regime geral, concentrado nos mais pobres beneficiários do sistema. Falando claro: quem conhece o Brasil sabe que jamais encontrará, senão como raras exceções, uma comerciária de 62 anos ou um servente de pedreiro com 65 anos, idades mínimas impostas indiscriminadamente pelo projeto. Pior, ele também impõe quarenta anos de contribuição contínua (segundo o IBGE, em quarenta anos, um trabalhador passa em média pelo menos oito anos sem carteira assinada. O que quer dizer concretamente que, para usufruir da aposentadoria integral, o trabalhador comum terá a idade mínima de 73 anos e receberá, doravante, não mais a média dos 80% melhores salários, mas sim, a média de 100% dos salários de contribuição, o que diminuirá dramaticamente o valor das aposentadorias futuras). Tenhamos clareza: pela proposta originalmente apresentada pelo governo e de fato aprovada pela Câmara, está extinta a aposentadoria dos trabalhadores mais pobres do campo e da cidade.

A reforma que propomos
Os valores que orientam a nossa proposta de reforma são a criação de um regime de previdência no Brasil finalmente universal, igualitário, distribuidor de riqueza e financeiramente sustentável para o futuro. Temos que adequar a Previdência às transformações no perfil demográfico brasileiro.

Mas uma reforma justa, digna de ser apoiada pelo PDT e pelas forças progressistas, deveria respeitar quatro princípios, três dos quais estão sendo ignorados pelo Governo Bolsonaro:

Primeiro, ela teria que equalizar regras básicas entre profissões de igual tempo de preparação e risco de exercício, eliminando os privilégios previdenciários das Forças Armadas, do Legislativo e do Judiciário. A transição garantiria os direitos adquiridos.

Segundo, teria que prever também um tempo de contribuição menor para as mulheres, já que a continuidade de sua vida profissional e, portanto, de suas contribuições é extremamente comprometida pela maternidade. Além disso, a carga média de trabalho global delas (trabalho doméstico

+ trabalho fora) ainda é em média um pouco maior do que a dos homens: 53,2 horas por semana contra 50,2.[38]

Terceiro, ela teria que respeitar, ao estabelecer a idade mínima de aposentadoria, diferenças regionais na expectativa de vida, pois em determinadas regiões do país o tempo de vida médio pode chegar a apenas 62 anos.

Quarto, ela teria que considerar características específicas presentes em algumas profissões, como tempo de preparação necessário para seu exercício e expectativa de vida em relação à insalubridade ou à periculosidade. Carreiras que exigem um desgaste físico precoce, como no trabalho rural, ou alto risco de exercício, como a policial, devem ser compensadas com uma idade mínima menor de aposentadoria. Profissões que demandam longo período de preparação para seu exercício, como a do magistério, não podem exigir o mesmo tempo de contribuição para ter direito ao benefício integral.

Então qual é a reforma que propomos?

Ela passa evidentemente pela reparametrização, em outras palavras, pela redefinição de parâmetros de idade, tempo de contribuição, distinções específicas de profissão e região e teto de benefício capaz de ser sustentado pelo Estado. Esta reparametrização é necessária, mas não é capaz de salvar o regime de repartição puro, pois não resolve seu problema estrutural inexorável derivado da mudança do perfil demográfico e da brutal informalidade do mercado atual de trabalho. Para essa, propomos a adoção de uma idade mínima de aposentadoria que esteja vinculada automaticamente, por um fator de ajuste corrigido periodicamente, à expectativa de vida média. Ao vincular a idade mínima a expectativas de vida média auferidas pelo IBGE, eliminaríamos a necessidade recorrente de reformas. Recebi essa sugestão muito inteligente numa reunião de centrais sindicais brasileiras.

Mas o que realmente importa é mudar a estrutura e a natureza de nosso regime de previdência. Para isso, propomos um regime de três pilares.

---

38   Pnad 2017. Disponível em: https://biblioteca.ibge.gov.br/visualizacao/livros/liv101560_informativo.pdf

O primeiro pilar é *renda mínima universal* de cidadania disponível para todos os brasileiros independentemente de terem podido ou não contribuir ao longo da vida. Esse custo vai passar a ser reconhecido como é, um programa de renda mínima universal para aqueles que não puderam contribuir ou não contribuíram o suficiente para a Previdência e, portanto, não podem continuar a ficar na conta do orçamento estrito da Previdência. É uma decisão de gasto que a sociedade brasileira toma para se tornar mais humana e solidária. Todos os seus beneficiados receberiam um salário mínimo pela Assistência Social. É claro que se trata de uma troca de rubrica. Mas tem a função muito importante de dar transparência e racionalidade às contas de Previdência, livrando-a da pecha de deficitária quando na verdade ela tem assumido benefícios de quem nunca pôde contribuir para ela.

O segundo pilar é o velho *sistema de repartição*. Ele continuaria inalterado, limitado ao teto atual de benefício do INSS, ou, se for de escolha da sociedade, rebaixado ao teto de benefício de R$4 mil. A diferença agora é que esse regime seria geral, de fato, universal, de regras únicas para todos, incorporando todos os regimes próprios dos servidores que ainda não estão incorporados a ele, como por exemplo o dos militares. Aos servidores cuja expectativa de benefícios está além do teto de repartição, uma transição lastreada em títulos da dívida pública seria realizada, garantidos os direitos adquiridos durante essa transição. Ao olhar para o conjunto dos benefícios previdenciários hoje, podemos perceber que a esmagadora maioria dos brasileiros continuaria, nessa reforma, somente sob esse regime, sem precisar contribuir para uma capitalização individual. Caso quisessem uma complementação de aposentadoria além do teto de repartição, precisariam contribuir para o terceiro sistema.

O terceiro pilar é o da *capitalização*. Seria um regime de previdência complementar com contribuição individual e patronal na mesma proporção. A perna de contribuição patronal é fundamental para o bom funcionamento do sistema, assim como uma gestão pública e fiscalizada dos fundos, porque senão o que temos é nada além de uma previdência privada pessoal. Os fundos públicos seriam administrados por representantes escolhidos pelos trabalhadores e seriam obrigados por lei a constituir sua carteira somente com investimentos produtivos e com classificação de risco equivalente, no princípio, ao triplo A, de risco mínimo no jargão internacional. Além do efeito contábil e da segurança nos investimentos, essa vinculação da poupança da classe média aos investimentos em infraestrutura teria também um importante efeito político no apoio ao enfrentamento dos gargalos de nossa produção.

Assim, como demonstração concreta de nosso compromisso em movimentar uma oposição consciente dos problemas e que se sente moralmente obrigada a cada crítica a mostrar como deveria ser feito, nós, do PDT, decidimos apresentar, por intermédio de seu deputado Mauro Benevides Filho, um substitutivo ao projeto do governo. Nessa proposta, estão disponíveis mais detalhes do descrito aqui.

Sou obrigado mais uma vez a lembrar de meu exemplo pessoal para dar credibilidade a essas propostas. Porque as reflexões que você leu aqui vêm de uma pessoa que, desde os 36 anos de idade, renunciou a três aposentadorias a que tinha direito pela atual legislação (de deputado, governador e prefeito). Essas aposentadorias somadas poderiam ter me garantido por todo esse tempo uma renda mensal de mais de R$80 mil. Recusei o direito por considerá-lo imoral. E é por isso que hoje creio ter alguma credibilidade quando falo no compromisso com o fim desses privilégios injustos.

Já o projeto injusto e covarde do atual governo vem de um presidente que é um membro dessa casta de privilegiados do sistema. Ele foi reformado como capitão do Exército aos 33 anos de idade, com direito a remuneração de cerca de R$9 mil, que acumula até hoje com o salário de presidente. Agora pasmem, meus compatriotas: esse mesmo presidente, enquanto busca acabar com o sistema de repartição exatamente para os mais fracos, ao mesmo tempo, acumulou, entre sua eleição para presidente e sua posse, mais uma aposentadoria de deputado de

R$33.934,70[39] por mês. A soma desses benefícios não estará sujeita ao teto do funcionalismo público, graças a mais uma das várias injustiças do sistema atual, e deve atingir em torno de, curiosamente, os mesmos R$80 mil por mês dos quais eu abri mão há quase trinta anos.

A REFORMA TRIBUTÁRIA NECESSÁRIA

Há hoje no Brasil uma doutrinação neoliberal que chega a equalizar o imposto a mero roubo. Segundo esse tipo de doutrina, impostos são riquezas que se transferem de quem trabalha e produz para atividades improdutivas e parasitárias do Estado.

Não dá para levar a sério esse nível de alegação, mas é preciso pontuar aqui que impostos na verdade não são confiscos, mas restituições ao Estado da riqueza imensa e livremente distribuída que ele gera. Porque toda vez que um empresário ou trabalhador produz um bem ou serviço, nesse bem estão também o valor e o trabalho de servidores do Estado. Esse valor está na propiciação da segurança jurídica para o negócio, na segurança física para o mesmo, na iluminação das ruas para que os trabalhadores possam se transportar, assim como na manutenção de seu asfalto, na saúde pública que mantém o trabalhador em condições para o trabalho, na universidade pública que o empresário cursou ou no segundo grau que habilitou o trabalhador à operação de máquinas complexas, na infraestrutura que permite escoar sua produção e nos acordos internacionais que dão acesso a novos mercados e insumos. Enfim, o Estado é gerador de riqueza, enorme, de acesso universal, e deve ser ressarcido por aqueles que usufruem dessa riqueza para gerar outras riquezas. As deformações do Estado brasileiro que

---

39 "Bolsonaro e outros 141 ex-deputados poderão se aposentar com até R$ 33,7 mil." *Uol*, jan. 2019. Disponível em: https://congressoemfoco.uol.com.br/economia/bolsonaro-e-outros-141-ex-deputados-poderao-se-aposentar-com-ate-r-337-mil/

conhecemos, sendo a mais grave delas a corrupção, não devem nos retirar a consciência do que acabei de escrever. Temos que as corrigir, mas não é matando a vaca que se vai resolver o problema do carrapato.

Dito isso, é necessário que esse ressarcimento seja justo. E para que tenhamos isso no Brasil, precisamos reformar o sistema tributário não só porque ele onera excessivamente a produção e o emprego ou porque ele é muito complexo e ineficiente, mas **principalmente porque** ele é um dos mais regressivos do mundo. Em outras palavras, no Brasil, quanto mais pobre você é, maior parte de sua renda você paga em impostos. E quanto mais rico você é, menos de sua renda você paga em impostos.

Segundo o Programa das Nações Unidas para o Desenvolvimento, o Pnud, o Brasil é um paraíso tributário para os super-ricos,[40] onde 71 mil pessoas (0,05% da população adulta brasileira, ou meio milésimo dela), além de se apropriarem de 8,5% da renda nacional, ainda se beneficiam de taxas de juros exorbitantes e de uma isenção tributária sobre distribuição de dividendos e lucros que só é praticada aqui e na Estônia.[41]

Isso, devo acrescentar, depois de treze anos de governos autorreferidos de esquerda. A promessa de regulamentar o imposto sobre grandes fortunas e realizar uma reforma tributária para acabar com a regressividade do sistema brasileiro constava do programa de governo de Lula em 2002 como "a primeira das reformas a ser encarada pelo novo governo, ainda no primeiro ano de mandato".[42] Desnecessário dizer que nada foi feito até o último.

O que de fato se deu é que, como mostrou estudo da Fipe de 2007,[43] quem ganhava até dois salários mínimos no Brasil pagava 48,8% de sua

---
40 Pnud. Relatório de Desenvolvimento Humano 2015. Op. cit.
41 GOBETTI, S. & ORAIR, R. Op. cit.
42 Partido dos Trabalhadores. Programa de Governo 2002. Disponível em: https://www1.uol.com.br/fernandorodrigues/arquivos/eleicoes02/plano2002-lula.pdf
43 ZOCKUN, Maria Helena (Org.) "Simplificando o Brasil: propostas de reforma na relação econômica do governo com o setor privado.", São Paulo: Fipe, 2007. Disponível em: https://downloads.fipe.org.br/publicacoes/textos/texto_03_2007.pdf

renda em impostos. Já quem recebia mais de trinta salários gastava em tributos apenas 26,3% de seus rendimentos.

Além do problema da regressividade, outro ponto negativo a destacar no sistema tributário brasileiro é a quantidade de impostos indiretos. Como podemos ver nesse mesmo estudo, o Brasil tem o recorde mundial dos custos de *compliance* (cumprimento) dos impostos indiretos, obrigando uma empresa padrão na indústria de transformação a gastar 2.600 horas anuais para cumprir suas obrigações fiscais, contra 356 horas nos países latino-americanos e 184 nos países da OCDE.[44]

Diante desse quadro se impõe uma reforma tributária que não só sirva ao aumento de produtividade, à desoneração do investimento e à ampliação do emprego formal, mas que sirva também para nos ajudar a abandonar a vergonhosa posição de décimo país mais desigual do mundo.[45]

Gostaria de explicitar os princípios que orientam meu esboço de sistema tributário. Acredito que um bom sistema deva ser indutor do crescimento, além de progressivo, simples e eficaz. Induzir o crescimento é estimular a poupança interna e não prejudicar a competitividade dos produtos nacionais, isentando investimento, produção, exportações e emprego e se concentrando na tributação do consumo, da renda e do patrimônio. A progressividade é instrumento de distribuição de renda e justiça social: um sistema tributário deve cobrar percentualmente mais de quem é mais rico e menos de quem é mais pobre. A simplicidade é necessária para que os custos de cálculo e demonstração de pagamento de impostos sejam baixos, o valor embutido dos impostos seja transparente, as possibilidades de sonegação e litígio sejam minimizadas e as exigências de obrigações assessórias significantemente diminuídas. Por fim, a eficácia é a efetividade em arrecadar de forma fácil e segura os recursos necessários ao financiamento das atividades que a sociedade exige do Estado.

---

44   OCDE Brasil. Relatórios Econômicos da OCDE: Brasil 2015. Op. cit.
45   Pnud. Relatório de Desenvolvimento Humano 2015. Op. cit.

Tendo em vista esses princípios, proponho a seguinte estrutura de impostos para o debate:

1. *Imposto de renda (IR)* – Reduzir o conjunto de impostos sobre a renda a dois impostos gerais, o de Pessoa Física e o de Pessoa Jurídica. De competência federal, a arrecadação desses impostos seria compartilhada pela União, estados e municípios.

Ao IRPJ se incorporariam a Contribuição Social sobre o Lucro Líquido (CSLL) e as contribuições para o Sistema S.

Ao IRPF se incorporaria um imposto progressivo sobre lucros e dividendos empresariais para pessoas físicas. O princípio é incentivar a permanência do lucro na empresa para reinvestimento. Ampliar-se-ia o número de alíquotas para aumentar a progressividade do imposto e diminuir a carga sobre a classe média. Uma proposta é a correção da tabela com a recriação das alíquotas que implantei como ministro da Fazenda (que foram revogadas por FHC e mantidas revogadas por Lula, Dilma, Temer e Bolsonaro). Adicionadas às atuais, teríamos também uma alíquota menor, de 10,5%, e uma maior, de 35%, aumentando os limites de isenção e corrigindo a tabela inteira. Esta proposta voltou a ser considerada agora através do Sindicato dos Auditores Fiscais (Sindifisco).

2. *Imposto sobre Valor Agregado (IVA)* – O caminho ideal a seguir para simplificar o sistema tributário brasileiro seria consolidar os diferentes impostos indiretos em um único imposto sobre valor agregado, com regras simples.[46] Esse imposto teria uma alíquota única, seria arrecadado no destino e incidiria sobre a diferença entre o preço dos insumos e o preço do produto em todas as etapas da produção, transformando cada agente econômico na cadeia produtiva, na prática, em fiscal do Estado interessado em abater de seu imposto devido a quantia já recolhida em etapas anteriores. O IVA aqui proposto

---

46 Analisei os efeitos de tal imposto em mais detalhes no meu livro *O próximo passo*, escrito em parceria com Mangabeira Unger.

fundiria os atuais tributos indiretos ICMS e ISS e acabaria com a guerra fiscal entre os estados. Tem a vantagem de ser um imposto sobre o consumo que não incide sobre investimentos e exportação.

Para compensar a neutralidade do IVA, criaríamos uma alíquota seletiva sobre bens e serviços que causem mal à saúde. A criação do IVA deve vir acompanhada de uma diminuição na alíquota em relação aos impostos dos quais surgiu, porque o espírito geral da reforma é agravar a renda e desagravar o consumo e o emprego, aumentando o incentivo ao investimento e eliminando sua regressividade.

3. *Contribuição para o Financiamento da Seguridade e Previdência (Cofisp)* – Propomos substituir cinco tributos, PIS/Pasep, Cofins, CSLL, Cide e IPI por um, a Cofisp. Essa contribuição arrecadada pela União incidiria sobre a receita bruta, a base arrecadadora já testada. Seria não cumulativa e teria os recursos vinculados a seguridade, educação e investimentos públicos, não incidindo sobre a exportação. Seria instituída por lei complementar.

4. *Impostos sobre a propriedade* – O sistema atual de impostos sobre a propriedade, baseado em cinco impostos – ITR (territorial rural), IPTU (predial e territorial urbano), IPVA (veículos), ITCMD (heranças e doações) e ITBI (transmissão de bem imóvel) –, seria alterado em quatro pontos.

O primeiro é a transformação do IPVA em IPV, com abrangência para embarcações e aeronaves particulares.

O segundo é a fusão do ITR e do IPTU no novo ITE.

O terceiro é a transmissão do ITCMD para a esfera municipal.

O quarto é a regulamentação do Imposto sobre Grandes Fortunas, previsto na Constituição de 1988, emenda do então senador Fernando Henrique Cardoso. A alíquota tem que ser moderada o suficiente para dissuadir fuga de capitais. Proponho que seja progressiva entre 0,5% e 1% para os patrimônios superiores a R$10 milhões.

Além disso, propomos a implantação de uma alíquota muito maior sobre as heranças e doações, de caráter progressivo, para não penalizar a classe média e somente incidir sobre heranças acima de R$2 milhões. É importante lembrar aqui que o teto atual da alíquota brasileira desse tipo de imposto é irrisório quando comparado ao de países desenvolvidos (França, 45%; Japão, 55%; EUA, 40%; Bélgica, 80%; Finlândia, 36%; ou Dinamarca, 52,7%),[47] o que explica em grande parte a "generosidade" da burguesia europeia e norte-americana em sua tradição de doações e criação de fundações beneficentes, com as quais foge desse tipo de tributação e ganha poder de gestão sobre esses recursos. Um aumento para 20% no teto da alíquota brasileira também ajudaria a nos tornar mais "altruístas".

5. *Imposto sobre Operações Financeiras (IOF)* – O IOF, que também tem caráter regulatório sobre as operações de crédito, manteria sua configuração atual.

6. *Imposto sobre Importação (II)* – Estruturalmente não sofreria qualquer alteração.

7. *Imposto sobre Exportação (IE)* – Estruturalmente não sofreria qualquer alteração.

8. *Taxas federais, estaduais e municipais* – Estruturalmente não sofreriam qualquer alteração.

Uma reforma tributária dessa abrangência pode ainda causar diminuição de arrecadação para alguns estados e municípios, o que nos obriga

---

[47] EY. World Estate and Inheritance Tax Guide, 2016. Disponível em: http://www.ey.com/Publication/vwLUAssets/ey-worldwide-estate-and-inheritance-tax-guide-june-2016/$FILE/ey-worldwide-estate-and-inheritance-tax-guide-june-2016.pdf

a um período médio de transição de cinco anos para a redistribuição progressiva das receitas.

Mas com uma estrutura de tributos voltada para o consumo, a tributação pode finalmente crescer como estímulo e não como ameaça à poupança e ao investimento. A percepção de maior transparência, simplicidade e justiça do sistema de tributos certamente melhoraria a disposição do contribuinte em relação a nossos impostos e diminuiria a sonegação, tanto pelo maior compromisso da população com o sistema quanto pela maior facilidade de fiscalização.

UMA NOVA POLÍTICA INDUSTRIAL

Já argumentei aqui sobre a importância de ampliarmos nossa produção nacional de produtos de alto valor agregado, tanto para substituição de importações como para ampliar nossa pauta de exportações. Não podemos abrir mão de nossa vocação agropecuária, mas sem indústria forte seremos condenados a padrões de consumo de países pobres, ainda enfrentando uma contínua pressão pela expansão da fronteira agrícola sobre a Amazônia. Já hoje estamos sentindo o dramático efeito da queda dos preços das commodities agrícolas e minerais, tornando nosso balanço de pagamentos insustentável. Assim, temos que pactuar com toda a sociedade – governo, patrões e empregados – uma nova política industrial definindo exatamente o que pretendemos produzir para financiar nossa pauta de importações.

Como vimos, a indústria de transformação, que já respondeu por 35,9% do PIB nacional,[48] tem hoje níveis de participação no PIB próximos

---

[48] Fiesp. *Panorama da Indústria de Transformação brasileira*, 18ª edição, 2019. Disponível em: https://www.fiesp.com.br/indicespesquisas-e-publicacoes/panorama-da-industria-de-transformacao-brasileira/

aos cerca de 10% que alcançava em 1910.[49] Reverter esse cenário não será possível sem o planejamento, investimento e comando do Estado, garantindo crédito, proteção alfandegária inicial e compras governamentais para a segurança do empreendimento. Da mesma forma, o governo deve promover a coordenação entre as indústrias nascentes e uma academia brasileira que se dedique a resolver os problemas tecnológicos para viabilizar esse novo ciclo de industrialização.

Vimos, no breve panorama que oferecí da história da economia brasileira no século XX, que o Brasil não depende de experiências estrangeiras para saber que caminho trilhar. Sendo o país que experimentou a mais rápida industrialização da história, o que precisamos é aprender com nossos acertos e erros e adaptar nosso caminho próprio para o crescimento aos novos tempos e circunstâncias. O desenvolvimento de nossa indústria não requer estatização ou protecionismo generalizado, nem pode buscar criar do nada setores industriais altamente tecnológicos nos quais estamos três gerações atrasados.

A estratégia segura e realista para começar, pela lei do menor esforço, é a eleição de setores sem grande sofisticação tecnológica e que agreguem valor a produtos que exportamos em estado bruto, em que dispomos de uma base primária sólida e vantagens comparativas. Mas não podemos parar por aí.

Além disso, também devemos levar em conta setores nos quais já possuímos plantas e tecnologias sofisticadas próprias, como é o caso do setor aeroespacial. A tratativa para a entrega da Embraer ao capital estrangeiro, além de ser um dos maiores crimes já cometidos contra nossa soberania, é um completo contrassenso comercial. Estamos discutindo aqui a necessidade de aumentar a exportação de produtos de alto valor agregado e o governo entrega uma de nossas melhores empresas e empregos mais qualificados para a Boeing norte-a-

---

49 BONELLI, R.; GONÇALVES, R. *Para onde vai a estrutura industrial brasileira*. Rio de Janeiro: Ipea, 1998. Disponível em: https://www.ipea.gov.br/portal/index.php?option=com_content&view=article&id=3806

mericana. Buscarei na Justiça, ao lado de muitas brasileiras e muitos brasileiros verdadeiramente comprometidos com o nosso país, reverter essa entrega.

Assim é que, partindo do estudo dos buracos em nosso comércio exterior e das características de nossa economia, tenho amadurecido e investigado a ideia de priorizarmos quatro áreas em nosso novo ciclo de desenvolvimento industrial. Depois de suas descrições sucintas, acrescentarei descrições de outras duas ações setoriais em direção à recuperação de nossa produção industrial:

1. *Complexo industrial de petróleo, gás e bioenergia* – É uma escolha autoevidente, pois, sendo hoje autossuficientes em petróleo no cômputo geral, ainda o exportamos em estado bruto e importamos seus derivados, gerando um buraco em nossas contas externas que, em anos de preço alto do barril, pode chegar à casa de US$25 bilhões.[50] Além disso, a indústria dos derivados do petróleo depende de uma tecnologia que dominamos e já dispõe hoje de projetos aprovados ou em andamento que podem ser rapidamente acelerados. Temos sobra de mão de obra qualificada na área, que pode rapidamente voltar aos postos de trabalho do setor.

Trata-se não só de eliminar a dependência de refino, mas principalmente de desenvolver uma indústria petroquímica de alto valor agregado. Uma política consistente na área pode em pouco tempo eliminar a importação de gasolina e querosene, e posteriormente de poliéster (PTA) e seus filamentos, polímeros e resina PET.

Além disso, a Petrobras é protagonista mundial no desenvolvimento de tecnologias de extração de petróleo em alto-mar. O pré-sal, não apenas para ser descoberto, mas para ser acessado, exige um enorme desenvolvimento de tecnologias de ponta para perfuração e extração em águas profundas, e nossa indústria do setor está no estado da arte, graças ao investimento público.

---

50 Por exemplo, no ano de 2013. Dados disponíveis no Comex Stat: http://comexstat.mdic.gov.br/pt/geral

2. *Complexo industrial da saúde* – Todo ano a União importa desde produtos de tecnologia rudimentar, como camas de hospital, próteses, muletas, cadeiras de rodas, até produtos sofisticados, como aparelhos de ressonância magnética e de tomografia computadorizada. Segundo estimativa de Carlos Gadelha, da Fundação Oswaldo Cruz (Fiocruz), cerca de 80% dos medicamentos que importamos e dos componentes químicos usados para produzi-los no Brasil se encontram com a patente vencida.[51] Apenas a prostração ideológica pode justificar que essa área, que gera um déficit perene de cerca de US$6 bilhões[52] só na conta de medicamentos (sem considerar outros produtos químicos e aparelhos hospitalares) e um custo adicional crescente no nosso sistema público de saúde, não tenha até agora sido objeto de um grande esforço governamental de desenvolvimento industrial nacional. As assimetrias competitivas já abordadas num capítulo anterior exigem uma política de parceria pública com garantias de compras governamentais e financiamento, desde que realizadas com uma política rigorosa de metas, ainda que transitória.[53]

O problema das patentes de medicamentos se tornou gravíssimo no país. O Instituto Nacional de Propriedade Industrial (Inpi), órgão público brasileiro responsável pela concessão de patentes, tinha, em 2016, cerca de 184 mil pedidos de patentes depositadas e não examinadas[54] em função de sua carência crônica de servidores. Essa economia de milhões de reais em pes-

---

51 Comunicação pessoal.
52 Média aproximada entre 2013 e 2017. Disponível no Comex Stat: http://comexstat.mdic.gov.br/pt/geral
53 Diante da tragédia indizível da pandemia que nos atinge nos dias da revisão para a publicação deste livro, pudemos ter uma demonstração cabal da importância estratégica de um complexo industrial da saúde forte, quando muitos descobrem, chocados, que hoje o Brasil não consegue sequer produzir máscaras cirúrgicas em quantidade suficiente ou os reagentes necessários para a realização de testes em massa de Covid-19, bem como respiradores e equipamentos de UTI.
54 CHEVRAND, César. "Patentes e saúde pública são temas de debate na Fiocruz." *Agência Fiocruz de Notícias*, ago. 2016. Disponível em: https://agencia.fiocruz.br/patentes-e-saude-publica-sao-temas-de-debate-na-fiocruz

soal que deixa de ser contratado gera um prejuízo anual de bilhões de reais ao Sistema Único de Saúde (SUS). Em 2015, o Ministério da Saúde gastou R$14,8 bilhões com medicamentos, 13,7% do seu orçamento total, o que representou um crescimento de gastos nessa conta de 74% em relação a 2008.[55]

Esse breve vislumbre do problema da área indica que uma política industrial vigorosa de desenvolvimento do complexo industrial da saúde não poderá prescindir de: a) aprovação de projetos de lei já em tramitação no Congresso que alteram a lei de patentes para que ela se limite aos padrões mínimos requeridos pelo acordo de propriedade intelectual da OMC (o "TRIPS");[56] b) criação de institutos nacionais para desenvolver em território nacional a tecnologia necessária à sintetização de componentes básicos de medicamentos com patente já vencida; c) revitalização do Inpi para habilitá-lo ao exame rápido e eficiente de novos pedidos de patente de medicamentos, garantindo assim o menor período possível para a vigência das patentes concedidas; e d) criação de uma política de garantias de compras governamentais para o SUS, de forma a atrair investidores para a rápida expansão da área.

O desenvolvimento desse complexo industrial criaria benefícios a se irradiar sinergicamente por muitas áreas da vida nacional, além do balanço de pagamentos. Criação de empregos, diminuição dos custos do SUS, diminuição dos custos dos medicamentos em geral, aumento da arrecadação local, redução dos processos judiciais, impacto deflacionário, desenvolvimento da pesquisa acadêmica no setor, enfim, é uma tarefa que temos que realizar.

---

55   DAVID, G., ANDRELINO, A.; BEGHIN, N. "Direito a medicamentos: avaliação das despesas com medicamentos no âmbito federal do Sistema Único de Saúde entre 2008 e 2015." Brasília: Inesc, 2016. Disponível em: http://portalarquivos.saude.gov.br/images/pdf/2017/maio/17/Livro-Direito-a-medicamentos-Avalia----o-das-despesas-INESC--2016.pdf
56   "O peso das patentes no preço dos medicamentos." *CEE-Fiocruz*. Disponível em: http://cee.fiocruz.br/?q=node/509

3. Complexo industrial do agronegócio – Setor que gera cerca de US$82 bilhões de superávit na nossa balança comercial, responsável por exportações que em 2017 chegaram a US$96 bilhões, mas no qual 40% dos custos de produção ainda vêm de produtos importados.[57] A decisão de desenvolver um complexo industrial numa área na qual temos a base primária mais sólida do mundo é praticamente um imperativo econômico. Esse desenvolvimento seguiria três caminhos básicos. O primeiro é o do incentivo à criação de indústrias de processamento de cereais e frutas para que deixemos de vendê-los somente em estado bruto. O segundo é o da revitalização da Empresa Brasileira de Pesquisa Agropecuária (Embrapa) para a retomada de um forte protagonismo no progresso científico e biotecnológico, além de treinamento dos empreendedores e trabalhadores do campo. O terceiro é a criação de uma indústria nacional de defensivos, fertilizantes e implementos agrícolas. Hoje contamos no país somente com a tímida incursão da Petrobras no setor, através de três fábricas nacionais de fertilizantes nitrogenados, cujas subsidiárias, no entanto, o governo atual está fechando.

4. Complexo industrial da defesa – Nosso setor de defesa é deficitário no comércio exterior, mesmo com suas compras atuais extremamente deprimidas. Não só por uma questão de ajuste de balanço de pagamentos, mas principalmente por uma questão estratégica, o Brasil não pode prescindir de uma indústria capaz de produzir itens básicos em território nacional. Não podemos depender de potências estrangeiras para defender nosso país e nossas riquezas. As Forças Armadas precisam ter poder dissuasório autônomo e controle sobre seu sistema de comunicações e defesa.

Precisamos recuperar o projeto de submarino nuclear brasileiro, desenvolver a transferência de tecnologias com nossos parceiros comerciais, a produção de aeronaves de combate e vigilância pela Embraer (que deve

---

57 Fiesp. Balança Comercial Brasileira do Agronegócio 2017. Disponível em: http://www.fiesp.com.br/indices-pesquisas-e-publicacoes/balanca-comercial/

ter seu processo de entrega para a Boeing norte-americana revisto[58]), substituir todas as importações de munição e armas convencionais, recuperar o programa de desenvolvimento de foguetes e lançamento de satélites brasileiros, assim como desenvolver nosso próprio sistema de GPS, entre outras medidas que aumentariam nossa autonomia militar e capacidade de defesa.

Temos que observar que não pode haver, em nenhuma hipótese, descontinuidade de fornecimento de material, sob a desculpa de estarmos tentando produzir aqui aquilo para o qual ainda não temos capacidade. A ideia é voltar a fabricar no Brasil os itens mais básicos e ir substituindo paulatinamente os itens de maior complexidade tecnológica, à medida que a indústria nacional de defesa for se sofisticando. Pela especificidade da área, mais do que recursos volumosos, é necessário garantir o investimento contínuo para que as empresas do setor tenham segurança para investir em pesquisa e acompanhem o desenvolvimento técnico entre uma compra e outra. É essa continuidade orçamentária que precisa ser garantida, o que talvez exija legislação específica para impedir contingenciamentos futuros na área.

Além disso, é preciso rever as regras de licitações para as Forças Armadas. O Brasil chega ao cúmulo de importar da China o fardamento de seus soldados, pois é obrigado, pela lei de licitações, a escolher os fabricantes mais baratos. Uma questão tão básica quanto vestir os defensores de nosso território e soberania não pode ficar à mercê de indústrias estrangeiras.

No mundo desenvolvido, compras governamentais para os militares não são colocadas em questão. As tecnologias mais avançadas e importantes para o desenvolvimento industrial de qualquer país, invariavelmente, são frutos de investimentos de longo prazo no setor militar, a exemplo da Darpa, agência de fomento ligada às Forças Armadas norte-americanas.

---

58   Após a revisão geral deste livro, em 25 de abril de 2020, o acordo da venda da Embraer para a Boeing norte-americana foi desfeito.

5. Reativação da construção civil – Para além desses quatro complexos industriais estratégicos, devemos executar imediatamente, independentemente do necessário ajuste das contas públicas, um plano de reativação da construção civil nacional, que usa muita mão de obra e tem rápido impacto no emprego e na renda. É uma área em que o Brasil tem inegável expertise. Penso que, além de eliminarmos definitivamente o déficit de moradia no Brasil, deveríamos celebrar como espinha dorsal desse projeto um grande plano de metas de transporte público que garanta, no longo prazo, uma constante dotação de recursos. É necessário ampliar nossa infraestrutura logística com investimento em ferrovias setoriais, mas também ampliar os investimentos em planos de metrôs urbanos, coordenados com BRTs e VLTs. Investir em transporte urbano é investir no bem mais valioso e insubstituível dos brasileiros: tempo de vida. O tempo médio de ida e volta do trabalho no Rio e em São Paulo é atualmente de mais de uma hora e meia.[59] Nas oito maiores capitais brasileiras, 20% dos trabalhadores perdem mais de duas horas diárias no trânsito para trabalhar. Isso é custo alto para o orçamento familiar, poluição nas grandes cidades e tempo subtraído do lazer e da família. Uma dose diária de estresse, risco e prejuízo para milhões de brasileiras e brasileiros.

6. Apoio público à inovação e ao empreendedorismo – Nem só de grandes projetos deve viver nosso desenvolvimento industrial. Hoje há nas escolas técnicas e universidades toda uma nova geração cheia de ideias inovadoras. No entanto, isso não se materializa em novos empreendimentos, porque de fato faltam os meios para a criação de um negócio. O neoliberalismo apresenta o discurso pronto acusando os impostos e a burocracia pelo desperdício desses talentos e energia inovadora, mas, na verdade, eles estão sendo desperdiçados pela falta

---

59 PEREIRA, R.; SCHWANEN, T. "Tempo de deslocamento casa-trabalho no Brasil (1992-2009): diferenças entre regiões metropolitanas níveis de renda e sexo." Brasília: Ipea, fev. 2013. Disponível em: http://www.ipea.gov.br/portal/index.php?option=com_content&view=article&id=16966

de financiamento; em outras palavras, pelas taxas de juros reais ao consumidor e investidor mais altas do mundo. Muito mais altos que a rentabilidade média dos negócios, os juros nacionais desestimulam qualquer jovem a contrair empréstimos para iniciar uma empresa, pois mesmo sendo bem-sucedido dificilmente conseguirá obter de seu negócio um rendimento superior ao custo do dinheiro que tomou. Isso elimina também qualquer possibilidade de se desenvolver a base de uma cultura de *venture capital*[60] no Brasil. Esse tipo de financiamento é que dá seguimento ao surgimento de empresas revolucionárias como a Apple e a Microsoft, que só foram possíveis pelo prévio investimento de longo prazo do Estado norte-americano, principalmente na indústria militar.

Em seu livro *O Estado empreendedor*, Mariana Mazzucato mostra que o iPhone não existiria sem sua tela *touch screen*, sem o GPS, sem sua inteligência artificial acionada por voz, a Siri, e muito menos sem a internet. Todos esses elementos são tecnologias militares desenvolvidas e cedidas livremente pelo Estado norte-americano. E são apenas quatro das doze tecnologias integradas nos aparelhos da Apple que foram desenvolvidas em pesquisas governamentais.[61]

Para superar esses entraves ao nascimento de indústrias e empresas inovadoras, podemos criar um órgão público para fomentar mecanismos de *venture capital*, uma vez que não há uma tradição da iniciativa privada brasileira na modalidade. A proposta é que o novo empreendedor que tenha uma ideia inovadora submeta um pedido a um comitê constituído por membros da sociedade civil, que por sua vez avaliaria a concessão pelo Estado desse capital de risco. A taxa de retorno das iniciativas bem-sucedidas comporia um fundo que replicaria o sistema, que pouco oneraria os cofres públicos, se é que não

---

60 Capital de risco sem garantias que se associa a ideias inovadoras, ou mais especificamente, no jargão atual do mercado, *seed money* ou *angel money*.
61 MAZZUCATO, Mariana. *O Estado empreendedor*: desmascarando o mito do setor público vs. setor privado. São Paulo: Portfolio-Penguin, 2014.

daria lucro. Além disso, algumas dessas iniciativas já poderiam ser garantidas, em seu início, por incubadoras de empresas e compras governamentais.

Por fim, gostaria de reafirmar aqui, neste item sobre nossa política industrial, que acredito que o Brasil precisa investir fortemente nessa nova geração de empreendedores vindos das classes populares. Temos que democratizar a formação de capital e ajudar a contrabalançar os interesses de grandes corporações e da velha classe empresarial brasileira que se viciou no rentismo.

Hoje o Brasil assiste a um fenômeno novo: o de uma nova classe média, emergida das classes populares a partir do meio dos anos 2000, que superou a precarização dos anos 1990 e tem uma proporção considerável de seus membros de micro ou pequenos empresários que trabalham com seus eventuais funcionários ombro a ombro em suas pequenas lojas, serviços, microindústrias ou oficinas.

Esses novos empreendedores, que ascenderam por esforço pessoal dentro do período de crescimento econômico do Governo Lula, aprenderam a desprezar o Estado, que não os contempla em suas políticas públicas com financiamento, orientação e formação especializada. Eles não conseguem ver o papel que o Estado tem em suas vidas nem o que ele pode vir a ter para melhorar seus negócios.

Levar aos novos empreendedores, tradicionais ou inovadores, o poder fomentador do Estado é tarefa urgente. Mas todas essas políticas aqui esboçadas não darão certo sem a estrutura geral que abordei em itens anteriores: uma taxa de juros reais mais baixa que a rentabilidade média dos negócios, a recuperação da capacidade de investimento do Estado, a manutenção de uma taxa de câmbio realista, que evite o populismo fácil do consumo de importados e dê segurança para os novos investimentos e, finalmente, uma forte coordenação entre governo, empreendedores e uma academia dedicada a produzir os avanços tecnológicos necessários para a criação de novos setores industriais nacionais. E é essa a questão que quero abordar agora.

Ciência e tecnologia para o desenvolvimento

A tecnologia é hoje muito mais central para o desenvolvimento industrial do que há cinquenta anos. Não só porque a velocidade dos ciclos tecnológicos torna os produtos industriais, ou mesmo seus meios de produção, cada vez mais rapidamente obsoletos, mas também porque hoje os próprios processos e métodos de organização da produção vão se reinventando continuamente, sob o impacto da disseminação das novas tecnologias da informação.

Esse processo é o que Mangabeira Unger denominou "economia do conhecimento",[62] a acumulação de ciência, tecnologia e experimentalismo aplicada à atividade produtiva. Hoje vivemos num processo contínuo de inovação não só de produtos, mas de métodos de trabalho, que permitem um novo ciclo de aumento de produtividade e de demandas mais customizadas de produtos. Esse ritmo frenético, que causa um impacto na saúde mental do trabalhador, precisa ser enfrentado, não pode ser sustentado por uma sociedade que não seja dedicada a criar e generalizar o uso de novas tecnologias, assim como a educar seus novos cidadãos para aprenderem a aprender, pensar criticamente e criativamente e atuar de forma experimentalista no processo de inovação, aplicando a forma de pensar da ciência no dia a dia da produção.

Para além do domínio e da generalização das novas tecnologias da informação, ainda permanece central a questão tradicional do papel da tecnologia num mundo globalizado. Para uma indústria poder competir no mercado internacional, ela deve estar de posse da tecnologia de ponta no seu campo. Tecnologia é o caminho não só para produzir mais, mais barato e mais rápido, mas para produzir produtos melhores, com um nível de qualidade compatível com as melhores indústrias internacionais do setor.

---

62   UNGER, Roberto Mangabeira. *A economia do conhecimento*. São Paulo: Autonomia Literária, 2018.

Todos os países capitalistas que ostentam alto nível tecnológico em suas indústrias têm forte e íntima participação do Estado no financiamento da pesquisa e sua coordenação com a iniciativa privada, particularmente do complexo industrial-militar. Exemplos notáveis dessa participação estatal são os próprios EUA e a China, as duas maiores economias do mundo. O desenvolvimento científico e tecnológico ou é bancado pelo Estado ou não existe. E nós precisamos que ele exista.

Para isso, a coordenação entre as universidades e fundações públicas e as empresas estatais e privadas desses setores será condição fundamental. Muitos imaginam o Brasil incapaz de produzir tecnologia inovadora, mas a verdade é que já estivemos na vanguarda tecnológica em muitos setores. Desenvolvemos não só a fibra óptica como também a tecnologia de exploração de petróleo em águas profundas, novos biocombustíveis, o carro a álcool, uma técnica própria e barata de enriquecimento de urânio, e adaptamos várias modalidades de grãos ao nosso cerrado. Esses avanços seguiram os mesmos padrões das descobertas norte-americanas: foram obtidos ou por órgãos estatais ou no bojo de projetos bancados pelo Estado. Desde 2016, o governo federal tem cortado dramaticamente gastos em ciência, tecnologia e inovação, o que agravará fortemente nosso atraso tecnológico. Em 2017, o governo tinha gasto o percentual de investimento mais baixo da história do país em ciência e tecnologia até então: 0,2%.[63] O Governo Bolsonaro bateu esse recorde vergonhoso na previsão do orçamento para o ano de 2020: 0,18%, ou míseros R$7 bilhões.[64] Programas estratégicos para nossa segurança energética e militar, como o nuclear, foram estrangulados pela falta de recursos. Ao abrir mão da pesquisa em setores que ainda

---

63 Projeto de Lei Orçamentária Anual – Ploa 2017. Disponível em: http://www.orcamento federal.gov.br/clientes/portalsof/portalsof/orcamentos-anuais/orcamento-2017/p_ploa
64 LDO 2020. Disponível em: http://www.planalto.gov.br/ccivil_03/_ato2019-2022/2019/Lei/L13898.htm#art21

estão próximos da ponta tecnológica, estamos comprometendo o futuro do que restou de nossa indústria.

Uma revolução educacional

Não podemos mais adiar a revolução que nosso desenvolvimento exige. Chegou a hora de transformar a educação de prioridade retórica em prioridade orçamentária.

Tributário de uma tradição de luta pela educação que vem de Anísio Teixeira, Darcy Ribeiro e Leonel Brizola, o PDT não vê o investimento maciço em educação básica somente como um projeto de diminuição das desigualdades ou qualificação de mão de obra, mas também de emancipação nacional. Um projeto que tem por objetivo primário fazer florescer nosso maior patrimônio: nossos filhos. Nossa independência e sustentação de um projeto nacional ao longo do tempo dependem de um povo que compreenda sua história, seu lugar e seu papel no mundo.

Igualmente, a educação voltada para o desenvolvimento do pensamento crítico e da capacidade de selecionar e integrar a avalanche de informações do mundo contemporâneo é condição necessária para o progresso civilizatório e econômico, porque aumenta a produtividade do trabalho, a capacidade de adaptação às mudanças tecnológicas e sociais e o aproveitamento de novos talentos científicos.

A educação básica continua negligenciada pelo Estado brasileiro. Sendo atribuição constitucional fundamentalmente de municípios, tem hoje do governo federal basicamente os repasses do Fundo de Desenvolvimento e Manutenção da Educação Básica (Fundeb).

A escolarização média brasileira em 2013 ainda era a menor da América do Sul, 7,2 anos de estudo por pessoa com mais de 25 anos, e sua taxa de alfabetização, a segunda pior, atrás somente do Peru.[65] No ensino superior avançamos, mas ainda temos somente 18% dos jovens de 18 a 25 anos matriculados. A taxa bruta de matrícula na educação superior brasileira ainda era, em 2008, metade da argentina e menos de um terço da cubana.[66]

A média salarial do professor do ensino básico no Brasil, nas folhas de pagamento das prefeituras, é muito baixa e ainda constitui o maior obstáculo à nossa educação pública. Antes mesmo de começar a carreira, perdemos milhões de jovens que não seguem sua vocação porque optam por salários maiores em outras profissões. No início da carreira, perdemos jovens professores e professoras que não encontram no magistério meios de financiar o nível de vida que almejam possuir. E de perdas em perdas ficamos com carência de profissionais em várias áreas de ensino e com um profissional desmotivado. Como se não bastasse, o governo de Michel Temer conseguiu congelar, na Constituição, os gastos com educação por vinte anos no Brasil. Independentemente do rumo que venhamos a pactuar para nossa educação, teremos que revogar esse congelamento ou todas as áreas da administração federal entrarão em colapso em mais dois ou três anos.[67]

Mas nem só de subfinanciamento se faz o fracasso de nossa educação básica. Comparado com os países da OCDE, o Brasil estaria em último lugar no Programa Internacional de Avaliação de Alunos (Pisa), índice que mede a qualidade do desempenho dos alunos em matemática, leitura e ciências, atrás de países como Chile e México.[68] O gasto médio por estudante, que cresceu muito nos Governos Lula e Dilma, ainda é de 42% do gasto médio da OCDE. Mas se levarmos em consideração que o PIB per capita brasileiro é hoje 40% da média dos países dessa mesma organização, fica claro que o

---

65   Pnud. Relatório de Desenvolvimento Humano 2015. Op. cit.
66   Unesco. Compendio Mundial de la Educación 2010. Disponível em: http://unesdoc.unesco.org/images/0019/001912/191218s.pdf
67   No momento em que se termina a edição deste livro, assistimos atônitos aos danos e às limitações causadas por esse teto diante da crise pandêmica da Covid-19.
68   Pisa 2015. OCDE. Disponível em: http://www.oecd.org/pisa/pisa-2015-Brazil.pdf

problema é mais do que dinheiro, e que esse aumento de recursos para a área não foi acompanhado de aumento de aprendizagem correspondente, já que as notas dos estudantes brasileiros estão praticamente estagnadas desde 2000. Países como Colômbia, México e Uruguai gastam menos por estudante do que o Brasil e têm desempenhos melhores no índice. Por exemplo: o Chile, que gasta praticamente o mesmo que o Brasil por estudante, tem um desempenho muito maior em ciências.[69]

Mas os bons exemplos não vêm só de fora, como me sinto obrigado a dizer aqui. Há bons exemplos no país que provam que podemos fazer muito mais com os recursos que temos hoje. Minha cidade, o município de Sobral, no interior do Ceará, encravada no semiárido nordestino, tem o maior Ideb[70] – índice que mede o desempenho escolar brasileiro – do ensino fundamental do país, com nota 9,1 em 10.[71] Fizemos isso gastando, em 2013, R$2.221,73 por aluno, o que dá R$929,79 a menos do que gastou no mesmo ano por aluno a cidade de São Paulo,[72] que só conseguiu, no último Ideb, a nota 6,0.

Essa foi uma obra realizada por nosso grupo político e liderada por meu irmão, Cid Gomes, nos dezesseis anos de seus mandatos extraordinários como prefeito de Sobral (8) e governador do Ceará (8). Conseguimos então a coesão social necessária para a continuidade de políticas públicas de longo prazo que mostraram resultados. Apostamos em plano de gestão, na erradicação completa do analfabetismo, na diminuição da evasão escolar e na valorização salarial e social do professor através de um regime meritocrático.

---

69 No último Pisa divulgado antes da revisão final deste livro, referente ao ano de 2017, o Brasil caiu ainda mais. Foi da 63ª para a 67ª colocação em ciências e da 66ª para a 71ª em matemática. Dois terços dos brasileiros de quinze anos sabem menos que o básico de matemática, um dos dez piores desempenhos nessa disciplina no mundo. O mais preocupante é que na avaliação de 2015 já tínhamos caído nos três parâmetros, o que indica uma tendência. Isso quer dizer que, em termos comparativos, estamos ficando para trás também aqui.
70 Índice de Desenvolvimento da Educação Básica.
71 Inep. Ideb. Disponível em: http://portal.inep.gov.br/ideb
72 Todos pela Educação. Caderno Especial. Disponível em: http://www.todospelaeducacao.org.br/educacao-na-midia/indice/30185/melhora-do-ensino-dita-crescimento/

Como resultado, o Ideb de Sobral, que tem hoje o índice de 9,1, já superava, em 2017, a meta federal para 2022, e está no patamar da educação de países desenvolvidos. O Ceará, que generalizou o modelo, tinha no levantamento de 2015 simplesmente as 24 melhores escolas públicas do país no ensino fundamental (a maioria no interior do semiárido) e 77 das 100 melhores.[73] No levantamento de 2017 ele ainda ampliou essa liderança. Hoje, o estado tem 82 das 100 melhores escolas públicas de ensino fundamental do país.[74]

Alcançando a liderança do Brasil, Sobral agora mira outros padrões. Com a mesma coragem que Cid teve em 2000, quando uma auditoria externa contratada pela prefeitura mostrou o estado precário em que se encontrava a educação em nosso município, em 2017 a gestão de meu outro irmão, Ivo Gomes, realizou outra avaliação externa em Sobral. Agora a cidade não persegue mais padrões nacionais, mas sim internacionais.

A Fundação Lemann, através de técnicos da Fundação Cesgranrio, aplicou o Pisa para Escolas em dezesseis escolas públicas de Sobral.[75] O desempenho delas foi maior que os resultados do Brasil, com sua rede pública e privada incluída, no Pisa. Houve uma escola[76] que, inclusive, com nota 505,72, superou a nota média de países ricos e membros da OCDE como Austrália, França e Reino Unido.

Sabemos que a educação de Sobral ou do Ceará ainda está longe do que queremos para o Brasil. Mas nos orgulhamos imensamente não só do que ela é, mas principalmente do que ela se torna a cada dia, num esforço permanente e incansável. Não é meu justo orgulho por pertencer a esse

---

73 MADEIRO, Carlos. "Referência em ensino público, Ceará pode exportar modelo a outros estados?" *UOL*, mar. 2018. Disponível em: https://educacao.uol.com.br/noticias/2018/03/03/referencia-em-ensino-publico-ceara-pode-exportar-modelo-a-outros-estados.htm
74 Inep. Ideb. http://portal.inep.gov.br/ideb
75 "Estudantes de Sobral têm desempenho em leitura acima da média de países ricos." Prefeitura de Sobral, maio 2019. Disponível em: http://www.sobral.ce.gov.br/informes/principais/estudantes-de-sobral-tem-desempenho-em-leitura-acima-da-media-de-paises-ricos
76 Escola Estadual de Ensino Profissional Lysia Pimentel Gomes.

movimento que produz esses resultados tão extraordinários, que me faz trazer estes dados até aqui. Na verdade, é uma pergunta: se uma cidade pobre do sertão do Nordeste Semiárido pode, o que dizer de um país extraordinário como o Brasil? É a política.

Os exemplos de Sobral e do Ceará mostram que mesmo com limitação orçamentária e o modelo pedagógico atual a educação brasileira poderia estar em patamares bem superiores. No entanto, não devemos nos contentar com as condições atuais. Acredito que precisamos assumir a tarefa de promover uma verdadeira revolução na educação brasileira baseada em cinco princípios:

1) Federalização da gestão do ensino básico por meio de um programa de abrangência nacional, de adesão voluntária, que estabeleça liberação de recursos mediante contrapartidas municipais, adesão às metas definidas e avaliação de resultados.

2) Mudança radical no conteúdo da educação básica brasileira, abandonando o foco na memorização de fatos e fórmulas e direcionando-o para o desenvolvimento de capacidades analíticas que habilitem o estudante a entender conceitos e relacionar conteúdos de forma crítica.

3) Priorizar seriamente o investimento no preparo e na remuneração dos professores, em regime meritocrático.

4) Entrada da educação pública na era da informática, através da informatização de procedimentos de avaliação dos serviços escolares por alunos e pais, de acompanhamento escolar de alunos e disponibilização de conteúdo educacional aberto e atraente para a nova geração de brasileiros e todos os cidadãos.

5) Apoio material à criança pobre para permanência na escola, trazendo a família para o acompanhamento da vida escolar. Esse é o exemplo não só de Sobral, mas que nos é legado pela tradição trabalhista de Leonel Brizola, que construiu mais de seis mil escolas como governador do Rio Grande do Sul nos anos 1960 e que como governador do Rio de Janeiro, nos anos 1980 e 1990, construiu mais de quinhentos Centros Integrados de Educação Pública

(Cieps), projeto educacional moderno que propiciava, em horário integral, alimentação, saúde e lazer às crianças e aos adolescentes de famílias carentes.

Defendo convictamente que a principal habilidade a ser desenvolvida pela educação no mundo atual é a capacidade de aprender a aprender e de lidar criticamente com o excesso de informações. Num mundo com tecnologias em permanente mudança, o brasileiro do presente e do futuro precisa ter uma capacidade adaptativa que só o pensamento crítico genuíno, fonte de todo o conhecimento humano, pode dar. Não existe mais lugar no mundo para o professor reprodutor de fórmulas e informações, simplesmente porque um volume incomensurável de informações está à distância de um clique. O professor, no entanto, retém seu papel fundamental de tutor de um aluno perdido num mar de dados sem saber como avaliá-los ou relacioná-los, de interlocutor individual capaz de identificar e intervir em dificuldades particulares de aprendizado, mostrando ao aluno a falha particular de pensamento que o impede de dominar determinado conteúdo ou habilidade. Enfim, cabe ao professor sempre ajudar a desenvolver no aluno o genuíno espírito crítico que, bem longe de ser a doutrinação ideológica que muitas vezes o termo esconde, é exatamente seu inverso: ensinar a abordar o mesmo problema ou conteúdo de pontos de vista diferentes.

A CULTURA E SUA DIMENSÃO EDUCACIONAL E ECONÔMICA

A cultura de um povo deve ser o centro da afirmação de uma identidade nacional, que hoje está gravemente ameaçada, não só pelo neocolonialismo e por hábitos de consumo, mas também por uma estética internacional pasteurizada, consumista e ostentadora. Nesse sentido ela é fundamental para a afirmação de um Projeto Nacional de Desenvolvimento. Que papel tiveram o ambiente cultural modernista e nomes como Villa-Lobos para a afirmação do projeto liderado por Vargas? Ou da bossa nova e do Cinema Novo para a afirmação do projeto liderado por JK? Só podemos ter certeza de que foi muito grande, porque por natureza o papel das artes em nosso cotidiano é imensurável.

Precisamos incentivar a política cultural para além do mecenato, fazendo com que o estímulo à cultura tenha a ênfase necessária para que o Brasil se reconheça como nação na sua diversidade regional, nas suas expressões tradicionais e na valorização de seu patrimônio histórico. Não se trata, é claro, de deixar de promover as novas estéticas, o experimentalismo de vanguarda, mas somente de generalizar a compreensão de nosso lugar na cultura universal. É preciso educar as novas gerações em nosso legado cultural, privilegiando o financiamento de sua apresentação através de meios e estéticas próprios.

Para isso é importante o estabelecimento de uma política e de um marco regulatório para a cultura e as artes no Brasil que consolidem em um único instrumento legal toda a regulação desse setor da economia.

A meu ver, essa política cultural e esse marco legal deveriam direcionar o investimento em cultura em duas frentes.

A primeira é a democratização do acesso, fruição e consumo de bens e serviços culturais, implementando políticas que ampliem e popularizem o acesso à cultura e ao lazer, criando espaços de fomento, formação de plateia, desenvolvimento e interação, e valorizando os espaços já existentes, principalmente nas periferias. Em relação à democratização do acesso, é fundamental o avanço das Políticas Nacionais de Inclusão Digital com vistas a promover a infraestrutura para acesso universal à internet 5G num futuro próximo.

A segunda é a democratização da produção, com estímulos a novos agentes e cooperativas culturais que surjam da facilidade e do barateamento que as novas mídias trouxeram à espontaneidade de manifestações culturais até então inéditas.

Também não podemos esquecer que a cultura nacional tem sido objeto de interesse internacional ao longo das décadas, e devemos começar a pensar em sua produção de ponta como um item da balança comercial brasileira de serviços. Nesta conta em que somos altamente deficitários, podemos melhorar nossa posição ao incentivar serviços de streaming nacionais, produções locais de séries, filmes e novelas – em que temos reconhecidamente líderes mundiais, como a Rede Globo.

É importante começarmos a pensar seriamente em construir uma indústria cultural, no melhor sentido do termo, que não pode ser tomado como sinônimo de produção de baixa qualidade ou de lucro fácil. Esse tipo de preconceito nos impede de estruturar as atividades culturais em nosso país em bases mais profissionais. É a presença de uma sólida indústria cultural que permite o florescimento e a sustentação das formas artísticas de vanguarda, não o contrário. Qualquer produto dramatúrgico para consumo, por exemplo, seja uma peça de teatro ou uma série superproduzida, tem por trás um grande universo de profissionais, conhecimento acumulado e infraestrutura necessários à sua realização e reprodução. Isso se dá igualmente com shows e clipes musicais, desde um solo a uma orquestra. Desenvolver uma indústria cultural significa dar organicidade a todas essas manifestações culturais dentro de um projeto que nos permita, assim como queremos fazer com os demais bens industriais que importamos, oferecer alternativas nacionais aos produtos que circulam no país utilizando o financiamento da indústria cultural estrangeira, além de exportar nossa cultura para o mundo.

Brasil, o celeiro do mundo

Minha ênfase na necessidade da retomada do desenvolvimento industrial em nenhuma hipótese significa que devemos negar ou negligenciar nossa vocação para ser o maior produtor de alimentos do mundo. Nenhum país pode abrir mão de suas vantagens comparativas num projeto de desenvolvimento, e não é o Brasil, com sol o ano inteiro, a maior quantidade de terras agricultáveis e a maior reserva de água doce do mundo, que o fará. Nossas condições para a agricultura são incomparáveis. Estamos destinados a ser a maior potência agrícola mundial.

Hoje estamos realizando esse destino através do agronegócio. Sua produtividade é imensa e, junto à mineração, sustenta nosso modo de vida e padrão de importações por meio dos recursos que gera com a exportação de nossas commodities. O setor primário é o único setor superavitário da balança comercial brasileira.

Não deveria ser necessário dizer que nosso agronegócio deve ser respeitado. No entanto, vemos seguidamente se levantarem contra ele acusações, generalizações e apreciações negativas, que ao longo dos anos contaminaram o imaginário popular.

Evidentemente que tais generalizações e acusações são, na maioria das vezes, baseadas em eventos dramáticos e reais. São geradas por casos de violência e exploração no campo, trabalho escravo, conflitos com sem-terra e indígenas, não cumprimento da legislação ambiental, grilagem e concentração fundiária.

Cabe ao Estado ser inflexível no combate ao trabalho escravo e à violência no campo, garantindo o cumprimento da lei por todos os que fazem dessa atividade o esteio do país.

Por outro lado, também cabe ao Estado garantir o suporte financeiro ao agronegócio, já que o sistema bancário nacional não cumpre sua função. Mais importante do que isso é fazer o Estado voltar a promover o avanço biotecnológico que um dia nos permitiu produzir soja no cerrado.

A agricultura brasileira, no entanto, não vive somente do agronegócio. No país convivem dois modelos agrícolas distintos, e o segundo deles é o da agricultura familiar, responsável por 70% dos alimentos que consumimos internamente[77] e por 75% dos trabalhadores do campo.[78]

Uma coisa que a maioria do povo brasileiro não sabe é que, apesar de fazer maior uso de mão de obra, a agricultura familiar tira mais da terra: responde por 38% do valor da produção agrícola, ocupando apenas um quarto da área produtiva brasileira. Mesmo cultivando uma área menor, a agricultura familiar garante a segurança alimentar do país.[79]

No entanto, o modelo familiar apresenta três desafios para seu desenvolvimento:

1) em comparação ao agronegócio, os custos são hoje mais altos para a maioria dos produtos, devido ao maior uso de mão de obra;

2) as dificuldades de armazenamento e escoamento de produtos perecíveis são maiores;

3) suas condições de financiamento são piores.

Assim, levando em conta esses dois modelos distintos que convivem em nosso país, temos que pensar numa política agrícola que atenda às necessidades de ambos os modelos e nos leve ainda mais longe em nossa produtividade. Acredito que tal política deveria ter os seguintes eixos:

1. retomada dos grandes projetos de infraestrutura para eliminar gargalos logísticos do escoamento de nossa safra;
2. revitalização da Embrapa para que ela volte a produzir soluções tecnológicas para o desenvolvimento no Brasil de a) culturas que

---

77 Ministério do Desenvolvimento Agrário. Disponível em: http://www.brasil.gov.br/economia-e-emprego/2015/07/agricultura-familiar-produz-70-dos-alimentos-consumidos-por-brasileiro. Acessado em 18 de maio de 2018.
78 Incra. Disponível em: http://www.incra.gov.br/censo-confirma-agricultura-familiar-produz-mais-em-menor-area. Acessado em 18 de maio de 2018.
79 Idem.

oneram nossa balança comercial, como o trigo; b) preservação e armazenamento das produções de frutas e legumes; c) sementes mais resistentes ao nosso clima e a pragas; e d) fertilizantes e defensivos nacionais;
3. retomada da facilidade de crédito com a queda dos juros e a concessão pelo Estado de linhas de crédito especiais para a agricultura familiar;
4. assistência técnica e jurídica do Estado para a produção, armazenamento e formação de cooperativas de processamento industrial, evitando o perecimento das safras familiares;
5. retomada dos assentamentos de reforma agrária direcionados pelo Estado, com estreita observância à paz e ao direito no campo, integrando os novos núcleos às outras políticas descritas.

Esse arcabouço geral, no entanto, não substitui a criação de projetos locais, adaptados às regiões e às suas especificidades de clima, escoamento, mercado e população. A coordenação de projetos locais com esse arcabouço de apoio governamental pode oferecer igualmente a solução para assentamentos bem-sucedidos de reforma agrária. Ao Estado cabe o papel de destravar o pequeno produtor, oferecendo-lhe assistência técnica, crédito e acesso ao mercado.

Não falo, novamente devo lembrar, como mero diletante. O modelo que proponho aqui foi aplicado por mim quando ministro da Integração Nacional. Um exemplo que sempre gosto de citar do efeito que a coordenação do Estado com o pequeno produtor agrícola pode causar é o da transformação do Ceará no maior produtor brasileiro de abacaxi. Em pouco mais de dois anos, saímos do zero para a liderança nacional com um projeto de estado que não só financiou o empreendimento, como também ofereceu ao pequeno produtor a assistência técnica agrícola e administrativa para a formação de cooperativas e garantias de escoamento da produção.

Não podemos escolher entre produzir e preservar

Apresentei neste livro um esboço de projeto nacional de desenvolvimento para ajudar no debate nacional. Expus ideias sobre ajuste fiscal, dívida pública, reforma tributária, projeto industrial, educação e agricultura.

Não posso deixar de abordar aqui, portanto, o problema ambiental, que deve ser sempre considerado em conjunto com o problema do desenvolvimento. Essa questão tão fundamental para nosso tempo é, por isso mesmo, muito instrumentalizada para mobilizar parte das novas gerações contra o desenvolvimento de seu próprio país, muitas vezes, subdesenvolvido.

Sou comprometido com a questão ecológica há muito tempo, desde antes de implantar a primeira comissão de meio ambiente do Ceará. Na década passada, coordenei o projeto de transposição do rio São Francisco, ajudando o presidente Lula a tirar do papel esse sonho brasileiro que vem desde os tempos do Império. Ao fazê-lo, desenvolvi ao mesmo tempo o projeto de sua revitalização e o comitê de bacia hoje responsável por sua gestão.

No entanto, também sou totalmente comprometido com o desenvolvimento do Brasil. Não tenho vocação para mentir e não creio que se possa eludir o fato de que o desenvolvimento das forças produtivas de uma nação tende a estressar o meio ambiente. Esse é um problema que tem que ser encarado de frente e sem demagogia, porque a natureza tem que ser preservada tanto quanto as pessoas têm que comer e ter uma vida digna.

Europa, Japão e EUA podem se dar ao luxo de escolher não crescer, ou, ao menos, cercear seus padrões de consumo. Mas eles pouco ou nada fazem, exceto no discurso. São países desenvolvidos, cuja população já parou de crescer e tem um nível de vida inconcebível para os cidadãos mais pobres de nosso país.

O Brasil, no entanto, não tem essa opção. Somos um país pobre em termos relativos. Precisamos aumentar nossa produção não só porque ainda temos um nível de vida e de consumo baixo, mas também porque nossa população ainda não parou de crescer.

Não podemos optar entre o desenvolvimento e o meio ambiente, precisamos encontrar meios de compatibilizá-los. Temos que cobrar responsabilidade de todos os envolvidos no problema. Das organizações que lutam pelo meio ambiente cobremos a solução produtiva real, não demagógica; e dos que lutam para produzir cobremos a adequação e compensação ecológica real.

A questão ambiental no Brasil não pode, em nenhuma hipótese, ser conduzida por ONGs internacionais que só têm compromisso, ao menos até onde podemos provar, com a preservação da natureza. Tampouco pode ser conduzida pelo agronegócio, cujos únicos interesses são a expansão da produção e da fronteira agrícola. Não só o agronegócio, mas também a extração ilegal de madeira é responsável pela expansão do desmatamento na Amazônia. Da mesma forma, ONGs internacionais se espalharam pela Amazônia Legal, comprando terras e ampliando o poder político sobre regiões ricas em minério.

É por esses motivos que a questão ambiental no Brasil é um problema de Estado e de soberania nacional. Se vamos enfrentá-la seriamente, precisamos retomar o controle daquele território nacional, contando com uma ampla ocupação militar da região e monitoramento por satélite e em tempo real de ações de desmatamento ilegal e queimadas.

Não estamos em posição desfavorável para isso, muito pelo contrário. Somos um país ainda pouco povoado para a extensão de nosso território, e que o utiliza pouco para a produção agrícola, tendo uma das menores taxas de utilização do mundo. Esse dado foi confirmado pela Nasa, a agência espacial norte-americana, que calculou em 7,6% o uso do território brasileiro para agricultura, abaixo dos dados da própria Embrapa, que calculava esse uso em 7,8%.[80] Esses números são extraordinários se levarmos em conta a potência agrícola que sabemos que o Brasil é. Em comparação, o resto do mundo utiliza de 20 a 30% do seu território para a agricultura (EUA, 18%; União Europeia, mais de 45%; e Alemanha, 56%).

Além disso, temos a matriz energética mais limpa do planeta. A questão dos impactos ambientais de grandes hidrelétricas está superada, porque já criamos todos os grandes reservatórios que a hidrologia brasileira nos permitia. Findo o ciclo hidrelétrico, teremos que decidir como gerar energia daqui para a frente com responsabilidade.

Pode parecer paradoxal, mas sustento que um novo ciclo de desenvolvimento industrial pode ajudar a deter o desmatamento no país. Sem opções econômicas para sustentar seu padrão de consumo, a pressão da sociedade brasileira sobre a floresta, exercida através da pecuária, da agricultura e da mineração, será irresistível. Precisamos igualmente oferecer alternativas econômicas para a população amazônica, lançando mão de ferramentas de desenvolvimento sustentável como o zoneamento econômico ecológico.

Com as nossas especificidades de solo, de clima, de cobertura vegetal, de recursos hídricos, de diversidade mineral e de alternativas energéticas, trata-se de entender que meio ambiente e ecologia não são temas identitários. Mas que seus valores e conceitos devem permear toda a estratégia de desenvolvimento ou, ao menos, de forma mais clara e direta: se há um país no mundo que pode dar concretude à ideia generosa e nunca praticada até o presente momento no mundo de desenvolvimento sustentável, este é o Brasil. Sem falar no extraordinário potencial enriquecedor de uma economia verde praticável entre nós como em nenhum outro espaço do planeta Terra.

---

80 "Lavouras são apenas 7,6% do Brasil, segundo a NASA." *Embrapa*, dez. 2017. Disponível em: https://www.embrapa.br/busca-de-noticias/-/noticia/30972444/lavouras-sao-apenas-76-do-brasil-segundo-a-nasa

Uma nova agenda de reformas

Reverter a agenda das contrarreformas

Já me referi em outros momentos neste livro às duas reformas constitucionais levadas a cabo pelo Governo Temer, mas chegou a hora de tratar delas especificamente.

Essas contrarreformas são inconfessadamente motivadas pelo colapso do rentismo. Ao obrigar o Governo Dilma a responder à queda de arrecadação causada pela recessão com alta de juros, o baronato nacional causou um descontrole do déficit público sem precedentes, e que só se agravou com a gestão de Henrique Meirelles na Fazenda.

Promovendo um golpe de Estado que alçou ao poder um governo ilegítimo, que não tinha que prestar contas eleitorais à população, a plutocracia brasileira cobrou sua fatura e obrigou a classe política, acuada pela Lava Jato, a levar à frente sua agenda de destruição do Estado. O objetivo fundamental é garantir a todo custo excedentes que mantenham o pagamento dos juros reais mais altos do mundo controlando o galope da dívida.

O limite de gastos
A reforma do limite de gastos, que ficou conhecida como a "PEC da morte", estabeleceu como teto de reajuste do orçamento (excetuando juros e serviço da dívida) a inflação do ano anterior. Uma vez que a população continua a crescer 0,8% ao ano, ao limitar o reajuste dessas contas à reposição da inflação, essa reforma terá o efeito ineludível de diminuir, ano após ano, os recursos per capita aplicados em saúde, educação, segurança, ciência, cultura e investimentos federais. Foi um verdadeiro crime contra a população e um garrote em nossos investimentos, algo que daqui a dois ou três anos nos levará ao colapso[1] de todos os serviços do Estado. A motivação legítima para o teto de gastos é o entendimento, compartilhado por mim, de que o Estado não pode existir só para pagar pessoal e aposentadorias. Ele precisa de recursos para investir em saúde, educação, segurança e, diretamente, em produção e infraestrutura. Mas, na prática, o teto só tem servido para cortar investimentos, pois os gastos com previdência e pessoal continuam subindo um pouco acima da inflação. Do jeito que se encontra hoje, ele só servirá para estrangular e sucatear a educação e a saúde públicas, desmoralizando-as e preparando-as para a privatização. O Brasil estará impedido de crescer além de taxas vegetativas enquanto vigorar essa reforma inconstitucional que, na prática, revoga a Constituição de 1988. A obrigação primeira de todo brasileiro que tem compromisso com a saúde da população, o futuro de nossas crianças e o crescimento do país é revogá-la.

A reforma trabalhista
Vendida como fruto de uma aspiração legítima de modernização das relações trabalhistas, encontrou no caos terreno fértil para avançar sobre direitos básicos conquistados no início do século XX, através da Consolidação das Leis do Trabalho (CLT), de Getúlio Vargas. O que deveria ter sido o instrumento

---
1   O colapso chegou antes, com a crise da Covid-19.

de regulação do trabalho temporário e da terceirização, na prática extinguiu a CLT com a aprovação do abuso inédito no mundo da prevalência do acordado sobre o legislado. Submeter o trabalhador ao jugo exclusivo do mercado sem limites de proteção trabalhistas sustentados por lei é, na prática, o retorno ao século XIX. Já a terceirização universal tende, com o tempo, a extinguir o trabalho formal tradicional através de demissões para recontratação de terceirizados sem direitos, causando o colapso da Previdência. Não será possível conter a queda contínua da arrecadação da Previdência causada pelo aumento da informalidade, se não se revisarem os aspectos selvagens dessa reforma.

Tudo isso foi aprovado açodadamente e sem debate com a sociedade por um governo ilegítimo e um Congresso acuados por pilhas de denúncias de corrupção. Essas barbaridades vieram como moeda de troca com aqueles setores da elite econômica que ainda possuem alguma atividade produtiva, e estão com seus custos de produção estressados por juros e moeda supervalorizada. Sua sanha de precarizar o trabalho retirando direitos históricos foi uma tentativa desesperada de recuperar alguma produtividade sem perder os ganhos pessoais na ponta do rentismo.

A população, anestesiada pela avalanche de tragédias e pela propaganda midiática, ainda não entende o que aconteceu, pois quem está empregado hoje está sob a vigência do contrato de trabalho antigo. Mas aqueles hoje desempregados que firmarem novos contratos de trabalho daqui para a frente aos poucos conhecerão uma vida sem férias, sem horas extras e sem direitos. É uma verdadeira tragédia que se abateu sobre os nossos filhos sem que tivéssemos a força necessária para impedi-la.

A Reforma Política

Não é de hoje que advogo a necessidade de uma reforma política que diminua os impasses provocados pelo presidencialismo atual. Pouca coisa se acrescentou à minha opinião manifesta em 1996.[2] Basicamente, se tornou mais premente para mim a necessidade de criarmos, no Brasil, mecanismos de *recall* que possam moderar a marketagem e as promessas mentirosas antes das eleições. A democracia brasileira não sobrevive mais a tanta mentira.

Sem necessitar aqui repetir argumentos que já expus no passado, volto a defender os pontos básicos de uma reforma política necessária e possível neste momento, em que precisamos resgatar nossa democracia. Ela é muito semelhante à proposta defendida pela Ordem dos Advogados do Brasil (OAB) e busca consertar as principais distorções do sistema:

1. *Financiamento público e de pessoa física* – Em virtude dos escândalos recentes e da distorção a que assistimos recentemente nos rumos das doações de empresas privadas, defendo que, ao menos neste momento, haja duas únicas fontes para o financiamento eleitoral e partidário: a doação de pessoa física com teto universal e um fundo público. O processo eleitoral é uma atividade cara e extenuante, mesmo quando realizada com a máxima abnegação. É preciso que o povo brasileiro seja chamado a decidir sobre como financiar sua democracia de modo a se comprometer com esse processo. A forma que adotamos até aqui, através de doações empresariais, transformou o país numa fábrica de escândalos controlada pelo poder do dinheiro e pela chantagem da mídia. Ela tem falhado em nossa cultura. O poder econômico é uma realidade, e ele sempre vai interferir na vida política. Mas neste momento de crise de representação, quanto mais cercearmos o poder do dinheiro na vida política nacional, mais fortaleceremos nossa democracia.

2. *Voto distrital misto* – O eleitor passaria a votar duas vezes, a primeira no representante de seu distrito eleitoral, a segunda num partido, que teria sua nominata preordenada. Esse voto mitigaria as distorções de ambos os siste-

---

2   GOMES, C.; UNGER, R. *O próximo passo:* uma alternativa prática ao neoliberalismo. Rio de Janeiro: Topbooks, 1996.

mas de lista fechada e distrital puro, e garantiria partidos mais fortes e definidos ideologicamente e o controle da população sobre seus representantes.

3. *Fidelidade partidária* – Proibição de mudança de legenda antes de janela eleitoral e devolução de mandato ao partido em caso de descumprimento de voto em questão fechada por decisão de seu diretório nacional.

4. *Revogação popular de mandatos* (recall) – Defendo a criação, no Brasil, do dispositivo de plebiscito revogatório. Ele seria acionado em qualquer tempo do mandato quando solicitado por iniciativa popular (de volume a ser definido). Tal iniciativa popular se fundamentaria por descumprimento flagrante de programa de governo registrado oficialmente para as eleições. A afronta às promessas pré-eleitorais de forma impune praticamente se tornou regra no Brasil, o que constitui uma fraude à democracia, erodindo a fé dos cidadãos em seu sistema representativo e partidário.

5. *Eleição em três turnos* – A eleição em três turnos com um intervalo de um mês entre eles realizaria no primeiro a eleição de presidente e governadores. No segundo turno, concluiria as eleições majoritárias não resolvidas no primeiro. No terceiro turno, realizaria as eleições para os legislativos federais e estaduais. Esse modelo é semelhante ao que já é adotado, com sucesso, na França. São muitas as vantagens desse sistema. Em primeiro lugar, facilita a formação de maiorias parlamentares, pois os partidos, depois de conhecido o resultado do pleito, têm que declarar se atuarão como governo, independentes ou oposição, o que diminui o poder de chantagem sobre o governo eleito. Em segundo, não altera o calendário eleitoral. Em terceiro, é barato e usa a estrutura já disponível no ano. Em quarto, resolve um grande problema de nosso sistema que é a falta de tempo e de discussão das questões legislativas nas eleições, o que gera o famoso fenômeno da falta de memória em relação ao deputado votado nas eleições passadas. Com um mês exclusivo de atenção

às eleições legislativas, o eleitor tem tempo para escolher seu voto de acordo com suas demandas legislativas e posição em relação aos governos estadual e federal. Além de todas essas vantagens, esse sistema tem a facilidade de não necessitar de reforma constitucional para ser implantado, pois não altera o sistema proporcional em vigor.

6. *Diminuição gradual do número de cadeiras na Câmara Federal* – Como está hoje, só como exemplo, se cada deputado falasse dois minutos por sessão, essa sessão levaria dezessete horas.

7. *Adoção de urnas eletrônicas de terceira geração* – As urnas eletrônicas brasileiras, de primeira geração, estão bastante ultrapassadas e são proibidas em quase todos os países do mundo. Elas têm gerado, eleições após eleições, maior desconfiança da população quanto à sua segurança (em 2016, segundo o Latinobarômetro, 58,4% dos brasileiros acreditavam que a eleição presidencial no Brasil era fraudada). Uma democracia não resiste ao permanente questionamento da legitimidade dos seus resultados eleitorais pela maioria da população, nem à impossibilidade de se realizar uma recontagem de votos quando demandada por essa mesma maioria. Muito menos pode estar sujeita a sistemas de primeira geração, cuja confiabilidade dos resultados apurados é diretamente dependente da confiabilidade do software neles instalado. Em tempo de guerra híbrida, isso é um risco inaceitável. Por isso defendo imediatamente a adoção de urnas de terceira geração como já são aplicadas na Argentina, caracterizadas pelo uso de voto escaneado e criptografado, o que permite ao eleitor conferir a apuração de seu voto e ao TSE manter registros físicos eletrônicos (imagem escaneada) e não eletrônicos (cédula original), que podem ambos, se necessário, ser recontados.

Na verdade, a mudança das urnas para a segunda geração, com impressão de contraparte de voto, já foi aprovada pelo Congresso no Governo Lula e depois recentemente, numa lei proposta inclusive pelo então deputado Jair Bolsonaro. Mas o TSE e o STF resistem à modernização de nosso sistema eleitoral, hoje um dos mais atrasados do mundo, ponderando o alto custo de tal modernização. Mas qual o preço da confiança de nosso povo em seu processo eleitoral?

Pretendo propor ao PDT apresentar esse projeto de Reforma Política, negociada com a OAB, a Conferência Nacional dos Bispos do Brasil (CNBB) e a Associação Brasileira de Imprensa (ABI), ainda nesta legislatura. Caso haja resistências fortes a pontos específicos da reforma, teríamos duas opções. A primeira seria implantá-la de forma parcelada pelas próximas eleições para diminuir a resistência dos eleitos pelo sistema atual. A segunda seria a convocação de plebiscito popular na forma da Constituição.

A Reforma da Saúde

O povo brasileiro continua a defender que a saúde deve ser uma atribuição do Estado, cobrando de suas autoridades um padrão de atendimento que só existe no Canadá e na Europa, e não nos EUA, por exemplo. Isso é mais uma evidência de que a tão propalada "guinada à direita" da população não ocorreu.

Mal sabe a maioria de nossos concidadãos que isso não era assim recentemente, ali no país do regime militar. Isso foi obra da Constituição de 1988. Foi ela que, inspirada no Estado de bem-estar europeu, tornou a saúde um "direito de todos" e "dever do Estado". Até então, no Brasil havia três castas: os que podiam pagar por serviços privados, os que tinham carteira assinada com direito à saúde pública e cerca de 80% da população, que não possuía direito algum.

Da mesma forma, a maioria dos brasileiros continua sem entender o complexo sistema de atribuições e responsabilidades do SUS e tende a culpar o governo federal por todos os seus problemas. Isso porque seus recursos vêm dos orçamentos da União, estados e municípios e sua rede é uma complexa associação de hospitais federais, estaduais, municipais e privados.

Antes de apresentar minhas propostas para esse sistema complexo, mais uma vez gostaria de lembrar que não sou um poeta ou diletante na área. Além de ex-prefeito e ex-governador, fui secretário de Saúde do Ceará, convocado extraordinariamente por meu irmão Cid Gomes, então governador, para universalizar o atendimento em atenção secundária e o serviço de atendimento móvel de urgência, missão que desempenhei fielmente para o povo cearense.

E é com base nessa experiência e na sinceridade que gosto de cultivar na minha relação com o povo brasileiro que sou obrigado a afirmar que não podemos, no espaço de um, dois ou mesmo três governos, oferecer ao povo brasileiro um sistema público de saúde de padrão europeu, simplesmente porque não somos ricos para isso. Em outras palavras, o problema principal do SUS é a falta de recursos crônica. Devemos sim diminuir a corrupção, o desperdício e a má gestão, mas não é isso que transformará nossa rede pública de saúde numa rede europeia, como afirmam os demagogos do discurso fácil e mentiroso que vivem de enganar a população.

Vamos fazer uma ideia do quanto nosso sistema de saúde é subfinanciado. A proposta de orçamento da União de 2020 prevê a destinação de R$116 bilhões ao SUS, o que equivale a somente 3% do total.[3] Apesar de parecer um alto nível de recursos públicos para a saúde, quando considerado proporcionalmente ao PIB, só superamos dois países da OCDE, a Turquia e o México.[4]

Em 2014, União, estados e municípios, somados, gastaram em saúde US$604 por brasileiro.[5] Para termos de comparação, a Finlândia gastou para

---

3 Projeto de Lei Orçamentária Anual – Ploa 2020. Disponível em: https://www.congressonacional.leg.br/materias/materias-orcamentarias/ploa-2020
4 OCDE. Relatórios econômicos da OCDE – Brasil 2015. Disponível em: http://www.oecd.org/eco/surveys/Brasil-2015-resumo.pdf
5 "Governo gasta R$ 3,89 ao dia na saúde de cada brasileiro."Conselho Federal de Medicina, fev. 2016. Disponível em: https://portal.cfm.org.br/index.php?option=com_content&view=article&id=25985:2016-02-18-12-31-38&catid=3

isso US$2.410 per capita em 2009, o que está na média da OCDE.[6] É simplesmente quatro vezes mais do que gasta o Brasil. Se levarmos em consideração o total das despesas em saúde no Brasil, a fatia pública é somente de 48,2%. Enquanto isso, o NHS, o serviço nacional de saúde pública britânico, responde por 83,5% do gasto do Reino Unido na área, com £123,7 bilhões (ou R$636,1 bilhões) para 65 milhões de habitantes, ou US$2.475 por habitante.[7] Isso é quatro vezes mais por pessoa do que gasta o Estado brasileiro.

Essa situação, que já era ruim nos últimos dois anos, virou calamitosa e irá certamente piorar em 2020. Com o congelamento dos gastos da saúde gerado pelo teto constitucional, o sistema entrará em colapso em mais um ou dois anos.[8] O reflexo do desmonte atual nas estruturas de atendimento do SUS é dramático, e é só o primeiro passo na sua desmoralização para a população visando sua posterior privatização. Derrubar o teto constitucional no próximo governo é condição necessária para qualquer esperança de termos um sistema público de saúde.

Agora que temos claro o nível de nosso subfinanciamento na área, posso então afirmar, sem demagogia, que embora não possamos, no atual estágio de nosso desenvolvimento, ter um serviço de saúde de padrão europeu, podemos, entretanto, ter um sistema muito melhor. O NHS, modelo do SUS, foi criado em 1948, quando a renda per capita britânica era ligeiramente menor do que a brasileira atual. Evidentemente não podemos comparar os custos e a complexidade dos serviços de saúde disponíveis hoje com os disponíveis na época. Porém, devemos promover uma reforma no SUS porque há nele problemas estruturais e anacronismos que

---

6   *Government at a Glance 2015*. OECD Publishing: Paris, 2015. Disponível em: https://www.oecd-ilibrary.org/governance/government-at-a-glance-2015_gov_glance-2015-en
7   "The NHS budget and how it has changed." *The King's Fund*, mar. 2020. Disponível em: https://www.kingsfund.org.uk/projects/nhs-in-a-nutshell/nhs-budget
8   Infelizmente a tragédia da Covid-19, surgida durante o fechamento deste livro, antecipou esse colapso.

têm que ser enfrentados, e soluções disponíveis para aprimorar sua gestão e maximizar o aproveitamento de seus recursos.

Vamos então descrever brevemente outros problemas de saúde no Brasil. Comecemos pela carência de médicos. Apesar de termos um número de médicos por habitante correlato ao de alguns países de primeiro mundo, a diferença é que aqui a legislação exige que todos os atendimentos de cuidados de saúde sejam prescritos e supervisionados por alguém com diploma em medicina. Não só essa exigência, que visa garantir que os procedimentos de saúde sejam feitos dentro dos marcos da ciência e da melhor medicina, como também a proporção de médicos que atuam somente em seus consultórios particulares acabam hipertrofiando a demanda por médicos e tornando nossa taxa por habitante enganosa.

Precisamos reestruturar a formação de modo a equilibrar o interesse dos estudantes com o interesse do Estado, que banca suas caríssimas formações, suprindo as necessidades da população com mais oferta nas especialidades que sofrem com a carência de profissionais na rede pública de saúde. São habilitações como as de clínico geral, anestesista, pediatra e médico intensivista, por exemplo. Vamos buscar a formação de mais generalistas, aptos a se dedicar aos fundamentais e eficientes programas de saúde da família. Precisamos de uma solução permanente para o problema que não virá certamente da precariedade de importar médicos de Cuba, um país mais pobre que o Brasil. O acerto emergencial dessa solução não pode se tornar mais uma gambiarra permanente no país. Temos que discutir a criação de uma carreira de Estado para a saúde, nos moldes que já funcionam no Judiciário e no Ministério Público, por exemplo. Assim, um jovem recém-formado começaria a carreira nas pequenas comunidades interioranas, mas com a certeza de que, desempenhando bem suas tarefas, em algum tempo chegaria às grandes praças.

Outro problema possivelmente mais dramático é o do preço dos medicamentos. Um dos dois principais componentes desse problema é o do custo da química fina importada usada na fabricação deles, o que encarece imensamente os tratamentos. Mas o problema mais grave é o das patentes. Beneficiando-se da lei de propriedade intelectual aprovada pelo Governo FHC, simplesmente a mais entreguista e antinacional do mundo, e do sucateamento do Inpi, as corporações farmacêuticas internacionais perpetuam seus direitos de patente por tempo além do necessário e praticam preços muitas vezes exorbitantes. Já vimos aqui que em 2015 o gasto do Ministério da Saúde com medicamentos foi de R$14,8 bilhões, o que representou um crescimento de 74% na conta em sete anos.[9]

Muitos, quando consideram este cenário dramático, perdem de vista que estamos falando da vida e da saúde de milhões de mães e pais de família, avós, filhas e irmãos de brasileiras e brasileiros. Não importa o que as restrições de financiamento nos imponham: temos obrigação moral de melhorar esse cenário.

No que tange ao subfinanciamento da área, não nos resta saída a não ser revogar, imediatamente, a reforma do teto de gastos e retomar o ritmo acelerado de crescimento que perdemos nos anos 1980. Se não ficarmos mais ricos, não teremos um sistema de saúde substancialmente melhor.

No que diz respeito à gestão do sistema, tenho algumas propostas:

1. *Reforma da Lei de Patentes* – Devemos reduzir as brechas para concessão e extensão das patentes de medicamentos ao mínimo do pactuado pelo acordo da OMC, aproveitando para isso projetos de lei que já tramitam no Congresso. Paralelamente, precisamos revitalizar o Inpi para propiciar a rápida análise dos pedidos de patente pendentes e futuros.

2. *Complexo industrial da saúde* – Já abordado aqui, é condição indispensável da redução dos custos de medicamentos e aparelhos de saúde de que precisamos.

---

[9] DAVID, G., ANDRELINO, A.; BEGHIN, N. *Direito a medicamentos*: avaliação das despesas com medicamentos no âmbito federal do Sistema Único de Saúde entre 2008 e 2015. Brasília: Inesc, 2016.

3. Informatização do sistema – Não podemos mais adiar a criação de sistemas de *e-government* no Brasil, e em nenhuma área eles são mais necessários para a redução de despesas e melhoria da qualidade dos serviços do que na saúde. A começar pela efetivação de um cadastro médico único do cidadão, de preenchimento obrigatório por qualquer médico público ou particular; marcação on-line de consultas que diminua o drama absurdo das longas filas de espera presenciais em algumas unidades do sistema; criação de sistema on-line de avaliação dos serviços prestados por parte dos usuários; criação de um site aberto de diagnóstico diferencial nos moldes do NHS, para consulta pública; entre outros serviços eletrônicos.

4. Nova distribuição das atribuições de saúde – Devemos lutar por uma nova regulamentação de procedimentos que diminua a demanda pelas consultas realizadas por médicos e aumente as atribuições das outras profissões da área da saúde, como enfermagem, farmácia, psicologia e fisioterapia. Isso envolve a criação de um sistema de triagem telefônica primária obrigatória, nos moldes do NHS, que encaminhe diretamente a farmacêuticos o atendimento relativo a problemas de saúde comuns e de baixo risco e agressividade, aliviando o sistema de atenção primária, assim como uma ampliação das atribuições de enfermeiros e psicólogos no sistema.

5. Mais Médicos (formados) – Não podemos somente resolver o problema da carência de especialidades com importação provisória de profissionais onerando nossa balança de pagamentos. Temos que levar as universidades públicas a dirigir seu perfil de formação às necessidades e carências brasileiras. Paralelamente, só podemos conceder autorização para a criação de novas faculdades de medicina que estejam direcionadas a essas mesmas metas. Também podemos passar a exigir dos futuros estudantes de medicina que venham a receber sua caríssima formação do Estado que ressarçam parte desse esforço de investimento de nosso povo através da prestação de serviço social obrigatório, remunerado e temporário de dois anos na rede pública, dando a oportunidade àqueles que não quiserem restituir com trabalho o investimento do Estado de o ressarcirem em dinheiro.

6. *Adstrição de clientela e regulação* – O aparente caos na saúde não deriva somente de seu grave subfinanciamento, mas também do fato de que o SUS está, décadas depois de sua criação, a meio caminho de sua verdadeira implantação organizacional. Os termos técnicos acima querem apenas dizer uma coisa muito simples, no conceito, embora politicamente complexa de implantar por colidir com interesses menores. Todo brasileiro, independentemente de renda, deve ser vinculado ao SUS através de uma porta de entrada que hospedará seu prontuário eletrônico, a partir do qual cada paciente será referido ou contrarreferido a outras unidades mais complexas ou especializadas, conforme regulação centralmente administrada área a área. É assim: a unidade básica de saúde é a porta de entrada, e a central de regulação direcionará o paciente para exames especializados, consultas com especialistas ou cirurgias, conforme as necessidades apontadas pelos profissionais de saúde.

A Reforma da Segurança Pública

Gostaria aqui humildemente de reconhecer que não acredito saber a solução definitiva para a violência no Brasil. Da mesma forma, não acredito que ninguém isoladamente a conheça. Uma das missões que me atribuí nos próximos anos é a de estudar as principais experiências bem-sucedidas do mundo em busca de exemplos que pareçam adaptáveis para a nossa realidade.

Como já abordei aqui, em 2017 o Brasil teve mais de 60 mil homicídios.[10] Em 2016, registrou 12,5% das mortes violentas em todo o planeta, tornando-se campeão absoluto de assassinatos.[11] O Atlas da Violência 2017 não deixa dúvidas: a violência no Brasil tem classe, idade e cor. Estamos assistindo a um fenômeno conhecido como "juventude perdida": a marcha do crescimento da morte violenta de jovens desde os anos 1980 (desde que nosso país estagnou). E a maioria desses jovens são inequivocamente homens, da periferia, negros, pardos ou caboclos.[12] Não menor é a quantidade nem diferente o perfil dos jovens encarcerados. O Brasil já tem hoje a terceira maior população carcerária do mundo, com mais de 812 mil detentos.[13] É particularmente assustador constatar que essa explosão da população carcerária ocorreu nos últimos 25 anos, quando aumentou oito vezes, durante os governos do PSDB e do PT. Particularmente nos governos do PT a política do encarceramento em massa se acelerou. Recebendo um país com 239 mil detentos no início de 2003, o partido o entregou, no fim do Governo Dilma, com 726 mil detentos.[14] Acho que esse número é suficiente para questionarmos a eficácia, quando não a moralidade ou o impacto econômico, da política de encarceramento em massa, já que a criminalidade só aumentou

---

10 O número de 59.109 homicídios ainda não conta com os números completos de Tocantins e Minas Gerais e não leva em conta os mortos em decorrência de ação policial. CAESAR, G. & REIS, T. "Brasil registra quase 60 mil pessoas assassinadas em 2017." *G1*, mar. 2018. Disponível em: https://g1.globo.com/monitor-da-violencia/noticia/brasil-registra-quase-60-mil-pessoas-assassinadas-em-2017.ghtml
11 CHADE, Jamil. "Brasil tem maior número de mortes violentas do mundo." *Estado de S. Paulo*, dez. 2017. Disponível em: http://brasil.estadao.com.br/noticias/geral,brasil-tem-maior-numero-de-mortes-violentas-no-mundo-diz-entidade,70002111415
12 Atlas da Violência 2017. Ipea. Disponível em: https://www.ipea.gov.br/portal/index.php?option=com_content&view=article&id=30253
13 BARBIÉRI, Luiz Felipe. "CNJ registra pelo menos 812 mil presos no país; 41,5% não têm condenação." *G1*, jul. 2019. Disponível em: https://g1.globo.com/politica/noticia/2019/07/17/cnj-registra-pelo-menos-812-mil-presos-no-pais-415percent-nao-tem-condenacao.ghtml
14 Ministério da Justiça. Infopen. Disponível em: http://dados.mj.gov.br/dataset/infopen-levantamento-nacional-de-informacoes-penitenciarias

no Brasil no mesmo período. Esse é um dado real, não é possível relativizar e nem se trata de alisar bandido, seja qual for. Se trata de constatar a ineficácia dessa política. Cumpre notar que nem a orçamentação, nem o desenho institucional do país em matéria processual penal, por exemplo, sofreram mudanças sequer remotamente proporcionais à escalada da violência e do medo entre nós.

O atual colapso de segurança pública é sem precedentes no país e desafia nosso conhecimento do tema. É evidente que o modelo tradicional de repressão não está funcionando. Não serão slogans, frases feitas e personagens que a resolverão. Muito menos a liberação da posse e porte de armas ou o aumento de seu poder de fogo pelo governo federal. Esse tipo de ação vai contra toda experiência internacional na diminuição da violência e é difícil acreditar que tenha qualquer motivação que não escusa e perversa.

Estou convencido de que o governo federal tem que assumir as rédeas do problema e promover inovações institucionais na área. As direções de algumas inovações sugiro a seguir.

Primeiro, evitar que as cadeias se tornem universidades do crime. Implantar uma política de segregação do preso perigoso daqueles jovens que entram pela primeira vez numa cadeia, dificultando seu recrutamento por facções criminosas. Criar uma segregação no sistema carcerário também por tipo de crime, evitando que o preso se torne um "generalista" na criminalidade.

Segundo, alterar o Código Penal de forma a evitar ao máximo penas de reclusão para presos que não oferecem riscos físicos a suas vítimas, como portadores de pequenas quantidades de drogas, de forma a que não se incorporem de fato à cadeia de comércio do tráfico nem onerem o Estado encarcerados sem trabalhar.

Terceiro, isolar os chefes de organizações criminosas e impedir sua comunicação com outros membros de sua organização. Em 2019, o governo do Ceará, enfrentando a reação terrorista das organizações criminosas, aplicou essa ação com resultados excelentes na diminuição do número de assassinatos. Ainda é cedo para ter certeza da eficácia da medida, mas parece que estamos no rumo certo. É preciso reconhecer aqui que este talvez seja um dos únicos aspectos do governo federal atual onde uma medida na direção correta tenha sido tomada. Com o apoio do Ministério da Justiça foram isolados os chefes das organizações criminosas.

Quarto, criar um sistema único de segurança pública, centralizando, hierarquizando e articulando as ações, começando nas guardas municipais, passando pelas polícias militares e civis estaduais e chegando na Polícia Federal.

Quinto, reorientar a Polícia Federal para duas grandes tarefas: repressão aos instrumentos do crime organizado (como lavagem de dinheiro e contrabando de drogas) e inteligência e investigação científica criminal.

Sexto, restaurar a autoridade do Estado e a imagem de seus representantes máximos para diminuir a sensação de iniquidade, injustiça e impunidade generalizada.

Sétimo, implantar um plano nacional de combate às milícias, que cresceram de forma descontrolada com o beneplácito de autoridades criminosas, tornando-se a máfia brasileira, que hoje ameaça engolir o próprio Estado brasileiro e desafia a autoridade das Forças Armadas.

No entanto, apesar de sabermos que a violência é um fenômeno de múltiplas causas, não podemos ignorar que a maior delas é o colapso econômico. A criminalidade no Brasil tem se agravado desde que o país parou de se desenvolver. Cerca de 1,7 milhão de jovens chegam ao mercado de trabalho por ano, e o Brasil desde 2015 fecha postos de trabalho todos os anos. É evidente que hoje esse é o maior ingrediente da violência urbana. Jovens bombardeados pelas mídias com expectativas de consumo imensas, que não têm sequer como conseguir o alimento de cada dia. Mais uma vez, vemos que o Brasil não tem opção: tem que voltar a crescer, ou também a violência não terá solução.

QUE BASE SOCIAL PODE SUSTENTAR UM PROJETO SOBERANO?

O papel aceita tudo. Embora sem um projeto consistente não se possa promover o desenvolvimento soberano de um país, não foi por falta de projetos que tantas nações soçobraram.

Tão importante quanto termos uma ideia do que fazer é termos uma ideia de como fazer. Como vamos reunir a base social necessária para a realização de um novo grande projeto nacional de desenvolvimento? As pistas estão em nossa própria história. Como nos industrializamos? Como derrotamos a hiperinflação? O caminho sempre foi o mesmo, a política, e crises agudas favorecem a formação rápida dessas novas bases.

Antes das eleições
Nosso sistema presidencialista tem a virtude de permitir a construção de uma base política e partidária para um projeto a partir da campanha presidencial. O candidato constrói a base eleitoral a partir da proposta, e eventualmente eleito, a base partidária a partir do poder do cargo.

A primeira etapa nessa construção é o diálogo com a sociedade. O esforço para mobilizar a atenção e o debate sobre o tema. Furar o bloqueio da grande mídia e dos grandes partidos através do processo eleitoral. Essa é a oportunidade que temos de quatro em quatro anos para debater e decidir os rumos do país. Durante esse debate com a academia, os sindicatos, os empresários, os movimentos sociais, temos que ser capazes de conquistar corações e mentes para um grande pacto nacional entre quem trabalha e quem comanda a produção do Brasil.

Tendo os canais e a oportunidade de um processo eleitoral, quando a atenção dos cidadãos cansados e desesperançados novamente se volta para a discussão dos problemas do Brasil, temos que promover a conscientização de que nenhum país sobrevive a mais de duas décadas de juros reais mais altos do mundo nem a quase metade do orçamento nacional naufragado no serviço da dívida. Nenhuma nação sobrevive pagando, de juros, o equivalente a 25% (R$340,9 bilhões em 2017)[15] de tudo o que arrecada em impostos e contribuições (R$1,34 trilhão em 2017).[16] Embora seja importante reconhecer que o governo atual diminuiu a taxa básica de juros que remunera parte dos títulos do governo, a Selic, o orçamento de 2020 ainda prevê o pagamento de incríveis R$415 bilhões de juros, o que, em proporção com toda a arrecadação da União, prevista em R$1,64 trilhão, dá os mesmos 25% de 2017.[17]

Não construiremos essa nova maioria nacional sem falar a verdade, sem usar o processo político para formar, informar e ser informado. É evidente que essa é uma tarefa difícil, mas a história condenará aqueles que buscam resultados eleitorais sem tentar realizá-la. Que descaradamente se prostram ante um cinismo moral disfarçado de pragmatismo que não tem nada a oferecer a nosso povo senão a perpetuação de nossas estruturas de desigualdade, estagnação e dependência.

Depois das eleições
Outra pergunta legítima é como conseguir a base necessária no Congresso Nacional para um governo que se disponha a acabar com os privilégios de grupos tão poderosos.

Novamente, devo dizer que não falo no tema sem conhecimento de causa. Já fui líder de oposição e de governo na Assembleia Legislativa, deputado federal, ministro duas vezes, governador, prefeito. Nunca deixei de conseguir formar as maiorias necessárias para governar e aprovar os projetos de interesse da população, mesmo quando versavam sobre temas polêmicos e complexos.

Insisto com meus concidadãos que o Congresso, embora dramaticamente inconfiável pela maioria da população, não é o deserto de espírito

---

15   Banco Central. "Necessidades de financiamento do setor público, fluxos mensais." Disponível em: http://www.bcb.gov.br/pec/Indeco/Port/indeco.asp. Acessado em 18 de maio de 2018.
16   Receita Federal. "Receita arrecadou R$ 1,34 trilhão em 2017." Disponível em: http://idg.receita.fazenda.gov.br/noticias/ascom/2018/janeiro/receita-arrecadou-r-1-34-trilhao-em-2017
17   Projeto de Lei Orçamentária Anual – Ploa 2020. Op. cit.

público que parece a ela. Ele é heterogêneo não só em relação aos partidos, em sua maioria totalmente descaracterizados, mas também em relação aos interesses e ao compromisso moral de cada um. Simplificadamente, posso dizer que ele se divide em três núcleos: o de cidadãos sérios, apesar de visões de país diferentes; o de indivíduos que veem a legislatura como uma temporada de caça a negócios ilícitos, enriquecimento pessoal e tráfico de influência; e um terceiro grupo oscilante, que vai pender para o tipo de processo que estiver sendo sinalizado pelo Executivo.

De qualquer forma, uma maioria política e moral criada com um grande debate nacional gera um governo coberto pelo manto da legitimidade popular, favorecendo o reordenamento ao menos provisório das forças políticas por razões diferentes de negociatas, mais tempo de TV ou votos para barrar CPIs. Igualmente, quando temos nos estados novos governadores fortes e legítimos que querem recuperar a capacidade de investimento dos Executivos estaduais, com uma liderança natural exercida sobre as bancadas de seus estados, essa tarefa, nas mãos de um governo hábil e experiente, fica extremamente facilitada. O que a torna impossível é o governo federal entregue nas mãos de estagiários que nunca manejaram esse complexo trabalho. Precisamos no Brasil de mais Getúlio e Juscelino e menos Dilma e Bolsonaro. Os governadores devem ser procurados e integrados nesse grande esforço de realinhamento nacional.

Quem for escolhido para liderar esse grande projeto nacional como presidente tem a obrigação de negociar com aqueles que a população eleger como seus representantes, estaduais e federais, mas em termos republicanos, na frente do povo. Os seis primeiros meses de governo favorecem esse tipo de relação e a aprovação do programa escolhido pela população. Caso esse diálogo chegue a impasses insuperáveis naquele momento, devemos recorrer ao eleitor, seguindo o que está previsto em nossa Constituição.

Essa convocação para o povo escolher diretamente seu destino acontece por intermédio de referendos e plebiscitos. A tributação dos mais privilegiados (entre os quais se encontram os congressistas e juízes) ou a mudança no sistema de eleição para o Legislativo podem requerer o voto direto popular. A adjetivação dessas práticas democráticas comuns nos EUA e na Europa como "bolivarianismo" não deve nos intimidar. O terror de nossas elites em relação à manifestação da vontade popular é crônico.

Durante a execução do projeto e além
Tenho defendido a importância de construirmos, no Brasil, uma nova burguesia que democratize a formação de capital e oxigene a burguesia tradicional que se acomodou, em grande parte, nos ganhos fáceis do rentismo.

Como já expus aqui, essa nova burguesia seria formada pela parcela bem-sucedida dos estudantes inovadores e emergentes empreendedores. Apesar de várias medidas de apoio e fomento do Estado que já foram esboçadas aqui, a chave básica para empoderar essa classe emergente é a restauração da normalidade das condições de crédito, ausentes no Brasil há quase quarenta anos. Apesar da queda da Selic, o crédito pessoal, o crédito empresarial, os juros ao consumidor, do cartão e do cheque especial continuam inalterados e entre os maiores do mundo, fazendo com que, em 2019, os bancos tenham batido, mais uma vez, um recorde histórico de lucros.

Uma vez que possamos criar no Brasil uma onda de novos pequenos negócios e novos empreendedores bem-sucedidos, essa nova classe emergente e aqueles que querem segui-la tenderão a cobrar do Estado o papel de indutor do crescimento e regulador das condições de crédito.

Da mesma forma, a montanha-russa de nossa vida política e econômica recente é uma oportunidade de ouro para finalmente realinhar uma classe média que entendeu que foi enganada pela terceira vez e de novo pagou o pato brasileiro, mas continua perdida e em boa parte apoiando seus maiores algozes e exploradores.

Além de uma nova burguesia empreendedora, comprometida com o desenvolvimento nacional, é preciso trazer de volta os trabalhadores da pasmaceira generalizada em que caíram nas quase três décadas de neoliberalismo. No avanço neoliberal sobre os direitos trabalhistas, os poucos trabalhadores organizados adotaram uma postura defensiva, cada categoria protegendo as suas conquistas legadas pelo passado. Durante o período dos governos do PT, que sempre se vangloriou de poder legitimar suas ações no controle de amplas bases sociais, o que predominou foi a desmobilização e a passividade, frutos de uma perspectiva de militância inorgânica. Isso sem falar nos trabalhadores precarizados, que, longe do alcance do trabalho formal e da carteira assinada, acabaram também privados de uma participação política mais intensa.

Base social não significa alinhamento passivo de expressões cooptadas da sociedade civil, e sim o empoderamento – respeitada sua autonomia diante das políticas oficiais – de uma interlocução com as entidades legítimas da sociedade. O que quero dizer com isso? Estudante a favor do governo, sindicalista a favor do governo perde o nexo de legitimidade com sua base. Por isso assistimos ao desmonte despudorado dos direitos trabalhistas sem que qualquer reação popular notável tenha acontecido. Isso é fruto do anestesiamento das lideranças da sociedade civil pela cooptação e pelo suborno.

Todo Projeto Nacional emancipatório de um país terceiro-mundista requer mais do que a mera participação dos trabalhadores organizados e desorganizados. Necessita do intenso protagonismo e da mobilização de bases esclarecidas, cientes do ideal de nação que é construído coletivamente. Para tanto, não se deve cair no expediente demagógico das promessas impossíveis nem acreditar em radicalismos meramente retóricos. É preciso mostrar com exemplo, ideia e militância, e não culto à personalidade, o que deve e como deve ser feito, concretamente.

O fortalecimento dos sindicatos e de outros movimentos organizados da sociedade civil é parte integral da consolidação da democracia, sequestrada desde 2013 pela crescente intervenção estrangeira no Brasil. A organização coletiva e democrática é a única vacina contra as *fake news* e outras modalidades de manipulação de massas que surgiram no alvorecer do século XXI.

Por fim, temos que entender que o exercício da política é um exercício de formação da consciência nacional, o compromisso com um estado de permanente educação cidadã sobre os problemas e desafios do país, expostos clara, honesta e frequentemente.

Não precisamos para isso defender reformas autoritárias de controle da imprensa, mas preferencialmente democratizá-la pelo caminho da oferta, aproveitando as novas mídias e tecnologias e criando linhas de crédito especiais para a formação de cooperativas de jornalistas, artistas e produtores culturais. Devemos incentivar a organização de novos jornais e televisões, eletrônicas ou regionais, serviços de produção de conteúdo e streaming. A mudança no perfil do consumo de notícias e entretenimento é irrefreável, e, assim como na economia, democratizar o acesso aos bens é muito mais eficiente e menos conflituoso se for feito pelo lado da oferta, ou seja, da produção de novas opções e oportunidades.

Acredito que, como dizia Churchill: "Um governante que reclama de sua imprensa é como um marinheiro que reclama do mar". Em vez de se lamentar sobre as distorções, omissões e mentiras de uma imprensa comercial que defende os próprios interesses econômicos, devemos, na oposição, fazer uso frequente das mídias sociais, e, no governo, dos canais institucionais de comunicação com o povo brasileiro, procurando a apresentação de posições e informações sem intermediários. Sites oficiais, redes nacionais de rádio e TV, redes sociais: furar o bloqueio e o filtro dos interesses econômicos e políticos da mídia para manter um canal direto com a população é fundamental.

Um povo consciente, com um mercado interno dinamizado, uma classe trabalhadora fortalecida por um mercado de trabalho forte e ganhos reais de salário, uma estrutura de representação política reformada, uma mídia democratizada, Forças Armadas potentes e equipadas por uma estrutura industrial brasileira, uma burguesia nacional novamente dependente de extrair sua riqueza da produção e uma nova classe emergente: eis a base social que poderia garantir a longo prazo a construção e manutenção do Brasil que sonhamos para os nossos filhos e netos.

Por uma nova esquerda

No momento em que a desigualdade no mundo alcança níveis alarmantes e crescentes, que o neoliberalismo se desmoraliza e deixa seu rastro de destruição por onde quer que tenha passado, a esquerda é derrotada na maior parte das democracias ocidentais e assiste perplexa à ascensão da extrema direita.

Se isso não é sinal de que a esquerda tradicional tem errado muito, não sei o que seria.

Refletir sobre esses erros e mudar de rumo é fundamental. Quero aqui, no último capítulo deste livro, propor para reflexão algumas ideias que tenho discutido pelo país, aspectos que, acredito, possam ser parte dessa resposta, assim como propostas para uma nova atitude progressista, com o resgate de valores fundamentais não só para nosso povo, mas para toda a civilização.

Vamos tentar seguir o mesmo método: definição, diagnóstico e propostas de solução, primeiro no mundo e depois particularmente no Brasil.

Há ainda sentido em falar de esquerda e direita?

É comum ouvirmos a afirmação de que não existem mais esquerda e direita, de que "tudo é a mesma coisa", ou ainda a piada de que a única diferença entre uma posição e outra é a mão que rouba.

Essa é uma atitude que nega a política, portanto está comprometida com a manutenção da sociedade como ela está. Por quê? Porque, ao negar diferenças entre projetos de sociedade e reduzir a política a um concurso para escolher o melhor gestor ou mesmo o assaltante preferido, se está assumindo a ideia de que não há nada a mudar na estrutura da sociedade ou que mudanças não são relevantes, nem mesmo possíveis. Precisaríamos somente de pessoas honestas e competentes para que tudo funcionasse bem. Pessoas honestas e competentes são fundamentais, mas a política é acima de tudo a escolha entre projetos diferentes para a sociedade.

Entretanto, o mais importante aqui é que a afirmação de que não existem mais esquerda e direita é falsa. A confusão muitas vezes se dá também porque esquerda e direita não são conceitos absolutos, mas relativos. As pessoas só são de "esquerda" ou de "direita" em relação a determinada situação concreta e momento histórico.

A origem desses termos para designar o campo político está na Revolução Francesa. Na primeira Assembleia Nacional, sentavam-se à direita os "girondinos": a nobreza (defensora do Antigo Regime) e a alta burguesia (banqueiros e grandes empresários), sua aliada. A alta burguesia buscava conservar o *statu quo*, ou seja, eram "conservadores", e os nobres queriam retroceder ao passado monarquista, ou seja, eram "reacionários".

À esquerda sentavam-se os defensores de uma nova sociedade, os "jacobinos". Esses eram constituídos basicamente de profissionais liberais, como médicos e advogados, comerciantes (os pequenos burgueses), camponeses e trabalhadores urbanos (os *sans-culottes*). Os primeiros, em sua maioria, buscavam apenas a igualdade de todos perante a lei, eram "liberais"; já os segundos pregavam a extinção das hierarquias econômicas e sociais da época.

Como podemos ver, naquela sociedade, recém-saída do absolutismo, um liberal era um representante da "esquerda".

Mas a definição do que sejam esquerda e direita do ponto de vista político depende geralmente de quem está oferecendo a definição e também de seu contexto histórico e geográfico.

Para a esquerda, que privilegia o valor da igualdade, o termo "esquerda" passa a designar o conjunto das organizações sociais que buscam a transformação da sociedade atual em direção a uma maior igualdade entre os cidadãos, enquanto "direita" passa a designar aqueles que querem conservar ou até ampliar a desigualdade, que é encarada como a justa diferença de riqueza entre pessoas que têm diferentes merecimentos.

Já para a direita, que privilegia o valor da liberdade, geralmente os termos designam a posição acerca do tamanho do Estado na economia. O termo "esquerda", nessa perspectiva, designaria aqueles que defendem um Estado grande até o extremo de um Estado máximo, e "direita", aqueles que defenderiam o máximo de autonomia econômica para os indivíduos até o extremo de um Estado mínimo, reduzido praticamente ao sistema judiciário.

Essa definição alternativa, disseminada pelo neoliberalismo, está associada à ideia de que o *laissez-faire*[1] sozinho promoveria o progresso humano. Sem se preocupar com a questão da igualdade ou do mérito, a crença é de que a riqueza gerada pela livre-iniciativa de indivíduos dirigidos por suas motivações individuais seria maior do que aquela que poderia ser gerada e distribuída pelo Estado interventor. Portanto,

---

1 Expressão francesa que significa "deixar fazer". Ficou associada ao liberalismo econômico (que é diferente de liberalismo político), à ideia de que o mercado deve funcionar livremente, sem interferência ou regulação do Estado, que só teria a função de proteger a propriedade.

a desigualdade numa sociedade rica seria melhor que a igualdade numa sociedade mais pobre.

Do ponto de vista individual, a defesa dessa liberdade abstrata muitas vezes é uma retórica vazia assumida por grande parte da parcela mais rica da população para justificar a desigualdade, uma vez que sem condições materiais necessárias mínimas, nenhum indivíduo será livre, que dirá crianças que não pediram para nascer. Do ponto de vista coletivo, sabemos que nação alguma jamais progrediu consistentemente sem interação do mercado com um Estado forte, regulador e indutor. Os EUA, modelo da maior parte da direita brasileira, não existiriam sem a atuação do Estado americano no desenvolvimento tecnológico, nas compras governamentais e na abertura de mercados através da força militar e de sua agência de inteligência.

Embora essas duas definições de esquerda e direita quase sempre classifiquem os mesmos indivíduos nas mesmas posições no espectro político, existem falhas nessa correspondência. Por exemplo, não funciona quando consideramos que um Estado grande e interventor pode também ser colocado a serviço da concentração de renda, como ocorre no fascismo.

As constantes retomadas de discussões teóricas sobre graus de liberdade e igualdade na sociedade sempre tiveram funções políticas muito concretas, inclusive na atual confusão intencional que causam no debate público. Uma das principais é a que confunde esquerda com a mera defesa de liberdades individuais (o liberalismo) e direita com a defesa de valores tradicionais (o conservadorismo).

A defesa de que todos são igualmente livres para exercer sua sexualidade e religiosidade da forma que quiserem – desde que não cerceiem com isso a liberdade de outros – é uma bandeira antiga do liberalismo político que está presente na esquerda, mas também na direita liberal. Não define a disputa entre elas. Isso mostra que essa redução das diferenças entre esquerda e direita pelo viés dos costumes serve mais pelo que esconde do que pelo que revela. Essa ocultação é a fonte e a motivação desse extemporâneo ressurgimento do movimento conservador que hoje tenta se estabelecer como "a verdadeira direita".

Tentando se vincular ao "reacionarismo" antigo, que designava um movimento de reação a alguns valores modernos e se afirmava como guardião da "tradição", dos valores e do patrimônio cultural da Antiguidade, a direita conservadora atual cumpre função política muito distinta dos ideais que diz defender. Em sua origem, durante as revoluções do século XVIII, o conservadorismo se caracterizava pela desconfiança da mudança, que quando inevitável deveria ser o menos disruptiva possível, porque a desordem resultante de uma mudança radical desorganizaria a sociedade e destruiria o tecido social, cujo exemplo de fracasso e degradação seria a própria Modernidade. Em sua forma atual, sob pretexto de salvar o "Ocidente", tem servido principalmente para vocalizar um conveniente discurso dos países centrais, seja para reordenar sua política interna, visando à manutenção das desigualdades dentro de seus países, seja para a política externa, intensificando a exploração dos países periféricos.

Apesar de esse discurso seduzir pessoas bem-intencionadas entre nós, movidas por respeitáveis preocupações de preservação das tradições e proteção da religiosidade popular, o que esse ideário tem gerado na prática é apenas um neoliberalismo de roupa nova, avesso aos valores do cristianismo. Por isso, acho equivocado e perigoso assumirmos acriticamente ideologias importadas que, normalmente, trazem escondidas intenções que vão contra os interesses do nosso povo e do nosso país.

Na minha opinião, ninguém é de esquerda porque se diz ser ou gostaria de ser. O que determina se alguém é de esquerda é sua prática, é a posição que toma nas lutas concretas da sociedade e a obra que realiza quando tem poder. Da mesma forma, ninguém é de direita só porque pensa diferente de nós ou porque defende valores como eficiência, planejamento, honestidade, patriotismo e segurança pública. Muito pelo contrário, esses deveriam ser valores de toda a sociedade.

Enfim, a diferença entre esquerda e direita continua sob qualquer ponto de vista, mas a classificação de alguém como tal é sempre relativa à sociedade em que está atuando. Eu, por exemplo, se tivesse nascido na Coreia do Norte seria de "direita", pois acredito na livre-iniciativa, no lucro moderado – a legítima remuneração do risco e do capital imobilizado do capitalista – e na diferença de remuneração entre seres humanos diferentemente capazes e esforçados como algo não só desejável e eficiente como justo. Também acredito no papel insubstituível da iniciativa privada na potência criadora da economia e na alocação de seus recursos de forma racional no nível local.

Da mesma forma, se eu fosse um nobre inglês, vivendo num país que aboliu a pobreza extrema e criou um Estado de bem-estar social com excelente serviço de saúde e educação, talvez me sentisse inclinado a defender a diminuição dos gastos do Estado e a colocar a valorização do legado cultural britânico acima de outras questões sociais. No entanto, nasci na periferia do capitalismo latino-americano e preciso lutar para superar o subdesenvolvimento do meu país e sua brutal e injusta desigualdade. Aqui, eu sou "de esquerda".

Sem querer me esquivar da definição de como me vejo no espectro político, diria que, sob o ponto de vista da classificação da esquerda, sou uma pessoa de centro-esquerda, que aceita a liberdade econômica com seus riscos potenciais de produção de injustiça, para fazer uso do poder criador da riqueza na estimulação fragmentada da livre-iniciativa. Do ponto de vista da direita, sou uma pessoa de centro, que não defende nem o Estado máximo nem o Estado mínimo, mas o Estado necessário.

Assim sendo, me considero de centro-esquerda. Eu diria que sou um social-democrata que tem grande admiração pelo modelo socioeconômico vigente nos países escandinavos ou na Alemanha. No entanto, sou um social-democrata latino-americano e conheço bem os imensos entraves em nosso continente à realização desse ideal. A social-democracia escandinava é o resultado de um longo processo de desenvolvimento e de lutas populares que se materializaram no contexto de uma Europa pressionada pela expansão do comunismo. Por isso, não basta copiarmos suas instituições e acreditar que teremos o mesmo resultado aqui. Para tanto, será necessário forjarmos nosso próprio caminho sem nunca nos esquecermos de quem somos. E nós já temos esse caminho próprio, o trabalhismo, que, como veremos adiante, é a forma brasileira da busca pelo ideal anunciado pela social-democracia.

Acredito que não é possível ser feliz numa sociedade infeliz, rodeado de pessoas vivendo em situação de sofrimento extremo, injustiça e crueldade.

Se você também acredita nisso e quer agir para mudar essa situação, então, compatriota, nós somos aliados quer você se identifique como sendo de esquerda ou de direita. Estamos juntos nesses objetivos econômico--sociais. O que temos que discutir é como podemos alcançá-los de forma mais eficiente e justa, sem interdições ideológicas.

Identifique-se como achar que deve.

A CRISE DA ESQUERDA CONTEMPORÂNEA

Vivemos hoje um quadro de profunda crise capitalista em que o neoliberalismo fracassou rotundamente e a desigualdade volta a avançar no Ocidente. Diante dessa crise cultural profunda, a esquerda ocidental patina e vê parte de seus espaços perdida para a extrema direita.

Diante do imenso fracasso das políticas que têm diminuído o papel do Estado sem planejamento estratégico algum, esperando que o espontaneísmo do mercado seja o motor do desenvolvimento enquanto paga taxas de juros mais altas que o rendimento médio dos negócios, a retórica neoliberal sempre rejeita a responsabilidade pelas consequências nefastas de suas políticas (veja o colapso que aconteceu na Argentina neoliberal de Mauricio Macri[2]) dizendo que não deixaram dar a dose suficiente de seu remédio. Ou seja, eles sempre alegam que tudo deu errado porque não destruíram o Estado o bastante. Durante os governos neoliberais só a estagnação ou a catástrofe tem vez. A culpa, o neoliberalismo coloca na suposta "gastança" dos governos anteriores, e quando finalmente sai do poder e o país volta a se desenvolver, ele diz que o crescimento foi por causa de seu "ajuste" ou "modernização".

Mas se o remédio é bom, ou a situação melhora ou o ritmo da piora tem que diminuir. A crença de que tudo tem que piorar muito antes de melhorar não é nada senão misticismo importado para a economia.

Este é o grande paradoxo do liberalismo econômico que precisamos expor: a suposta liberdade individual irrestrita afeta severamente a liberdade da maioria dos indivíduos. A médio prazo, o liberalismo econômico colapsa o liberalismo político, porque ele tira da maior parte da sociedade as condições materiais necessárias para exercer a liberdade. Liberdade absoluta é a lei da selva, portanto, a lei do mais forte. E o ideal do liberalismo político clássico nunca foi garantir a liberdade absoluta, porque isso é o oposto da vida em sociedade, e sim a maior quantidade de liberdade possível para todos os cidadãos igualmente. Deixo a você, caro leitor, a conclusão dessa reflexão.

O outro extremo desse espectro também não nos interessa. A democracia é um valor inegociável, e a eficiência econômica deve sempre ser meta numa sociedade. Produzir mais e de forma mais eficiente não é um valor da direita. Significa produzir a mesma quantidade de bens utilizando menos trabalho e menos tempo de vida de seres humanos. Defender modelos socialistas (ou comunistas) ideais que nunca existiram é o equivalente, na esquerda, à defesa radical que alguns setores da direita fazem do neoliberalismo, que não oferece um único caso de sucesso no mundo.

---

2   PRESSE, France. "Economia argentina cai 3,5% no terceiro trimestre e entra em recessão." *O Globo*, dez. 2018. Disponível em: https://g1.globo.com/economia/noticia/2018/12/18/economia-argentina-cai-35-no-terceiro-trimestre-e-entra-em-recessao.ghtml

Chamamos essa posição de "esquerdismo". Ao contrário do que possa parecer, o esquerdismo não é a posição mais comprometida com a diminuição da desigualdade e com o desenvolvimento real, pois ela é, no concreto, uma posição sectária descolada da realidade atual e de suas correlações de força e conjuntura. O esquerdismo é uma "doença infantil do comunismo", como dizia Lenine, não o extraordinário cantor e compositor pernambucano, mas o velho revolucionário soviético. O imobilismo gerado por sua "pureza" ideológica impede a transformação das condições de vida concretas da população que vive e sofre hoje, em troca de um futuro ideal (para eles) que nunca chega. Normalmente, suas teorias impõem, como passo inicial para a ação efetiva, trocar de povo. Como essa arrogante e desrespeitosa etapa do processo revolucionário idealizado por eles não é possível, se fecham em suas intermináveis discussões teóricas, enquanto maldizem a incapacidade do povo de merecer seus libertadores.

Então, o que fazer? Neste item, vou tentar apresentar algumas pistas que, acredito, vão nos ajudar a pensar o problema, e o fazendo, talvez também oferecer algum indicativo de parte da solução.

Um novo consumismo globalizado
Como já esbocei neste livro, vivemos hoje num mundo dramaticamente diverso daquele no qual se deram as primeiras experiências social-democratas e socialistas na Europa.

A derrota pelo estrangulamento econômico causado pela corrida armamentista e espacial da Guerra Fria, somado ao fracasso em se compatibilizar liberdade política e desenvolvimento econômico, condenou o socialismo real no imaginário popular.

Setores mais organizados de trabalhadores se transformaram em verdadeiras cooperativas capitalistas através dos fundos de pensão, tomando decisões de como investir suas economias para garantir suas aposentadorias. Esses trabalhadores acionistas remodelaram o cenário intrincado na luta de classes, criando um ambiente distinto daquele observado no século XIX nos países industrializados. Por essa Karl Marx não esperava, e nem podia esperar, pois foi o entrechoque ideológico radicalizado entre o marxismo-leninismo revolucionário e o capitalismo liberal que produziu a síntese social-democrata. E nesse ambiente, deu-se o surgimento de coletivos de trabalhadores como capitalistas, dado que um dos maiores acervos de capital disponível no mundo moderno são os fundos de pensão. Estes tendem a administrar esses imensos ativos em bases estritamente profissionais, não nepotistas, e buscando, como um bom capitalista, o melhor ponto de equilíbrio entre rentabilidade e segurança em suas aplicações.

O neoliberalismo avançou sobre as barreiras comerciais e os Estados Nacionais para transformar os países em desenvolvimento em espaço vital para sua reprodução, criando, na prática, um neocolonialismo. Mas já na primeira década do século XXI esse consenso neocolonialista de abertura e desregulamentação da economia ruiu com a crise financeira de 2008, tornando o rótulo "neoliberal" rejeitado até por aqueles que defendem seu ideário. Aliás, gosto de brincar que a forma mais segura de identificar um neoliberal é dada pela acusação, feita por ele, de que o uso dessa palavra é fruto de "ignorância econômica".

As constantes revoluções tecnológicas pelas quais o mundo vem passando e que se acentuaram a partir do meio dos anos 1980 deixaram, nos dias de hoje, nações inteiras três ou quatro gerações tecnológicas para trás. Na proporção que a economia digital avança, esse profundo abismo já está gerando tensões que com certeza produzirão mudanças sociopolíticas mesmo dentro de territórios nacionais. Por exemplo, no Vale do Silício, na Califórnia, um funcionário do Google não tem jornada fixa de trabalho, não tem salário fixo, é remunerado por um mero *insight*, uma mera inovação que imagine. Não é raro que possa ficar milionário antes dos 25 anos, num ambiente de trabalho em que não faltam redes ou mesas de pingue-pongue, e que, ao descer para comer um lanche, seja atendido por um imigrante ilegal, obrigado a trabalhar doze horas por dia ganhando um salário miserável, e que provavelmente morrerá sem qualquer seguridade social. Se é assim em escala nacional, é mais do que ingênua: é criminosa a defesa de uma adesão passiva de uma nação a esse vanguardismo econômico que por média não conhecemos.

O avanço da ciência da computação nos colocou diante de sistemas de inteligência artificial e controle que ameaçam as liberdades individuais e a democracia. Nossos dados pessoais são capturados por programas supostamente gratuitos e vendidos com o objetivo de incentivar o consumo ou manipular as massas. Com a microeletrônica e a nanotecnologia, a espionagem atingiu níveis que tornam os antigos filmes de 007 divertidas comédias retrô.

A automação e a robótica estão dizimando milhões de empregos em ritmo acelerado e nos oferecem um horizonte próximo, de algumas décadas, de virtual extinção do trabalho, levando a uma concentração de poder inimaginável pelos detentores dos bens de produção, que, em breve, tenderão a se resumir a uma dúzia de gigantescas corporações. Só as tecnologias iminentes do 5G e da inteligência artificial garantem, ninguém duvide, que todo tipo de trabalho humano repetitivo será radicalmente substituído por máquinas e algoritmos. Um médico em Boston (ou em Xangai...) auxiliado por um algoritmo substituirá todos os médicos do mundo encarregados de emitir laudos sobre raio X, ressonância magnética ou tomografia computadorizada, assim como um software orientará robôs em intervenções cirúrgicas de complexidade intermediária. O que não dizer de motoristas de ônibus, balconistas ou serventes de pedreiro? Não nos planejarmos para essa iminência não é omissão, é um crime.

As redes sociais criaram um inédito processo de manipulação de massas que estamos somente começando a compreender, permitindo a empresas privadas um processamento gigantesco de informações, os metadados, e seu uso de forma totalmente independente e sem qualquer consideração ética ou controle social.

A globalização, nome nobilitante que deram ao neocolonialismo no fim do século XX, se valeu da revolução da informática e da internet para integrar o mundo inteiro numa gigantesca ciranda financeira sem lastro razoável na economia real, acelerando de forma imensa o fluxo de capitais.

Mas não só. Ao mesmo tempo, entregou o completo inverso de sua promessa de globalizar as condições de empreender, produzir ou buscar trabalho. A única coisa que de fato se generalizou foi a informação em tempo real, e essa informação estava predominantemente direcionada à disseminação e imposição do padrão de aspiração de consumo dos países ricos ao mundo todo.

As sociedades foram mergulhadas numa avalanche de imagens e mensagens tecnicamente desenvolvidas para disseminar essa aspiração e padrão incompatíveis com os limites econômicos e ecológicos das nações, assim como com a felicidade individual.

Como esbocei no início deste livro, deixamos de encontrar a felicidade em âmbito subjetivo, espiritual, como a busca de justiça social, a fruição estética da arte ou o amor romântico, para tentar fazê-lo no âmbito do mercado, que pergunta quanto de uma expectativa de consumo damos conta de praticar com a renda que temos.

Minha geração foi uma geração de insurgentes, que buscava a felicidade em bens espirituais, no domínio dos valores. No valor do sagrado também, mas igualmente no valor do prazer, do belo, da justiça, da compaixão. Acreditávamos que nossa felicidade seria encontrada na paixão, no romance, no amor, na música, queríamos o contato com o sagrado ou o saber, queríamos a revolução e um mundo melhor.

As novas gerações cresceram sob o estresse imenso do excesso de informações que vem pelas redes sociais, mídias e cinema, impregnadas de estímulos ao consumo e de propaganda. São massacradas dia e noite com imagens e símbolos que buscam seduzi-las, convencê-las a abandonar o mundo dos valores (daquilo que é um fim em si mesmo, e portanto satisfaz de fato) em busca do mundo das coisas (que no máximo são úteis para algo, e, como tal, são meios, não fins em si mesmas).

Hoje somos empurrados para entrar numa espiral de consumo: a criança no morro do Cantagalo, no Rio de Janeiro, sabe qual é o padrão de consumo ótimo nos países ricos, mas não tem renda nem para o consumo de subsistência em nosso país desigual e pobre. Se essa é sua referência de felicidade e sucesso, então ela aprende a acreditar que é infeliz e fracassada. Grande parte da produção não busca mais primariamente disponibilizar bens úteis, mas sim bens associados a símbolos de status. E status, em nosso tempo, não é mais fruto do saber ou do amor dos outros, mas da posse de produtos caros. Por que outro motivo alguém pagaria R$70 mil numa bolsa Louis Vuitton senão por puro símbolo de status? Para carregar coisas, compra-se uma sacola de R$2.

Então as pessoas passam a acreditar que são felizes caso possam satisfazer suas expectativas de consumo excitadas por essa superoferta. Isso gera numa perna a pirataria e, na outra, a violência.

A pirataria em nosso tempo não é roubo de carga, mas roubo de marca. É a tentativa venial, porém ilegal, de produzir o símbolo desejado e possuir o bom, bonito e barato. Essa é outra raiz da violência urbana, que não pode ser explicada apenas pela pobreza. A cidade cearense de Salitre tem uma renda per capita de um quinto da média nacional e, no entanto, passa dois anos sem ter nenhum homicídio. Na minha opinião, a raiz mais profunda da violência em nossa sociedade é o contraste entre a miséria e a opulência, vinculado às excitações das demandas de consumo. Mais ainda, as terríveis frustrações de se buscar a felicidade na posse de coisas, porque coisas não são fins, são meios para a felicidade. Sempre haverá novos padrões de consumo e produtos a acessar para tornar infeliz aquele que os deseja e não os possui.

Esse é nosso ambiente social e econômico atual. Se a esquerda fracassou, é porque não deu resposta adequada a ele. Como disse o ex-presidente do Uruguai José "Pepe" Mujica, "a esquerda falhou por criar consumidores e não cidadãos". Por quê?

O consenso neoliberal matou a esquerda tradicional
Ao olhar hoje tanto para a direita liberal quanto para os tradicionais partidos social-democratas, a população do mundo democrático identifica a mesma prática globalista e neoliberal que tem piorado sua condição de vida há quarenta anos. Suas atuações no governo têm sido as de meros operadores do mesmo sistema. Além disso, ambos defendem hoje pautas liberais no campo do comportamento, o que torna ainda mais difícil a diferenciação entre eles.

A essência do consenso neoliberal é que o governo existe somente para administrar serviços públicos que não interessem à iniciativa privada, executar programas de renda mínima e operar para o capital financeiro, e que o Estado deve abrir mão de sua capacidade e papel de investimento e coordenação da economia.

Desesperada com a perda de renda, de perspectiva de futuro para seus filhos e de empregos para a tecnologia e a globalização, essa população, principalmente a europeia – que assiste ao progressivo desmonte de seu Estado de bem-estar social –, não vê mais na esquerda democrática, social-democrata, uma opção para defender sua nação e seu modo de vida da sanha do sistema financeiro internacional, agravada pelo estresse migratório produzido por suas guerras e pela luz ilusória de seu consumismo. Esse padrão de consumo, além de impossível, vai matar o planeta Terra, como o aquecimento global e as pandemias já estão mostrando.

Ao procurar opções, encontra nos remanescentes da velha esquerda revolucionária a promessa de um socialismo real que se mostrou autoritário e derrotado economicamente, portanto, sem apelo atual. Alternativamente, encontra também uma esquerda forjada no ambiente pós-maio de 1968, que trocou a pauta econômica da luta de classes pelas pautas identitárias, e como resultado se afastou ainda mais dos anseios da classe trabalhadora.

É esse o cenário que acredito ter se tornado fecundo para a extrema direita. Da mesma forma que nos anos 1930 na Europa, ela ressurge no mundo todo prometendo um Estado forte e o retorno a um glorioso passado das tradições perdidas que teria sido roubado pela financeirização da economia e pela mudança nas tradições culturais impostas pela imigração em massa e pela revolução tecnológica. O que entrega, no entanto, é xenofobia e a ampliação da desigualdade social.

Aqueles que votaram em Trump e a favor do Brexit não rejeitaram a democracia ou o Estado de Direito Liberal: eles rejeitaram a globalização, o livre-comércio e a imigração. Diante de um mundo em crise, querem proteger seu país em primeiro lugar, seus empregos imediatamente.

Incrivelmente, o fenômeno de extrema direita brasileiro, Bolsonaro, difere dos outros fenômenos mundiais por querer também destruir o Estado e a indústria nacional, entregando o país de bandeja para os EUA. Na minha opinião, a ruína resultante de sua ação econômica provocará a rápida degradação de seu apoio popular.

A seguir, vou explorar outros três fatores que acredito contribuírem para o afastamento da esquerda da população mesmo no momento de maior crise do capitalismo desde 1929.

A herança do socialismo autoritário
Não é somente o histórico de experiências autoritárias na Ásia e no Leste Europeu, mas também outras ideias no arcabouço do "socialismo real" que causam atritos desnecessários à causa da igualdade social.

Há uma crença mal vulgarizada e distorcida, disseminada em grande parte da esquerda, de que tudo o que alguém é e pensa é determinado pela sociedade, o que gera consequências graves, como a dissolução da responsabilidade moral do indivíduo por suas escolhas e condição socioeconômica.

Entre um extremo que diz que o indivíduo é o único responsável por sua condição, não importando as condições sociais em que nasceu, e o outro que diz que o indivíduo não tem qualquer responsabilidade por sua condição atual existem muitas posições bem mais razoáveis.

Ao escolher o segundo extremo, muitos acabam, por exemplo, enfatizando excessivamente as justificações sociológicas para um crime, como se ele fosse única e exclusivamente culpa do ambiente social a que o indivíduo foi exposto. Ao ouvir esse discurso, a população que também cresceu no mesmo ambiente social, com as mesmas carências, e acorda todo dia às cinco da manhã para pegar um ônibus lotado para o trabalho fica indignada.

Isso acaba gerando a crença equivocada de que a defesa dos direitos humanos, que deveria ser uma bandeira universal, é a defesa de criminosos. A esquerda não pode ser complacente com o crime, nem no poder, nem na teoria, nem no discurso. Não pode alisar bandidos. Para combatermos duramente os crimes contra os direitos humanos, temos que combater duramente os crimes contra os "humanos direitos", para usar o trocadilho maliciosamente popularizado pela direita.

Outro discurso nefasto que ouvimos muitas vezes da boca de supostos esquerdistas "raiz" é a denúncia da moralidade no discurso político. Em vez de defender a justiça, essas pessoas afirmam que se deve defender o interesse de classe. Ou seja, a luta para aqueles que engolem essa interpretação não é para construir uma sociedade justa, mas sim para fazer os interesses de uma classe prevalecerem sobre os interesses de outra.

Quando assume esse discurso, a esquerda perde o motor moral para lutar contra a superexploração e a superdesigualdade, caindo num pseudorrealismo discursivo totalmente apartado da moralidade da população. E quando ainda esses militantes relegam a moralidade cristã à condição de mera ideologia a serviço da "classe dominante", perdem a força moral do cristianismo para criticar os excessos do capitalismo neoliberal: sua ganância, acumulação injusta, superexploração e egoísmo.

    E assim esse erro pode ainda induzir a outro maior, que é a presença de militantes que têm preconceito contra a religião em nosso meio. Esses militantes podem assumir uma postura muito negativa contra o senso religioso, considerando-o mero meio de alienação e afastamento da luta política.

    Mas a história está coalhada de exemplos contrários. Apenas no Brasil, independentemente de julgamentos sobre suas posições políticas, podemos citar o engajamento de dom Hélder Câmara, de Antônio Conselheiro, de Padre Cícero ou o papel histórico da CNBB. Gostaria de destacar aqui a figura de dom Aloísio Lorscheider, um homem santo que muito me influenciou na minha formação já como jovem na Pastoral Universitária. Muitas das resistências a regimes autoritários na história da humanidade foram lideradas por religiosos que não temiam por suas vidas, mas sim por suas almas. Para citar dois exemplos, poderia lembrar o movimento de Direitos Civis nos EUA liderado pelo pastor batista Martin Luther King e a resistência católica na Polônia comunista.

    A garantia de um Estado laico deve ser exercitada não para desrespeitar a devoção ao sagrado da maioria de nosso povo, mas, ao contrário, para garantir a mais ampla e generosa liberdade de culto e o respeito às diferenças e à tolerância inclusive aos que têm dificuldade de crer.

    O ateísmo hostil é um imenso desserviço à causa da igualdade social. Não falo isso por ser eu mesmo um cristão. É só a realidade. Há poucos registros históricos de perseguição religiosa em regimes socialistas, mas denunciar politicamente a fé de mais de 80% da humanidade é um ataque frontal ao povo que acaba se refletindo contra a esquerda como um todo.

    Isso é particularmente trágico no caso do Brasil, porque o cristianismo, nossa base religiosa e cultural, é flagrantemente uma religião de opção pelos pobres, que denuncia o acúmulo de riqueza, a vida material e o hedonismo da sociedade contemporânea.

No campo prático, hoje, nas periferias do Brasil, muitas vezes desmoralizado o espaço comunitário pela descrença na política, resta ao nosso povo o refúgio de pastores e padres. Em minhas andanças, já ouvi de muitas mães que foram os pastores que lhes deram dinheiro para pagar o traficante e salvar seus filhos dependentes da morte certa. Não entender isso é de um elitismo tão inconsequente quanto o egoísmo de quem anda de carro blindado e de vidros escuros para não ver a realidade.

O abandono do horizonte nacional
Há outra ideia disseminada na esquerda que explica a incapacidade de esta liderar a oposição ao globalismo neoliberal ou ao domínio internacional do sistema financeiro. É sua defesa do unimundismo, denúncia do nacionalismo e do Estado-nação.

Segundo essa ideia, o nacionalismo é parte da ideologia da classe dominante, meramente um instrumento para justificar que burgueses mandem meninos para a guerra contra outros meninos e assim disputar mercados com outros burgueses. Ele seria um dos fatores de criação da sensação de coesão social e sentimento de unidade que serve para esconder a verdadeira divisão, que não seria entre nações, mas entre classes sociais. Para comunistas, por exemplo, o comunismo deveria ser internacional, assim como a classe trabalhadora seria uma só.

Para a esquerda europeia, a adoção desse discurso fazia todo o sentido histórico. Divididos entre dezenas de nações num espaço geográfico menor do que o território brasileiro, os trabalhadores europeus do início do século XIX eram enviados para matar trabalhadores de países vizinhos a fim de proteger os interesses coloniais dos Estados imperialistas europeus em terras distantes, onde, por sua vez, outros trabalhadores eram explorados até a morte.

Essa dominação ocorria de modo formal. As colônias na América, Ásia e África forneciam matéria-prima e mão de obra barata para as metrópoles europeias, recebendo em troca produtos manufaturados. Dentro da própria Europa alguns países lideravam o processo, dominando o sistema mercantil e depois industrial, sendo o exemplo mais evidente disso a Inglaterra.

Lutar contra o imperialismo então, para o trabalhador europeu, era lutar contra o nacionalismo em sua própria pátria imperialista. E para piorar, esse nacionalismo ainda vinha impregnado de ideias racistas e xenófobas para justificar sua violência e exploração.

Mas nos países periféricos essa condição se inverte totalmente. Lutar contra o imperialismo e a exploração econômica brutal requeria a afirmação da própria identidade nacional, seu direito de se autodeterminar, se industrializar e usufruir da própria riqueza produzida para viver de acordo com sua cultura. A denúncia do Estado-nação importada da Europa se tornava assim mais um instrumento do imperialismo.

Com o avanço do sistema financeiro e da industrialização no fim do século XIX, países centrais passaram a usar multinacionais para extrair excedentes dos países periféricos. Esse processo se acelerou com a revolução dos transportes e o advento da informática no século XX. Era difícil ver com clareza no século XIX como seria o projeto internacionalista do próprio capitalismo. Não temos mais essa desculpa.

Hoje, com o domínio econômico e político das grandes corporações multinacionais, o Estado-nação, que antes era um anteparo protetor do capitalista, passa a ser um dos últimos obstáculos à expansão sem limites de seu poder. Para as multinacionais, assim como para os especuladores financeiros, as fronteiras nacionais são um mero detalhe. Seu mercado potencial não é mais interno, mas o mundo inteiro. O caso atual do Estado brasileiro é extremo no mundo, mas não uma exceção. Ele está sequestrado pelos interesses privados da agiotagem nacional e serve hoje à transferência de renda de quem produz e trabalha para os bancos e rentistas. Mas ainda assim é o único anteparo entre o povo e seus predadores que pode, sob um governo decente, protegê-lo.

O neoliberalismo nada mais foi que o instrumento ideológico fabricado pelo novo colonialismo para promover a destruição dos Estados-nação. Thatcher e Reagan começaram nos anos 1980 a implementar essa progressiva transferência de poder dos Estados para o sistema financeiro e as grandes corporações, impedindo que países como o Brasil se consolidassem de fato como uma economia soberana e alterassem a atual correlação de forças da economia mundial. Esse projeto chegou ao seu auge com a implantação do euro, a moeda única dos países da União Europeia, nos anos 1990, destruindo com um único golpe a moeda própria de vários dos Estados que outrora foram os mais poderosos do mundo e, com ela, seu principal instrumento de política econômica soberana.

As novas indústrias de alta tecnologia foram mantidas nos países centrais, enquanto indústrias menos rentáveis foram deslocadas para países de terceiro mundo. Com o choque de juros nos EUA e uma política mais restritiva de crédito do FMI, a industrialização de países periféricos que não tinham alta poupança interna ficou inviável. Só países com indústria e poupança interna forte sobreviveram a esse choque financeiro, como o Japão e a Coreia do Sul. Os países subdesenvolvidos, incluindo o Brasil, iniciaram um forte processo de desindustrialização, como já foi abordado mais detalhadamente em capítulos anteriores.

Os organismos internacionais (como o Banco Mundial e o FMI) perderam as funções de desenvolvimento que tinham no pós-guerra e se tornaram agentes do Consenso de Washington. Para ter acesso a crédito, países tinham que se desfazer de suas empresas estatais estratégicas, o Estado deveria perder sua capacidade de investimento mergulhado em políticas de austeridade, qualquer política industrial seria eliminada e a gestão das dívidas públicas passaria aos grandes bancos e fundos internacionais. Todos estes sediados, sem surpresa, nos países centrais.

A esquerda, principalmente a europeia, permaneceu perplexa diante dessa nova realidade, sem instrumentos teóricos ou políticos para reagir, enquanto o globalismo destruía economias e culturas locais e impunha a lógica especulativa do mercado financeiro internacional. Boa parte do povo europeu, desesperado por reação de sua classe política, se cansou de esperar dos partidos social-democratas qualquer postura distinta da rendição ideológica ao neoliberalismo, enquanto via o Estado de bem-estar social europeu ser aos poucos desmontado. Revoltado, viu somente a extrema direita assumir a luta contra o globalismo em defesa da economia nacional e de sua forma de vida, manipulando o fetiche da imigração.

Mas isso não aconteceu só na Europa. Ao contrário do que nossa imprensa quer fazer parecer, o fenômeno Donald Trump nos EUA não é somente resultado da xenofobia do norte-americano interiorano, mas também uma reação consciente aos efeitos da globalização na economia americana. Com suas medidas protecionistas, Trump enterrou a hegemonia discursiva do livre-comércio e lembrou a todos a crua realidade de como os EUA sempre defenderam seus interesses nacionais.

Somente no Brasil é que a extrema direita se afirma com um discurso patriota vazio e prega o aprofundamento do neoliberalismo e a dissolução da pátria com sua transformação em colônia ou protetorado. Faz isso sob o olhar omisso ou, pior, cúmplice e traidor, de alguns de nossos ex-oficiais militares superiores. É uma vergonha única no mundo. Inexprimível.

É preciso lembrar que o imperialismo não é exclusividade do capitalismo, o mesmo ocorreu na antiga Cortina de Ferro. A extinta URSS guardava para si a ponta do desenvolvimento industrial e tecnológico, enquanto países como Cuba exportavam cana-de-açúcar, motivo principal pelo qual permaneceram pobres até os dias de hoje. Esse, aliás, foi um dos motivos centrais para a ruptura dos russos com os chineses, nos anos 1970.

Resumindo, a denúncia do imperialismo e a defesa de Projeto Nacional no mundo subdesenvolvido são na verdade muito simples de entender.

Assim como há divisão de trabalho dentro de nossa própria sociedade, também há no mundo. Os trabalhos a serem realizados em nossa sociedade, por definição, não são iguais. Alguns são mais desgastantes, outros menos. Alguns geram maior riqueza, outros menos. Alguns são mais valorizados, outros menos.

Da mesma forma que as pessoas competem entre si para fazer os trabalhos menos desgastantes que gerem mais riqueza e valor, as nações competem entre si pelos mesmos motivos. Mas enquanto os meios de competição dentro de uma sociedade podem ser regulados pela lei, no mundo eles são regulados somente pela força.

Alguns países possuem sistemas produtivos complexos, com educação e pesquisa de ponta, indústrias de alta tecnologia e capacidade não só de produzir coisas que os outros países querem como também de criar produtos que o mundo vai querer amanhã. Outros países possuem sistemas produtivos simples, ocupando suas populações na produção de commodities e importando os produtos de alto valor agregado que os primeiros produzem. Usar a força financeira ou militar para manter os segundos na mesma condição é o imperialismo. O que se opõe a isso, nos países periféricos, é o nacionalismo moderno.

O fato que não podemos mais esquecer no Brasil é que nenhum país que se ocupa das atividades mais complexas e valorizadas quer dividir esse espaço. Vemos isso com clareza atualmente na disputa comercial entre os EUA de Trump e a China de Xi Jinping em torno da Huawei, a gigante emergente da indústria de tecnologia da informação e comunicação que ameaça a liderança norte-americana no setor.

Defender os interesses de sua própria nação não faz ninguém ser de esquerda ou de direita. Mas é o que define alguém como um patriota ou um apátrida. Entregar setores econômicos estratégicos para nosso desenvolvimento para a China não faz de você um comunista ou socialista, mas um traidor. Prestar continência para a bandeira e os interesses imperialistas norte-americanos não faz de você um liberal ou conservador, mas um traidor.

O enfraquecimento das pautas universais
As lutas pelos direitos das minorias emergiram com força nos anos 1960 e se tornaram naturalmente integradas à esquerda internacional, que sempre lutou contra a opressão e a desigualdade de direitos e bens no gênero humano.

O PDT foi vanguarda dessa luta no Brasil. Desde seu primeiro documento, a "Carta de Lisboa", de 1979, afirma como prioridade política a luta pelas minorias. Seu manifesto de fundação, de 1980, proclama como "direitos democráticos e sociais do povo brasileiro" o "direito de abominar e combater toda doutrina e práticas que discriminem brasileiros e demais habitantes do país, por suas ideias, crenças, sexo, idade, raça, aspecto físico, nacionalidade, classe social, ou muito especialmente, por sua condição de pobreza; ou ainda, que conduzam ao desrespeito de sua dignidade ou que suprimam ou restrinjam seus direitos humanos e sociais".[3] Mantendo uma abordagem universalista e socioeconômica das lutas das minorias, seu estatuto conclama a "lutar pela causa da mulher, do negro, do índio, dos jovens e dos idosos, sem qualquer forma de discriminação".[4]

Mas essas não foram meras palavras jogadas no papel. Como efeito prático disso, para além da criação dos primeiros movimentos de direitos de minorias no Brasil, o PDT, entre outras coisas, elegeu nosso primeiro deputado federal índio, nosso primeiro senador negro, nosso primeiro governador negro, criminalizou o racismo e implantou a primeira Delegacia da Mulher.

Ficou claro tanto aqui quanto nos EUA o potencial mobilizador dos movimentos de direitos civis dos negros, mulheres e gays integrados à es-

---
3   PDT. Manifesto de Fundação. Disponível em: http://pdt-rj.org.br/manifesto/
4   PDT. Estatuto. Disponível em: http://www.pdt.org.br/wp-content/uploads/2019/06/Estatuto-PDT-2019.pdf

querda política. Como a esquerda tinha perdido espaço popular – no Brasil, com o preconceito de parte de seus militantes com o neopentecostalismo crescente e a adesão de parte de seus partidos ao consenso neoliberal – e aprofundado o fosso entre sua mensagem e prática e os excluídos da sociedade, passou a investir cada vez mais dessas pautas para tentar atingi-los.

Foi então que surgiu nos EUA uma abordagem teórica e prática para a luta dessas minorias que buscava mudar a feição das demandas e práticas de parte desses movimentos. De uma luta por direitos e condições materiais igualitárias, portanto universais, a *Identity Politics*, ou *New Left*, deixa de lutar para apagar as fronteiras de gênero, etnia, cor e orientação sexual e passa a lutar para acentuar essas fraturas e reafirmá-las. Faz isso por meio de uma fragmentária luta por poder e afirmação de identidades, exigindo que os direitos passem a ser distribuídos diferentemente de acordo com gênero, etnia e orientação sexual. Ao fazê-lo, busca a reparação por genuínos históricos de opressão, mas o faz através da divisão oficial da sociedade em vários grupos.

Partindo do fato de que nossas instituições muitas vezes perpetuam privilégios e opressões sob a falsa promessa de tratamento igualitário, os seguidores dessa abordagem não atribuem essa perpetuação predominantemente à concentração de renda, mas ao gênero, à cor da pele ou à orientação sexual. "Privilégio" é definido como a vantagem de ter nascido num gênero, etnia ou orientação historicamente favorecidos, e "opressão", definida como as limitações sofridas por ter nascido com uma identidade historicamente desfavorecida. Essa opressão e esse privilégio se exerceriam através da linguagem, da cultura, das instituições e do sistema econômico.

Setores da dita esquerda brasileira importaram essa abordagem norte-americana de forma completamente acrítica, ignorando as diferenças culturais entre nossos países, especialmente o perfil étnico das populações e seu grau de miscigenação. O PT, quando no poder, ao se ver sem margem para manter um discurso de esquerda diante da prostração ao ideário neoliberal e à concentração de renda no país, passou a explorar a generosidade do espírito solidário das pessoas altruístas e a dor dos, de fato, oprimidos. Com sua falta de visão e de projeto nacional, acabou por dar ainda mais centralidade discursiva e descontextualizada a essas pautas, e ao fazê-lo, ao longo do tempo, se enfraqueceu como força unificadora popular. Isso porque essa abordagem de luta pelos direitos das minorias baseada na acentuação das diferenças causa vários atritos entre os diversos grupos de identidade.

É absolutamente claro para quem conhece o Brasil com intimidade que nossas mazelas sociais têm definitivamente um corte étnico, de gênero e de idade. Por qualquer ângulo que se queira considerar: vítimas da violência, população carcerária, desigualdade de renda, citando três exemplos trágicos, tudo isso pesa muito mais fortemente sobre negros, caboclos, mulheres e jovens. Assim, a questão da identidade não é algo irrelevante no nosso debate, e, como ouvi em notável reflexão do professor Silvio Almeida, uma coisa é identidade, outra é identitarismo. O exemplo que ele citou foi o do Pelé. Para ele, Pelé foi essencial na afirmação da sua identidade, da sua autoestima, foi um fator motivacional para que superasse estigmas e preconceitos e se tornasse o vencedor que é. O simples fato de ver Pelé cortejado por reis e rainhas, sendo negro, foi um importante fator de construção da sua identidade. Mas, continua ele, dando a mim uma preciosa lição, boa parte dos movimentos que lutam pela causa negra fala mal do Pelé porque não teria o atleta assumido um discurso de defesa dos negros. E isso seria um equívoco do identitarismo. Me parece que o identitarismo é um esforço respeitável, oriundo de um genuíno sentimento de alteridade e solidariedade por pessoas órfãs pelo enfraquecimento da esquerda tradicional, a partir da queda do Muro de Berlim, da falta de um manual que a muitos dava segurança de buscar superar, na luta de classes, a desigualdade.

Esse é um debate extremamente delicado, porque nossa solidariedade à causa de todas as minorias, de todos os perseguidos e injustiçados não nos dá nenhuma vontade de diminuir a energia ou a forma com que cada um entenda melhor lutar. Mas uma coisa eu posso afirmar aqui e agora: por mais relevantes que sejam, a soma dos interesses identitários não é igual ao interesse nacional.

Acredito que essa luta, na qual o PDT é pioneiro no Brasil, deve ser feita dentro dos marcos do universalismo e da busca essencial da esquerda por igualdade. Mais do que isso, deve ser feita dentro de um projeto nacional de desenvolvimento, pois não se fazem políticas públicas contra a discriminação sem emprego, renda e tributos para sustentá-las. No fim das contas, o que permite a qualquer grupo social afirmar sua forma de vida em qualquer sociedade é sua emancipação econômica. E também isso não se faz sem desenvolvimento econômico.

A crise da esquerda brasileira

Não parece problemática a ninguém a afirmação de que a esquerda brasileira vive uma crise profunda. Perdemos a hegemonia moral na sociedade, e isso num país que hoje é o décimo, ou, dependendo do índice, até o primeiro, país mais desigual do mundo.

Não só perdemos a hegemonia moral como perdemos o governo para a extrema direita. E uma extrema direita tosca.

Afirmar-se de esquerda no Brasil hoje se tornou um ônus eleitoral. A verdade doída é que a direita conseguiu imputar à esquerda brasileira uma série de estereótipos negativos, como os de que ser de esquerda é praticar assistencialismo e alimentar bancos, roubar e deixar roubar, parasitar o Estado, destruir a religiosidade e a cultura conservadora brasileiras.

Boa parte dessa responsabilidade se aplica a nós, que nos identificamos à esquerda do espectro político, já que não fomos capazes de vencer esse debate e essa guerra de símbolos. E, em grande parte, isso aconteceu porque reproduzimos, no Brasil, os erros que a esquerda cometeu internacionalmente.

Incapazes de formular um projeto, desertamos da ideia da transformação das estruturas do país, engolimos o neoliberalismo com casca e tudo e cuidamos de tentar humanizar suas sequelas.

Abandonamos a denúncia da exploração neocolonial no nosso discurso e na explicação da questão nacional, e nos afastamos da defesa de um Projeto Nacional. Até dos símbolos nacionais e das pautas nacionalistas muitos de nós passaram, na verdade, a se envergonhar.

Não demos nenhuma resposta eficaz à emergência da questão da segurança pública, muito pelo contrário, continuamos a reproduzir uma atitude hostil contra a polícia que vinha do período da repressão da ditadura, e deixamos que nossa defesa dos direitos humanos fosse confundida com a defesa de bandidos.

Todos esses equívocos atingem a esquerda em sua maioria, com exceções pontuais de alguns partidos (o PDT, por exemplo, nunca abandonou a denúncia do imperialismo, o uso dos símbolos nacionais e a defesa do Estado-nação).

Mas me parece evidente que a questão central na ruína da esquerda foi ter se tornado aos olhos da maioria da população indiscernível da direita. E isso não acontece no campo do discurso, que, pelos motivos que elenquei acima, tem nos distinguido para pior. Isso acontece no campo da prática.

Porque no momento em que um partido de nosso campo alcança o Executivo, nos rende às mesmas práticas fisiológicas e clientelistas da direita e assume o consenso neoliberal, passando a administrar o rentismo nacional. Com isso, quando nosso povo olha para o PT, vê as mesmas práticas complacentes com a corrupção, por um lado, e globalistas e social-liberais, de outro, que têm mantido sua condição de vida estagnada há quarenta anos.

Aceitamos o falso debate em torno do socialismo real, praticamente extinto da face da Terra, e continuamos a deixá-lo esconder a questão imediata e fundamental de como lidar com o neoliberalismo real que devasta o nosso país há quase três décadas. Será que a maioria das pessoas que se declara de direita no Brasil aceita a estrutura econômica da sociedade brasileira atual? Será que o que elas querem é de fato a manutenção ou o agravamento da desigualdade no décimo país mais desigual do mundo?

Ainda mais agora, quando estudo da FGV/Ibre[5] confirma que a desigualdade disparou no Brasil a partir do ajuste neoliberal de Dilma e se agravou com a gestão Temer e o início do governo Bolsonaro. Provavelmente, neste momento estamos perto de ser o país mais desigual do mundo.[6] Você acha que, sob qualquer ponto de vista, cinco pessoas possuírem tanta riqueza quanto a metade mais pobre da população é uma coisa desejável ou justa? Quantos incentivos mais precisamos dar a esses cinco indivíduos para que eles, de forma egoísta, supostamente produzam bem-estar social? É preciso jogar toda a riqueza do país nas mãos de cinco pessoas? E os outros indivíduos, nunca terão sua chance de disputar oportunidades e construir suas histórias?

Não somos capazes de ser empáticos o suficiente para fazer essas perguntas sinceramente às pessoas que se declaram de direita e levá-las a reflexão. A militância de ambos os lados está envenenada com a ideia de que só há más intenções do lado de lá.

Mas adianto que, caso você ache que tal nível de concentração de renda é injusto ou mesmo ineficiente para a geração de riqueza, dificilmente está, de fato, à direita no espectro político brasileiro, em que há um esforço de décadas de identificação entre direita e neoliberalismo.

---

5 "Desigualdade de renda no Brasil atinge o maior patamar já registrado, diz FGV/IBRE." *G1*, maio 2019. Disponível em: https://g1.globo.com/economia/noticia/2019/05/21/desigualdade-de-renda-no-brasil-atinge-o-maior-patamar-ja-registrado-diz-fgvibre.ghtml
6 "Brasil tem 2ª maior concentração de renda do mundo, diz relatório da ONU."*G1*, dez 2019. Disponível em: https://g1.globo.com/mundo/noticia/2019/12/09/brasil-tem-segunda-maior-concentracao-de-renda-do-mundo-diz-relatorio-da-onu.ghtml

Para se ter uma ideia melhor desse absurdo, basta uma comparação com o modelo da direita brasileira, os EUA. Porque para transformar o Brasil num país como os EUA hoje seria preciso reformas de esquerda. Sim, na maioria dos aspectos, os EUA são um país que está à esquerda do oligarquismo brasileiro. O índice Gini de distribuição de renda nos EUA hoje está em 0,408, contra o escandaloso 0,625 que o Brasil atingiu em março de 2019 (quanto mais perto de zero, menos concentração de renda). Os EUA cobram um teto de 40% de imposto sobre heranças para grandes fortunas, imposto fundamental para diminuir essa concentração a longo prazo; no Brasil o teto é 8%. Eles aumentaram o imposto sobre lucros e dividendos para pessoas físicas na crise econômica de 2008, enquanto o Brasil é um dos dois únicos países do mundo que nem sequer cobram esse imposto.

Também os EUA estão muito longe do neoliberalismo tresloucado da parte antinacional da nossa direita. O Estado lá é maior do que o brasileiro, tendo 14,6% da população empregada no serviço público, contra 11,1% daqui. Eles são conhecidos como os maiores emissores de moeda do mundo e os maiores compradores estatais com leis de proteção à indústria local. Contam com leis de mídia, bancárias e industriais que impedem a concentração de renda e protegem decididamente suas empresas, indústrias e agricultura, a maior do mundo, como vimos agora na guerra comercial contra a China. O resultado das políticas protecionistas de Trump estão aí: nos EUA, a taxa de desemprego é atualmente a mais baixa em meio século, de apenas 3,6%.[7] Entre as sociedades ricas do mundo, a sociedade americana é a mais desigual, e a desigualdade está aumentando. Por isso não se trata aqui de qualquer elogio, mas de uma evidência prática do

---

[7] Com a pandemia, essa situação ficou dramaticamente alterada."Desemprego cai a 3,6% em abril nos EUA, o nível mais baixo desde 1969." *Estado de Minas*, maio 2019. Disponível em: https://www.em.com.br/app/noticia/internacional/2019/05/03/interna_internacional,1050897/desemprego-cai-a-3-6-em-abril-nos-eua-o-nivel-mais-baixo-desde-1969.shtml

egoísmo e selvageria de parte da elite brasileira, e da prostração ideológica em que caiu nossa esquerda antiga, que quando teve oportunidade não mexeu em nenhuma das estruturas sociais.

A direita brasileira diz querer ser como os EUA, mas não quer fazer sequer como os EUA.

Ao mesmo tempo, prega contra um risco imaginário de virarmos uma Cuba. Como isso é possível? Mais: como é possível que tenhamos sido tão incompetentes em rechaçar uma narrativa tão delirante?

Será que o neoliberalismo, que nos intoxicou a partir dos anos 1980 e nos transformou do país continental que mais cresceu no século XX neste país estagnado e depressivo, é realmente menos fracassado do que o socialismo cubano, que garante a uma ilha isolada – a despeito do bloqueio e de todos os seus problemas políticos e econômicos – saúde e educação universais e de qualidade e IDH maior que o nosso?

Não é possível continuar sofrendo um apagão narrativo tão grande diante de um cenário desses. Precisamos mudar, e, se você chegou até aqui, sabe muito bem disso.

Procurando entender a crise do PT

O PT foi a seu tempo uma incrível construção social, um partido imaginado por intelectuais paulistas, estimulado pelos setores progressistas da Igreja, que se fundou no meio da classe trabalhadora e virou uma das mais instigantes novidades da redemocratização. Sempre olhei para o PT com um misto de admiração e questionamento. Admiração por essa origem, e questionamento porque nunca pude conhecer um projeto para o país do lulopetismo, além de achá-lo excessivamente vinculado a uma única personalidade.

Ao atingir o Executivo, essa contradição se revelou, e de sua experiência pode-se dizer que foi uma grande frustração sob o ponto de vista das mudanças estruturais de que o país precisava e pelas quais pedia, e que se evitou até mesmo tentar.

Para chegar ao Executivo, o PT transformou seu discurso de esquerda num moralismo udenista[8] rasteiro e vazio de propostas. Uma vez nele, reduziu seu discurso a um personalismo messiânico despolitizante. Para governar sem sobressaltos, escondeu do horizonte nacional a questão da dependência e da luta de classes pela apropriação do orçamento público.

No poder, tentou cometer o "crime perfeito": tentou cooptar para o governismo todas as expressões de organização da sociedade civil – dos estudantes, sindicatos, profissionais liberais –, amarrando-os no aparelho do Estado com cargos, órgãos ou financiamento, até destruir em grande extensão sua representatividade e enraizamento social; e anestesiou o antagonismo social com políticas compensatórias que fazem parte do receituário neoliberal e do Consenso de Washington, apostando numa grande conciliação subornada em que a quase totalidade dos recursos que emergiram do *boom* das commodities ia para os ricos através do rentismo e as migalhas para os pobres com o Bolsa Família (que não onera nem 0,5% do orçamento).

Essa política acabou com o PT do ABC em seu nascedouro. Apesar de ainda contar com milhares de valorosos militantes e quadros políticos extremamente sérios e capazes, o PT se dobrou a um sistema personalista que obedece a todas as vontades de seu líder e a uma burocracia que luta pelo único objetivo de sobreviver. Suas bases em grande parte se perderam. A classe média moralista que antes via no PT um instrumento de moralização da política foi para a oposição, o sindicalismo ligado ao PT se tornou minoria da minoria no movimento sindical e grande parte de seus movimentos sociais passou a gravitar em torno do Psol.

E, também, não posso aqui deixar de oferecer uma síntese sobre o fracasso que foi o PT como suposto governo de esquerda.

---

8 O termo "udenismo" vem da antiga UDN, partido brasileiro que existiu de 1946 a 1968. Foi cunhado em virtude da prática política desse partido e de seu maior expoente, Carlos Lacerda, que consistia em acusar o adversário o tempo todo de corrupção, exercendo governos que constroem infraestrutura de o fazerem por propinas, a mobilizar o judiciário para intervir no processo político e tentar golpes de Estado.

Temos que reconhecer que houve conquistas e programas importantes no período. Volto a citar o aumento real do salário mínimo, a universalização do Bolsa Família e a consequente eliminação temporária da miséria absoluta no país. Obras como a transposição do rio São Francisco e hidrelétricas foram iniciadas, o investimento no pré-sal e programas como o Luz para Todos, entre outros, mudaram a realidade de milhões de brasileiros do interior, particularmente os nordestinos. Foi executada uma política de expansão do sistema de ensino superior público. Políticas industriais setoriais e pontuais foram realizadas, como a da cadeia da indústria naval (já colapsada em decorrência dos escândalos de corrupção).

A classe média do Sul e do Sudeste, que no cômputo geral sofreu com uma estagnação de renda severa na era PT, geralmente não compreende a gratidão do povo nordestino a esse partido. Mas a verdade que tem que ser explicada aqui é que a vida no Nordeste, ao contrário do resto do país, melhorou no governo do PT, quando essa região cresceu em ritmo mais acelerado que a média nacional.

Mas o balanço geral não é só esse.

Foram treze anos e meio de poder servindo à banca e ao Consenso de Washington, mantendo o tripé macroeconômico e os juros reais mais altos do mundo herdados do Governo FHC (com curtos períodos de segundo ou terceiro lugar).

Treze anos e meio nos quais a imagem de nossas estatais foi jogada na lama com a cooptação de políticos corruptos através do loteamento fisiológico que era chamado pelo PT de "genialidade política" e "presidencialismo de coalizão". Expressão cínica criada por FHC para justificar a mesma prática fisiológica e corrupta.

Treze anos e meio de populismo cambial e creditício sem uma política industrial sólida, capaz de democratizar a oferta, criando a ilusão no povo brasileiro de uma melhora permanente no nível de vida que, hoje, desapareceu. Sem reverter nosso processo de desindustrialização, sem enfrentar os interesses que querem nos manter um país agrícola.

Treze anos e meio sem sequer tentar uma revolução educacional, uma reforma política, uma reforma tributária, nem mesmo a volta da alíquota de 35% no IR que eu havia criado para os mais ricos ou a cobrança dos lucros e dividendos que eu também cobrei como ministro de Itamar Franco. Nem quando Lula contava com mais de 80% de aprovação, ou seja: não há prova maior de que nunca quiseram de fato fazê-las.

Treze anos e meio.

Por fim, o mais grave. Quando tudo isso começava a ser questionado, insistiram com um segundo mandato para Dilma, que nos prometeu uma "guinada à esquerda" na campanha, uma correção de rumos. A correção de rumos veio no que se tornou o maior estelionato eleitoral que já pude presenciar. Vamos falar com todas as letras: eu, você, todos os que votaram em Dilma em 2014 fomos enganados. Fomos feitos de palhaços. Obrigada ou não por Lula, Dilma trouxe o economista da escola de Chicago, Joaquim Levy, para o governo mal fechadas as urnas, numa tentativa de recomposição com o rentismo nacional. Com o Brasil em recessão, crise política e setores inteiros da indústria paralisados pela Lava Jato, como já descrevi anteriormente, o PT cortou investimentos e voltou a praticar os maiores juros reais do mundo. É preciso repetir sempre o resultado disso: colapso. O PT levou o país ao colapso com um ajuste neoliberal. Aumentou em 21% a dívida pública em apenas um ano, 2015. Comprometeu 8,4% do PIB nacional em pagamento de juros, fazendo o Brasil pagar, como já foi dito neste livro, R$501,8 bilhões em um único ano, o maior volume de transferência de renda do pobre ao rico da história brasileira.[9]

---
9 BARBOSA, Nelson. "Juros pagos pelo setor público: o total caiu em proporção do PIB, mas os pagamentos reais continuaram a subir em 2017."*Blog do Ibre*, fev. 2018. Disponível em: http://blogdoibre.fgv.br/posts/juros-pagos-pelo-setor-publico-o-total-caiu-em-proporcao-do-pib-mas-os-pagamentos-reais

Na sabedoria popular do sertão do Nordeste, de onde eu venho, há um ditado que diz: "Quem dá e toma passa por ladrão". Com isso, as pessoas querem valorizar a crença ética de que uma doação não deveria ser reversível. Pois bem. Para quem é ligado na alma do povo, isso é o que explica a frustração de grandes maiorias populares no Brasil com a prática do PT. O PT deu, o PT tomou. E o esforço da burocracia petista atual de apagar o período Dilma e destacar o período Lula colide com o testemunho de pelo menos 40 milhões de pessoas que ascenderam socialmente com Lula e voltaram ao desemprego, à humilhação e ao nome sujo no SPC com Dilma, do mesmo partido.

Estas reflexões não pretendem mexer em feridas do passado ainda muito recente. Querem, isso sim, construir esperança de solução para o futuro! Mas quem não entende de onde vem, não sabe para onde vai. Se não entendermos essas verdades históricas insofismáveis, estaremos condenados a repetir como tragédia esse resultado chocante a que chegamos com o Governo mortal para nossa nação de Bolsonaro. Não duvidem: o baronato brasileiro já está gestando mais do mesmo numa espécie de bolsonarismo sem a boçalidade tosca de Bolsonaro. Se forem bem-sucedidos, será o fim do Brasil como nação minimamente soberana.

Reflitamos sobre os números e as realidades que descrevo. Não caiam na armadilha para os críticos ao lulopetismo que os fanáticos petistas colocam. Não tentem matar o carteiro para que não leiam a carta. Até porque isso não é mais possível. A carta já foi lida por pelo menos 100 milhões de brasileiros que hoje são obrigados a viver, em média, com R$413 por mês.

Precisamos de outro caminho, todo o campo progressista sabe disso. Eu vou oferecer minhas ideias de como e para onde mudar. Se estou no caminho certo ou não, cabe a vocês julgarem. Que o PT está e estava errado, parece que a história e o povo brasileiro já julgaram.

Apontamentos para uma nova prática

Para onde ir? A experiência é um farol voltado para trás, dizia o médico e escritor mineiro Pedro Nava. Aprender com nossos erros é importante para não os repetirmos, mas não nos diz para onde ir.

É mais do que natural que um jovem – ao olhar o cenário perigoso e obscuro que temos pela frente, sem qualquer guia do que fazer num mundo modificado no qual nenhum ser humano jamais viveu – entre num estado de desespero e depressão. Esperar o apocalipse, no entanto, é tão natural quanto ingênuo. Não deveríamos ter a pretensão de que sabemos exatamente para onde o mundo está indo, porque não sabemos. A forma mais eficiente de adivinhar o futuro é tomá-lo em nossas mãos e construí-lo.

Remoer indefinidamente fracassos do campo progressista numa autocrítica infinita não nos levará longe, mesmo porque, tanto no Brasil quanto no mundo, o neoliberalismo é um fracasso muito maior. Os governos progressistas na América Latina, por exemplo, trouxeram longos períodos de crescimento depois do desastre do primeiro ciclo neoliberal no continente. Argentina, Brasil, Bolívia, Chile, Equador, Uruguai e Venezuela experimentaram uma era de crescimento na primeira década do século. Aqueles que persistiram com políticas desenvolvimentistas permanecem crescendo até hoje, como Bolívia e Uruguai. Quem retornou às políticas neoliberais estritas, como Argentina e Brasil, soçobrou. Quem falhou em diversificar a economia e se aprofundou no intervencionismo, como a Venezuela, idem.

Quero então neste item chamar a atenção para algumas pautas e atitudes que creio serem fundamentais para o campo progressista do século XXI, sem com isso ter a pretensão de apresentar nenhum corpo desenvolvido de ideias. A pretensão aqui é ajudar a fomentar a discussão necessária em nosso campo político.

Para começar a construir a nossa ação futura devemos partir munidos das melhores experiências disponíveis. Podemos não ter todas as respostas em nosso passado, mas é prudente partirmos das que temos, até para ter certeza de que outro mundo é possível.

E onde o campo progressista foi bem-sucedido no mundo? Sim, na Europa. A Europa atual é fruto da social-democracia, que, diante da competição com o socialismo soviético, criou a maior e mais eficiente rede de proteção social, educação e saúde públicas que o mundo jamais tinha conhecido.

Alguns companheiros poderiam me questionar lembrando que a riqueza dos países europeus também é fruto de séculos de colonialismo, e que o Estado de bem-estar social europeu é o resultado de várias guerras e revoluções internas e do risco do comunismo que não existe mais.

Então sou obrigado a me lembrar dos cinco países mais felizes do mundo, sem desconhecer que há muita verdade nesse argumento.

As melhores sociedades para se viver atualmente
Há um grande consenso de que as sociedades com mais alto nível de vida do mundo hoje estão na Escandinávia. Dinamarca, Noruega, Suécia, Finlândia e Islândia; esses países vencem seguidamente todos os índices internacionais de desenvolvimento humano, felicidade e educação.

Em 2019, no Relatório Mundial de Felicidade[10] publicado pela ONU, a Finlândia, o menos rico dos países escandinavos (muito mais pobre do que os EUA), foi considerado o país mais feliz do mundo (e também está entre as primeiras posições do Pisa). A seguir vêm todos os outros países escandinavos, que obtiveram altos índices de expectativa de vida, saúde, renda, assistência social, liberdade, confiança e generosidade.

Como citei antes, há uma narrativa na esquerda que diz que o Estado do bem-estar social europeu é fruto de anos de saque colonialista.

---
10   2019 World Happiness Report.

Outra história correlata, dessa vez da direita, é a de que só foi possível construir esse Estado de bem-estar social depois que enriqueceram com o liberalismo.

As duas histórias são totalmente falsas no caso da Escandinávia. Como se não bastasse, assistimos hoje à construção, na China, do maior Estado de bem-estar social que já existiu, sem os benefícios prévios do colonialismo e sem que antes tenha havido enriquecimento com o liberalismo econômico, que nunca teve lugar lá ou na Escandinávia.

Foi em 1913 que a Suécia adotou os rudimentos de seu Estado de bem-estar social, quando sua renda per capita era cerca de um terço do que é a brasileira hoje. Como são então essas sociedades?

Estado forte, investidor e regulador da economia e do sistema financeiro, média de um terço da população ocupada no Estado, que produz saúde, educação, segurança, previdência, assistência e transporte para todos, em troca de uma carga tributária que varia entre 40% e 50%, juros simbólicos, com baixíssimos índices de desigualdade, tributação progressiva e jornada de trabalho em queda.

Vamos partir dessas pistas.

Ampliar e proteger a democracia
A tecnologia da informação atual cria novas formas de interação e amplifica o potencial da democracia direta. A gestão dos serviços públicos, por exemplo, deve ser modernizada e integrada a aplicativos que facilitem sua avaliação, fiscalização e redesenho, generalizando os mecanismos de *e-government*. Consultas populares gerais ou referentes a grupos específicos se tornam tecnologicamente simples, passando a depender somente da decisão política quanto à frequência de suas utilizações.

Mas não podemos nos iludir quanto ao tamanho da ameaça à democracia que esses avanços tecnológicos também representam, nos obrigando a novas ações para salvá-la.

O mundo vem perdendo a fé na democracia representativa bem quando estamos, pela primeira vez na história da humanidade, realmente vulneráveis a uma forma de controle que pode se estender, graças à tecnologia da informação, até a nossa vida privada.

Há uma sensação difusa de que tudo está indo para um futuro sombrio, o cinema e a TV são invadidos por várias distopias todo ano, como a série *Black Mirror*, sobre o impacto da tecnologia do futuro. Essa sensação e esse espírito da época estão diretamente ligados ao vertiginoso avanço da tecnologia da informação que a esmagadora maioria da população não tem condições de acompanhar.

A classe política, eu incluído, é atropelada pelas novas tecnologias assim como os eleitores, particularmente pela manipulação dos sentimentos do eleitorado via redes sociais, algo que teve papel relevante nos resultados eleitorais do Brexit, de Trump e da eleição presidencial brasileira,[11] em 2018 e até agora não apurado. E isso porque ainda não vimos entrar em ação as formas mais avançadas de inteligência artificial.

A liberdade individual está sucumbindo a uma invasão de privacidade sem precedentes que só tende a piorar com o avanço e a generalização da tecnologia. As pessoas comuns vão se sentindo a cada dia mais irrelevantes num mundo em que a inteligência artificial vai tomando seus empregos e os algoritmos de rede manipulam sua opinião e sentimentos, condicionando o que elas veem.

A necessidade que os seres humanos têm de pertencer a uma comunidade e interagir está sendo explorada nas redes sociais e aplicativos de celular, que, para serem instalados, obrigam os usuários a entregar todos os seus dados.

---

11   REUTERS. "Facebook busts Israel-based campaign to disrupt elections." Publicado em 16 maio 2019. Disponível em: https://www.apnews.com/7d334cb8793f49889be1bbf89f47ae5c

Essas corporações, que pelo seu tamanho já são ao mesmo tempo privadas e governamentais, organizaram esses dados e criaram algoritmos para seu uso como meio de manipulação e controle social, como vimos no escândalo da Cambridge Analytica, em 2018.[12]

Parte da força atual do discurso reacionário, da volta a um passado mítico de riqueza e segurança que nunca existiu, pode vir de um desejo inconsciente de se livrar dessas mudanças ameaçadoras. Bolsonaro e Trump são em parte resultado tanto dessa manipulação quanto desse desejo.

Mas não há como voltar atrás nem na vida nem na história, ou fugir do progresso tecnológico. Temos que olhar com coragem para o futuro e encontrar novas formas de viver com os avanços tecnológicos, como um dia lidamos com a energia elétrica ou nuclear.

O progressismo do século XXI não pode fugir desse que provavelmente será o seu desafio central. Regular o poder disruptivo das novas tecnologias da informática (e biotecnologia) deve ser prioridade na agenda política. As revoluções na tecnologia da informação e na biotecnologia ainda estão somente começando, e temos que buscar garantir que elas venham para o benefício de toda a humanidade.

Não podemos permitir que os governos ou as corporações fiquem de posse de sistemas de vigilância absolutos sobre nossas vidas. Devemos criar e pôr em prática legislações, assim como órgãos de fiscalização devidamente equipados e empoderados, que impeçam os algoritmos de *big data* de concentrar o controle e a informação num único centro e usar esses dados para manipular a população.[13]

Essa concentração pode eliminar de uma só vez os dois valores políticos mais caros do Ocidente: a liberdade e a igualdade. A liberdade, por

---

[12] "Facebook eleva para 87 milhões o nº de usuários que tiveram dados explorados pela Cambridge Analytica." *G1*, abr. 2018. Disponível em: https://g1.globo.com/economia/tecnologia/noticia/facebook-eleva-para-87-milhoes-o-n-de-usuarios-que-tiveram-dados-explorados-pela-cambridge-analytica.ghtml

[13] Como expôs com maestria Yuval Harari (2018) em *21 lições para o século 21*.

controlarem todas as informações sobre nós. A igualdade, por concentrarem todo poder e riqueza humanos nas mãos de uma elite mínima, que teria acesso a tecnologia inimaginável, enquanto a massa da humanidade sobreviveria de benefícios de renda mínima.

Para evitar isso temos que regulamentar a propriedade desses dados e criar uma verdadeira democracia digital. Ou a democracia regula esses dados, ou o uso desses dados acabará com a democracia. O proprietário dos dados sobre seus interesses, seu DNA e sua vida deve ser você. Podemos fazer a tecnologia trabalhar a nosso favor ou vamos perder o controle sobre nossa vida. A tecnologia da informação pode estar a serviço da educação e a biotecnologia a serviço da saúde. Mas para isso temos que democratizar a posse desses dados, e a corrida por eles já está em curso. As grandes corporações estão muito na frente. Precisamos agir agora. Talvez essa seja a questão política mais importante de nosso tempo.

Defender os Estados-nação
Precisamos voltar a defender o Estado-nação soberano como uma das últimas forças ao nosso dispor para enfrentar a ditadura global do sistema financeiro e a ascensão das corporações da informação e sua acumulação de dados.

O desenvolvimento de uma nação nunca se deu sem a proteção estratégica de seu mercado interno. Foram sempre políticas nacional-desenvolvimentistas que conseguiram criar um parque industrial contra uma indústria já desenvolvida em outros países. E isso continua a ser assim hoje na Ásia.

Tanto o neoliberalismo quanto o marxismo defendem narrativas unimundistas, anseiam por um governo mundial. O neoliberalismo, para transferir todo o poder às grandes corporações e sistema financeiro. O marxismo porque considera que a classe trabalhadora é uma só, internacional, e deve apagar as falsas fronteiras entre as nações.

Mas considero que a defesa do Estado-nação é uma extensão da defesa do indivíduo. Em tempos de tecnologia potencialmente opressiva, se torna cada vez mais necessário transferir o máximo de poder aos indivíduos. O que não for possível, às suas comunidades, o que não for possível, delas a suas cidades, e, por fim, a seus Estados-nação que, como entes soberanos, resguardando ao máximo a autodeterminação daquela cultura nacional, negociem um equilíbrio de poder num concerto de nações. Distribuir ao máximo o poder sempre foi a forma mais eficaz de proteger a liberdade.

Defender o Estado-nação é mais do que defender o direito de se desenvolver e produzir tudo o que se é capaz. É a defesa do sentimento de família estendido a um povo inteiro. É a defesa dos interesses de nosso povo antes do interesse de outros povos, assim como defendemos a comida de nossos filhos antes da nossa, porque se não cuidarmos antes de nosso próprio povo ou de nossos filhos ninguém cuidará por nós. É a defesa de um povo que compartilha uma parte do globo terrestre e quer se organizar de acordo com suas próprias crenças, valores e interesses, sua própria cultura.

Defender o Estado-nação é defender os aprendizados de nossa própria história, das instituições que construímos, das lutas e vitórias de nosso povo. É defender nossa exuberante cultura, que é um sucesso também fora daqui. É defender que possamos construir uma civilização única, "original", como dizia Darcy Ribeiro, "uma civilização tropical, mestiça, orgulhosa de si mesma".

Defender o Estado-nação, nosso desenvolvimento, nossa autodeterminação, nossa cultura e forma de vida é também defender que as Forças Armadas não sejam forças desarmadas incapazes de proteger a integridade de nosso território e riquezas.

É fato que os novos desafios que a humanidade vai enfrentar no campo do trabalho e do emprego e no campo da tecnologia da informação vão requerer cooperação internacional. Mas certamente não conseguiremos mais liberdade nos rendendo a um governo mundial na fachada, e que na prática seria o governo de uma ou poucas nações mais poderosas. É só olhar para a grave e anacrônica estruturação da ONU hoje.

Se esse conjunto superior de valores não for tão simples de ser entendido, lembro que as condições de empreender, de produzir, de trabalhar são cada vez mais nacionais e chamo a atenção para três variáveis muito básicas: a personalidade e o custo do capital, o nível de sofisticação tecnológica e a capacidade de alcançar escala. Essas variáveis não são globais. Enquanto um japonês, um europeu ou um norte-americano se financiam com juros próximos de zero, um comerciante brasileiro desconta uma duplicata a 40% ao ano. A sofisticação tecnológica de ponta é um domínio restrito a muitos poucos países, e o Brasil não participa de nenhum desses domínios. Uma megaempresa chinesa, por exemplo, pode produzir 4 milhões de calças jeans em um único ano. Desse modo, é mais barato produzir uma calça jeans lá do que na Feira da Sulanca de Caruaru, onde a agenda neoliberal já é praticada em seu regime extremo: não há regras trabalhistas, encargos previdenciários nem tributação.

As lutas do século XXI contra o autoritarismo e a desigualdade não poderão ser travadas sem o Estado-nação.

Proteger o trabalhador, não o trabalho
Em vez de previsões apocalípticas, gostaria de manifestar humildemente que não ousaria prever como estará o mercado de trabalho daqui a vinte anos.

Ao contrário de todas as previsões passadas, a taxa de desemprego nos países ricos encontra-se no nível mais baixo das últimas quatro décadas[14] (o que só indica mais uma vez o fracasso retumbante do Brasil).

Não há nada de inexorável no futuro, e volto a dizer que a melhor maneira de o prever é construí-lo.

Parece evidente que o avanço da tecnologia da informação e da robótica vai eliminar a maior parte dos empregos que existem hoje, isso é

---

14   Em outubro de 2019.

apenas uma questão de tempo. O que não podemos ter certeza é se aparecerão outros empregos diferentes como consequência dessas tecnologias, como aconteceu em outras revoluções tecnológicas.

Pode ser que, com o avanço da inteligência artificial, isso não se repita.

No entanto, o desespero com isso é absurdo. Devemos incentivar o desaparecimento de tipos de trabalho que não são mais necessários ou em que a máquina seja mais produtiva que o ser humano.

O que não pode desaparecer são os trabalhadores.

Trabalhar cada vez menos é o processo de concretização do sonho da humanidade por libertação das necessidades materiais. O problema não é a diminuição das horas de trabalho, mas quem está se apropriando desses ganhos de produtividade.

A proteção da renda e do trabalho no futuro tem uma solução muito clara, embora difícil politicamente. Para nos adaptarmos às mudanças rápidas do mercado temos que nos educar, mas quando a automação e a informática alcançarem níveis incontornáveis, esse ganho de produtividade tem que vir junto com a diminuição da jornada de trabalho que é permitida por lei.

Hoje a Suécia já experimenta o turno único sem intervalo de seis horas diárias. São essas alterações que deverão ser bandeira progressista pelos anos vindouros para evitar tanto enormes contingentes de desempregados quanto a concentração da riqueza nas grandes corporações, gerada pela automação e informatização.

Igualmente, o progressismo do século XXI deveria defender a iniciativa privada e o microempreendedor do poder sem limites dos grandes conglomerados e corporações. Da mesma forma, deveríamos defender a democratização e a generalização da propriedade privada, e não sua posse pelo Estado, porque hoje vivemos num mundo em que cidadãos em suas casas podem ser cada vez mais proprietários de bens de produção.

Essa também é uma revolução que nossa sociedade está começando a experimentar e que acaba não com o trabalho, mas com os empregos. Em vez da oposição à propriedade privada de alguns bens de produção, devemos lutar é por sua universalização.

Apesar de parecer fantasioso, já vemos acontecer isso no mundo em setores como a energia elétrica (através da produção de energia solar em casa e conectada à rede pública de distribuição) e com as impressoras 3D. Setores inteiros da economia desapareceram e foram substituídos por softwares em nossos computadores pessoais. Temos hoje verdadeiros estúdios de música, vídeo e editoras dentro de casa. Está próximo o dia em que boa parte das atividades econômicas poderá ser desempenhada assim ou em cooperativas locais.

Temos que incentivar o desejo dos cidadãos por produzir seus próprios bens e a formação dessas cooperativas com a necessária flexibilização das políticas de patentes para dinamizar essa nova modalidade de organização econômica.

Não devemos temer imediatamente o fim do trabalho, mesmo porque ele dificilmente acontecerá no espaço de nossa vida, mas sim a concentração dos bens de produção e automação. A diminuição da necessidade de trabalho é algo a ser comemorado, porque nos dá a possibilidade de viver uma vida mais plena, dedicada aos valores espirituais que nos são caros. O que não devemos comemorar ou aceitar é a diminuição do trabalhador.

Para aproveitar o salto dos próximos anos precisamos de uma revolução educacional que crie uma educação permanente, contínua, uma cultura voltada à economia do conhecimento, como a definiu Mangabeira Unger,[15] mas com atenção à saúde mental do trabalhador.

Porque pode até ser possível criar indefinidamente novos empregos e reeducar os trabalhadores desempregados para se capacitarem a exercer uma

---

15   UNGER, Roberto Mangabeira. *A economia do conhecimento*. São Paulo: Autonomia Literária, 2018.

nova profissão, ou, ainda, a utilizar novas tecnologias ou a organizar a atividade produtiva de novas formas. Mas também pode ser que, num futuro não muito distante, essas mudanças estejam num ritmo tão acelerado que o estresse causado por tamanha instabilidade não seja suportado pelo ser humano comum. E certamente não seria desejável a naturalização de uma vida assim.

Essa reflexão nos põe diante da agenda do século XXI, mas em todo mal alguma coisa boa há, diz também a sabedoria popular. O extenso retardo brasileiro nos permite falar de imposto e renda ainda pelos moldes tradicionais, ainda pela execução de uma agenda retardatária do século XX e até do XIX. Há uma imensa fronteira de empregos para o Brasil como há a muito raros países, em função de nossas especificidades. A agenda do século XIX não realizada: uma reforma agrária moderna que ocupe o campo em outras bases tecnológicas e em outras formas de propriedade. A agenda do século XX: a infraestrutura para executar mais de 24 mil obras paradas, 14 milhões de pessoas sem um teto para morar, uma rede de logística, ferrovias e também o emprego industrial. É incalculável o efeito de geração de emprego, aos milhões, do investimento nos setores já mencionados aqui (defesa, petróleo e gás, saúde e agronegócio). Nada disso acontecerá pelo espontaneísmo individualista do neoliberalismo ou sua pior mistificação: a de que seremos salvos de nossa tragédia econômica pelo capital estrangeiro.

Em suma, além da revolução educacional, precisamos, para nos preparar para as mudanças das próximas décadas, voltar a crescer, e, quando chegarmos ao estágio de produção almejado por nossa sociedade e a agenda retardatária começar a se esgotar, diminuir a jornada de trabalho na medida dos ganhos de produtividade.

Mas isso, caro leitor, seria o melhor dos cenários. Seria se tudo desse certo. A perspectiva de automação generalizada nas próximas duas décadas elimina o papel antes concedido pelo projeto neoliberal às economias periféricas perdedoras na corrida da modernização.

No passado, o trabalho barato, não qualificado e sem direitos serviu à divisão econômica global, como descrevi num item anterior. Mesmo que estivéssemos em outro ciclo tecnológico, poderíamos esperar chegar lá com um projeto nacional claro. Mas agora, com a automação generalizada, o Brasil não teria como oferecer nem sequer trabalho escravo como troca econômica. O que faremos quando, mantido nosso povo na ignorância, a mão de obra barata e não qualificada sequer servir para alguma coisa? Como distribuiremos renda mínima se não tivermos renda nacional alguma?

Você, jovem, que quer um futuro, precisa entender uma coisa: hoje, agora, é projeto nacional ou morte.

Desenvolvimento para salvar da miséria
Consumismo e excesso de bens materiais não trazem felicidade, mas a falta de bens necessários para uma vida decente traz infelicidade, dizem tanto a sabedoria popular quanto pesquisas recentes em psicologia.

E o principal objetivo do Estado e de um governo é promover a felicidade de seus cidadãos.

Não superaremos a miséria e a pobreza sem desenvolvimento. Como já mostrei em números, ainda nos falta muita riqueza para atingir o nível de vida dos países europeus. Precisamos crescer, produzir mais.

Um progressismo renovado deve defender estratégias de desenvolvimento junto a estratégias distributivas, pois distribuir a miséria nunca foi bom negócio e sempre gerou resistências violentas. É muito mais fácil promover a distribuição de renda em períodos de crescimento econômico em que todos estão ganhando, é claro, fazendo os pobres melhorarem sua renda mais que os ricos. O oposto do que vimos acontecer nos últimos vinte anos no Brasil, em que os pobres melhoraram pouco, mas os ricos enriqueceram muito.

E assim como olhamos para a Escandinávia para encontrar pistas do que queremos ser, devemos olhar para a Ásia para encontrar pistas de como crescer. E é o que já fiz neste livro.

O centro político desenvolvido é a Europa. O centro político em desenvolvimento é a Ásia. Com livre-iniciativa, mas sem o livre mercado, com rígido controle de capitais e câmbio, Estado indutor, planejamento e soberania.

A Ásia é a região mais dinâmica do capitalismo mundial hoje, e a maioria de seus países é abertamente desenvolvimentista. Os Tigres Asiáticos, Coreia do Sul, Singapura e Taiwan; os "novos Tigres", Vietnã, Malásia e Tailândia; e também a China e o Japão cresceram com políticas desenvolvimentistas em rechaço à ilusão do livre mercado.

Hoje um dos países mais produtivos do mundo, a China, que com seu sistema político exótico realiza o projeto nacional mais bem-sucedido do mundo, prega o fim das barreiras alfandegárias. Ontem um país agrícola e sem indústria, a China protegeu sua indústria nascente. Com a recente guerra comercial com os EUA, passamos a não poder ter dúvidas sobre o que os EUA realmente pensam do livre mercado,[16] a despeito de sua retórica contraditória.

Quando se fala de proteção e política industrial no Brasil, isso evoca lembranças desagradáveis nas pessoas. No passado, a ausência de metas de desempenho obrigatórias e públicas para as indústrias sob incentivo de alguma política industrial causava uma farra de dinheiro público para os "amigos do rei" (e, mais recentemente, os "campeões nacionais"), e não conseguia resolver nosso atraso tecnológico. Não obstante, a industrialização brasileira entre 1930 e 1980 foi a mais bem-sucedida do mundo. Se ainda por cima aprendermos com os países asiáticos a fazer política industrial com metas públicas de rendimento, punições claras por descumprimento e financiamento soberano, podemos ir muito mais longe.

---

16   "Estados Unidos vão aumentar para 25% tarifas sobre US$200 bilhões em produtos importados chineses." *G1*, maio 2019. Disponível em: https://g1.globo.com/economia/noticia/2019/05/05/estados-unidos-vao-aumentar-para-25percent-as-tarifas-sobre-produtos-chineses-importados.ghtml

O melhor exemplo de projeto nacional de desenvolvimento que posso dar aqui é o de Singapura. Por que o melhor? Porque foi objeto da maior quantidade de mentiras e mistificações liberais. Não é improvável que você tenha ouvido falar que Singapura é um exemplo de sucesso do liberalismo econômico.[17] Acho difícil imaginar alguma história mais mentirosa do que essa.

Singapura é uma cidade-estado localizada numa ilha do Sudeste Asiático, ao sul da Malásia. Ela tem um Estado tão forte e um desenvolvimento tão planejado que projeta até sua taxa de natalidade e regula o fluxo de imigrantes de acordo com as carências do mercado de trabalho.

Governada por um partido nacionalista e socialista desde sua independência, em 1959, o Partido de Ação Popular, Singapura tem um alto grau de regulação estatal na economia. O sistema de impostos é altamente progressivo (em que os mais ricos pagam proporcionalmente mais). Dona de dois dos oito maiores fundos soberanos do mundo (GIC e Temasek), seu Estado tem participação acionária ou propriedade em oito das dez maiores empresas do país. A habitação é política de Estado, e não de mercado, e a agência estatal para habitação é responsável por 80% dos imóveis construídos.[18] A propriedade privada da terra quase não existe e o direito de posse da maior parte dos imóveis é de 99 anos.[19] Além da habitação, o Estado controla todos os outros serviços essenciais. Energia, transportes, saúde, educação básica e superior são quase 100% estatais (com exceção da geração de energia e da operação de algumas linhas de transporte, que tem participação privada).

---

17 Há um ranking que supostamente fornece "índices de liberdade econômica", o da Heritage Foundation, que foi construído com parâmetros que, em sua maioria, não tem relação com o neoliberalismo. Para a elaboração do ranking, usa-se critérios que na verdade definem pontuações altas para países que já estão na ponta econômica e, portanto, podem ter baixas taxas alfandegárias e câmbio livre. Outros parâmetros que medem direitos de propriedade, inflação, corrupção e burocratização também não têm relação com o neoliberalismo. Esses índices são as maiores fontes da difusão dessa ficção sobre Singapura.
18 "Public Housing – A Singapore Icon." *HDB*. Disponível em: https://www.hdb.gov.sg/cs/infoweb/about-us/our-role/public-housing--a-singapore-icon
19 Singapore Government Agency. Disponível em: https://www1.sla.gov.sg/property-boundary-n-ownership/property-ownership. Acessado em 18 de maio de 2018.

Mais ainda: também é disseminada a versão de que Singapura não possuiria previdência ou direitos trabalhistas, o que é somente mais um crime que os *think tanks* neoliberais cometem contra a opinião pública. Singapura possui um fundo de previdência de contribuição obrigatória do empregador e hoje tem mais direitos trabalhistas do que o Brasil, que adotou verdadeiras aberrações com a reforma trabalhista do Governo Temer. Em Singapura, a jornada de trabalho é de 44 horas semanais, há uma hora obrigatória para almoço, no mínimo um dia de descanso remunerado por semana, onze feriados nacionais pagos, quatorze dias de licença remunerada em caso de doença e sessenta dias em caso de internação.[20]

Singapura, assim como a China, não deve ser um modelo para nós em relação a liberdades individuais ou regime político, mas mais uma vez nos aponta o caminho universal para o desenvolvimento: poupança interna, Estado forte e regulador, crédito nacional, juros baixos, coordenação estatal e privada, política industrial, educação massiva e de qualidade e soberania.

Ecologia para salvar o planeta
Estima-se que se o padrão de consumo do norte-americano fosse generalizado para toda a humanidade, precisaríamos de 4,5 planetas Terra para sustentá-lo. Mesmo sem generalizar o consumismo norte-americano, o Banco Mundial avalia que nosso consumo global hoje já é 1,5 maior que a capacidade da Terra de reproduzi-lo, e que se a população mundial chegar a cerca de 10 bilhões de pessoas em 2050 serão necessários quase três planetas Terra para sustentar o atual estilo de vida da humanidade.[21]

Desnecessário é lembrar que só temos uma Terra.

---

20 Guide on Employment Laws – Ministry of Manpower. Disponível em: https://www.mom.gov.sg/~/media/mom/documents/employment-practices/workright/workright-brochure-for-employees.pdf
21 ONU. "Banco Mundial: serão necessários três planetas para manter atual estilo de vida da humanidade." Publicado em 19 ago. 2016. Disponível em: https://nacoesunidas.org/banco-mundial-serao-necessarios-3-planetas-para-manter-atual-estilo-de-vida-da-humanidade/

Não devemos ser ingênuos quanto aos alertas de insustentabilidade emitidos por esses certos organismos. Eles também são usados como instrumentos na luta contra nosso desenvolvimento.

Mas parece evidente que a Terra, há algum tempo, já passou de seu estado de equilíbrio. Estamos alterando significativamente nosso meio ambiente com consequências dificilmente previsíveis.

O cenário esboçado anteriormente se coordena com minha reflexão sobre os padrões de consumo excitados pela globalização e pelas novas mídias. E ele nos lembra de que a salvação ecológica de nosso planeta passa por uma reespiritualização da sociedade, seu retorno à vivência dos valores e à rejeição ao consumismo, que abordarei no próximo item.

Mas isso não será suficiente.

O avanço tecnológico também é parte indissociável da luta ecológica. Ele pode ser voltado para diminuir o impacto de nossas ações sobre o planeta, ou, até mesmo, revertê-las.

Mas acima de tudo precisamos eliminar aquilo que é uma das maiores causas de impacto ambiental: a miséria. Não que os pobres, eles mesmos, possam ser responsabilizados pela degradação urbana ou pelo ataque à floresta. A falta de saneamento também polui rios, lagoas e mares. A falta de dinheiro para comprar gás (como hoje assistimos no Brasil por causa da política de preços da Petrobras submetida à lógica do mercado) obriga as pessoas a cortar lenha para fazer comida. A falta de emprego qualificado força a expansão da fronteira agrícola.

Sem desenvolvimento não há preservação ecológica, pois para sobreviver os excluídos da economia têm que recorrer a formas mais primitivas e ineficientes de exploração dos recursos naturais.

O exemplo do Brasil talvez seja o mais importante para ilustrar essa tese. Um fato oculto nas disputas em torno da questão ambiental é o papel da desindustrialização na devastação de nossos biomas. Um país que vem reprimarizando aceleradamente sua economia continua a precisar de divisas para equilibrar sua balança de pagamentos. Sem o recurso das exportações de bens manufaturados de maior valor agregado, resta ao país essa contínua pressão que vivemos hoje para a expansão da fronteira agrícola e exploração mineral descuidadas. Por mais que a grande produtividade do agronegócio continue crescendo, uma economia baseada em exportação de commodities vai sempre ser refém das bruscas oscilações de preços. O resultado não é trágico apenas para a vida econômica, o meio ambiente também sente esse impacto.

Por mais engajado ecologicamente que seja um governo no Brasil, se não enfrentar o problema da desindustrialização, em médio prazo, a desorganização das finanças externas cuidará de recompor a correlação de forças em prol do desmatamento. Em última instância, só no enfrentamento do subdesenvolvimento e da dependência é que conseguiremos resolver de fato a questão ambiental brasileira. Do contrário, até podemos conseguir vitórias temporárias nessa área, mas a força dos ciclos econômicos mundiais, especialmente cruéis com os países subdesenvolvidos, promoverá retrocessos seculares. Industrializar para preservar deveria ser um dos lemas de quem luta pelo meio ambiente na periferia do capitalismo.

Entretanto, seja na periferia ou no centro do capitalismo, é tarefa progressista assumir a questão ecológica sem negar sua urgência insofismável para o futuro da humanidade e de toda a vida na Terra.

Reespiritualizar a sociedade
Acredito que a grande tarefa do progressismo no século XXI, necessária para que possamos realizar tudo o que levantei antes, é se reespiritualizar e ajudar na reespiritualização da humanidade.

Por reespiritualização entendo voltar a reconhecer e atuar com base na dimensão dos valores – do verdadeiro, do justo, do bom, do belo, da compaixão –, afastando-se de um materialismo grosseiro que comprometeu parte de sua atuação na sociedade até aqui. É claro que entre esses valores se encontra o do sagrado, mas a questão não se resume a ele.

Não se trata de misturar religião com política, mas de voltar a fazer política, assim como de projetar uma sociedade orientada a valores. Não acredito haver outro meio de salvar a humanidade de um grande desastre social, político e ecológico.

O consumismo grotesco que infelicita nossa juventude hoje é uma verdadeira fábrica de infelicidade, alimentado por uma máquina publicitária que existe para criar carências que não existiam. Tal aberração só faz sentido numa sociedade que quer viver para criar e consumir o máximo possível de bens materiais.

Mas o objetivo último de uma economia e de um governo não é esse, e sim o de criar as condições para o nascimento e o sustento de seres humanos e de sua felicidade.

Como exemplo de uma de muitas ações que deveríamos fazer para ajudar nessa reespiritualização está o investimento maciço numa educação criativa, libertadora e contínua, que desenvolva o pensamento crítico e rejeite o niilismo disseminado em nossa sociedade.

A escola pública não é lugar para realizar revolução cultural ou doutrinação moral de nenhuma natureza, mas sim de transmissão do legado do conhecimento humano bem estabelecido.

Mas ela é também lugar para desenvolver as habilidades básicas de argumentação, raciocínio, crítica e solução de problemas de nossas crianças, e, por que não dizer, de nós mesmos, caso queiramos passar a vida em aprendizado contínuo.

E serão essas habilidades que propiciarão essa revolução cultural.

Pois a tarefa de reespiritualizar nossa cultura é política.

Como parte da luta ecológica, por exemplo, devemos generalizar o esforço de reflexão sobre o ato de consumo. Levar os cidadãos a se perguntarem sobre qualquer produto ou serviço não só "quanto custa?", mas "preciso mesmo dele?", "Quem aproveita comunitariamente meu ato de consumo? Minha região? Meu país? Minha comunidade?", "Meu ato de consumo é fraterno à natureza na origem e no rejeito?"

Não deveríamos optar por um produto menos belo, barato ou mais caro caso ele tenha um adicional felicitante para mim, que é ajudar a dar renda à minha comunidade ou proteger a natureza?

Humanizar o capitalismo não é só criar um Estado de bem-estar social, mas proteger nossas crianças de uma cultura de consumo que cria carências artificiais e infelicidade. Para isso, temos que debater formas de desestimular o uso das novas tecnologias pela máquina de moer publicitária – produtora de desejos, carências, infelicidade, cultura da ostentação, sentimento de inferioridade, individualismo e indiferença à miséria.

Temos que salvar as novas gerações de uma vida sob estresse permanente causado, de um lado, por subemprego, exploração e insegurança de um mercado selvagem e, de outro, pelo massacre cientificamente planejado da enxurrada de imagens e sons publicitários que produzem a frustração e a infelicidade.

Ao mesmo tempo, é o Estado, e não o mercado, que deve buscar recompensar manifestações de altruísmo, generosidade e espírito cooperativo, porque a lógica do capitalismo nunca as recompensará.

Conquistar para o ócio e a vida na dimensão dos valores o tempo que a automação e a tecnologia da informação vão eliminar do trabalho humano é uma das principais tarefas do progressismo para ajudar nessa reespiritualização. E isso deve ser feito através da paulatina diminuição da jornada de trabalho.

E essas conquistas jamais serão medidas pelo PIB.

Precisamos julgar as sociedades mais pelo bem-estar atingido do que pela riqueza material produzida. Temos que produzir mais felicidade do que bens.

Não estou falando de religião, embora as virtudes da parcimônia, da austeridade, do amor ao próximo, do compromisso com a vida, da solidariedade com os mais pobres sejam pontos de absoluta convergência entre o que penso e o que pregam os melhores líderes espirituais e religiosos da humanidade.

Acredito comovidamente que se há no mundo um país que tem capacidade de oferecer ao mundo um novo experimento civilizatório, este é o Brasil. No momento em que voltar aos trilhos do desenvolvimento e da conciliação nacional, poderemos vir a nos tornar um novo e original marco civilizatório da humanidade, apresentando uma alternativa reespiritualizada de sociedade contra o materialismo voltada ao campo dos valores.

Cada vez há mais pessoas no mundo, e entre nós brasileiros, que me dizem que este não é um sonho solitário. E então sabe como é, né? Sonho que se sonha só é apenas um sonho. Quer sonhá-lo junto comigo?

Por um novo progressismo genuinamente brasileiro

"Por que o Brasil ainda não deu certo?", é a pergunta que faz Darcy Ribeiro no prefácio de *O povo brasileiro*.[22] É a pergunta que todo brasileiro se faz.

Como pode um continente cheio de recursos naturais, solo fértil, sol o ano inteiro, água abundante, unidade linguística, cultural e povo mestiço ainda não ser capaz de gerar riqueza e felicidade abundantes?

As respostas a essa pergunta que são mais valorizadas em nossa academia tratam o Brasil como um planeta próprio, colocando a culpa por sua condição em seu povo e cultura. Bem, de fato, a culpa não pode ser do território ou do clima, embora nossa dimensão tropical acrescente desafios e conceitos muito peculiares, que a cultura e as instituições do Atlântico Norte ou o exotismo (a nossos olhos) da cultura e institucionalidade orien-

---
22 RIBEIRO, Darcy. *O povo brasileiro*: a formação e o sentido do Brasil. 3ª ed. São Paulo: Global Editora, 2015.

tais não poderão nos ensinar. Mas também tem que ter algo a ver com o fato de termos nascido do colonialismo e crescido sob o escravagismo. Se não soubemos nos erguer apesar disso, como outras nações o fizeram, a culpa certamente é primariamente nossa. Mas que tipo de culpa, exatamente?

Será que a culpa está em termos criado um modelo hipócrita de "homem cordial", ou no "patrimonialismo", que confunde espaço público e privado, ou na vulgarização desse conceito na "corrupção" udenista, ou ainda nas suas estruturas sociais arcaicas que demandam modernização?

Ou será que, como afirmam nossas elites, a culpa é do povo brasileiro, que não seria bom, honesto, culto e civilizado o suficiente? Seria alguma espécie de defeito genético? Pois eu acho essas interpretações nada mais do que expressões de um racismo e desprezo brutal entranhados na relação da elite econômica e cultural brasileira com nosso povo.

Durante toda a minha vida eu me fiz a pergunta de Darcy, e a convicção que tenho hoje é que as respostas tradicionais a essa pergunta estão erradas. Acho que um progressismo genuinamente nacional tem que rejeitar essas fábulas que construíram uma narrativa inferiorizada de nosso povo e uma visão distorcida de nossa cultura.

Nosso país nunca alcançará seu máximo potencial se continuar reproduzindo modelos que outros povos desenvolveram para si mesmos baseados em seus próprios problemas, história, cultura, região geográfica, potencialidades e conflitos. Não devemos buscar construir aqui uma civilização estrangeira, somente buscar aprender com suas experiências.

Mas, principalmente, devemos aprender com nossas próprias experiências.

E foi assim que o estudo de nossa história econômica, a luta, a prática, a experiência e os anos foram me revelando que o trabalhismo não era só uma forma de social-democracia brasileira. Ele era *a* forma de social-democracia brasileira. Um caminho próprio, criado do ventre de nossa cultura, que valoriza nosso povo e busca a justiça social através do desenvolvimento.

Trabalhismo: o caminho brasileiro

Dos partidos em que realmente militei[23] – o PMDB da redemocratização, o PSDB que ajudei a fundar, PPS, PSB e agora o PDT –, minha constante, apesar da conturbada vida partidária, tem sido a luta pelo desenvolvimento, a soberania e o Estado de bem-estar social. Enfim, é melhor mudar de partido para não mudar de ideais e práticas do que ficar num partido que mudou de ideais e práticas.

Apesar de ter concorrido à Presidência da República, em 2002, pela Frente Trabalhista (PDT, PTB e PPS), minha escolha tardia pela filiação ao PDT é algo que hoje só posso lamentar. Enfim, ninguém nasce pronto. Ninguém sequer morre pronto. Não me condeno, para ser sincero. O fato é que, como qualquer jovem que entra na universidade brasileira, também fui exposto às interpretações liberais e marxistas sobre a natureza do Brasil e do trabalhismo criado por Getúlio Vargas. Porque essa é a educação que a elite liberal e a esquerda marxista brasileira legam aos nossos jovens: a destruição da imagem de nosso país e nossos heróis. Afinal, como ambas são internacionalistas e desprezam a própria noção de pátria, é natural que transformem em vilões seus maiores emancipadores. Essa é a visão que a elite tenta impor ao Brasil profundo: "Nós não temos valor".

Só a maturidade, a experiência e a confluência de valores e lutas com o partido que já apoiou duas candidaturas minhas à Presidência da República me conduziram ao leito fundador da luta do povo brasileiro por sua soberania, seus direitos, sua indústria e sua liberdade: o trabalhismo.

---

23 Tive passagens transitórias de cerca de um ano pelo PDS e pelo PROS, que, devo confessar, foram movidas por mero pragmatismo eleitoral. Na primeira eleição que disputei, em 1982, meu pai era prefeito de Sobral pelo PDS, quando de última hora foi imposta a vinculação de voto, que obrigava a escolha de candidatos do mesmo partido de governador a vereador. Para conseguir concorrer, tive que me filiar ao partido. No ano seguinte, já estava no PMDB. A filiação ao PROS foi igualmente fruto de uma necessidade transitória, agora não minha, mas do meu grupo político, que, saindo do PSB às vésperas das eleições de 2014, precisava de uma legenda para concorrer ao pleito daquele ano. No ano seguinte, entramos no PDT.

O Brasil moderno foi fundado pela concepção trabalhista. Essa foi a corrente política diretamente responsável pela industrialização do país e pela construção de um consenso desenvolvimentista que durou até a ascensão do discurso neoliberal. Não foi pouca coisa. Sob a liderança do modelo inaugurado por Getúlio Vargas, o Brasil foi o país que mais cresceu no mundo entre 1930 e 1980.

A questão nacional é central para essa tradição que se formou de políticos e intelectuais como Alberto Pasqualini, João Goulart, Anísio Teixeira, Leonel Brizola, Theotônio dos Santos e Darcy Ribeiro. Assume, como nenhuma outra no país, a realidade do imperialismo e de um processo de exploração e intervenção constante sobre nós que nos condena ao subdesenvolvimento crônico, assim como a crença de que a mera importação de modelos europeus nunca emanciparia nosso país. O trabalhismo foi o único desenho genuinamente nacional de economia política, uma adaptação do keynesianismo[24] e da social-democracia dos anos 1940 à nossa realidade.

Além disso, foi o trabalhismo que conseguiu criar meios de os trabalhadores brasileiros se organizarem de forma efetiva para não apenas lutarem por mais direitos, mas se tornarem a base da mudança econômica e social do Brasil. Promoveu as primeiras organizações sindicais do país e consolidou as leis trabalhistas.

Ele é também a materialização brasileira da Doutrina Social da Igreja e tem essa intenção de origem. Considere, por exemplo, este trecho: "É necessário que mercado e Estado ajam de concerto um com o outro e se tornem complementares. O livre mercado pode produzir efeitos benéficos para a coletividade somente em presença de uma organização do Estado que defina e oriente a direção do desenvolvimento

---

24 Tradição de teoria econômica iniciada pela obra do economista John Maynard Keynes (1883-1946), que defende, dentro dos parâmetros da livre-iniciativa, a necessidade de uma forte intervenção econômica do Estado para garantir a estabilidade, o desenvolvimento, o pleno emprego e o controle da inflação.

econômico, que faça respeitar regras equitativas e transparentes, que intervenha também de modo direto, pelo tempo estritamente necessário, nos casos em que o mercado não consegue obter os resultados de eficiência desejados e quando se trata de traduzir em ato o princípio redistributivo".[25] Poderia ter saído de uma obra do trabalhista Alberto Pasqualini ou de alguma conferência de Keynes, mas é tão somente um excerto da Doutrina Social da Igreja.

Essa comunhão entre a luta por justiça social e o cristianismo caracteriza o trabalhismo desde seu início. Ele advoga um modelo político e econômico que equilibra a garantia da propriedade privada com sua função social. Esse equilíbrio se expressa de forma muito feliz na famosa frase de Leonel Brizola: "A propriedade privada é uma coisa tão boa, que a queremos para todos". Apresenta-se como uma alternativa tanto ao denominado "socialismo real" quanto à tradição econômica liberal. Continua a ser a verdadeira alternativa nacional ao "petucanismo", a autodenominada "esquerda" democrática, que quando chegou ao poder aderiu ao neoliberalismo com maior ou menor força.

Também na luta pelos direitos das minorias, o trabalhismo foi pioneiro no Brasil. Em linha com as melhores tradições dos movimentos de direitos civis da época, desde seu documento de refundação, a "Carta de Lisboa", de 1979, os fundadores do PDT viam na opressão histórica uma dívida a ser resgatada, e priorizaram pela primeira vez em nossa história partidária a luta pela causa das mulheres, dos negros, dos índios e dos idosos.

Essa luta está inserida numa refundação do olhar sobre o Brasil que mais uma vez opõe o trabalhismo a todas as tradicionais interpretações elitistas sobre nós. Para o trabalhismo, o povo brasileiro, sua miscigenação e seu sincretismo cultural são a grande riqueza, e não o problema do país. Aquilo que pode nos transformar em uma civilização única na Terra.

---

25 Compêndio da Doutrina Social da Igreja, pp. 736 e 737. Disponível em: http://www.vatican.va/roman_curia/pontifical_councils/justpeace/documents/rc_pc_justpeace_doc_20060526_compendio-dott-soc_po.html#O%20papel%20do%20mercado%20livre

É por isso que o PDT se tornou conhecido como o partido da educação. Para o trabalhismo, o investimento maciço em educação é um projeto não só de diminuição das desigualdades, mas de emancipação nacional. O desenvolvimento e a soberania de uma nação dependem de um povo altamente qualificado que seja sua força criadora e produtiva. Não só para se apoderar da tecnologia estrangeira e produzir sua própria, mas, acima de tudo, para que tenha conhecimento de si mesmo, sua história, seus interesses, e produza criticamente um pensamento nacional autônomo.

Daí a longa tradição trabalhista na educação, que vai de Anísio Teixeira e Darcy Ribeiro até hoje, por exemplo, com Mangabeira Unger e sua defesa do que denomina "educação transformadora" como pilar da superação do colonialismo mental que nos condena ao subdesenvolvimento. Mas essa tradição está longe de ser somente uma tradição de pensamento: ela é de fato uma tradição política de realizações. Quando no poder, o PDT transforma a educação de prioridade discursiva em prioridade orçamentária, como vimos com as revoluções educacionais que Brizola promoveu no Rio Grande do Sul com as "brizoletas" e no Rio de Janeiro com os Cieps, ou como vemos hoje na educação do Ceará, em Sobral.

O trabalhismo resume melhor não só nosso passado, mas nosso presente. A identidade entre o ideário do PDT e o pensamento médio do brasileiro é impressionante. Baseando-nos nas já citadas pesquisas do Datafolha e do Latinobarômetro sobre esse pensamento médio, destacamos desde a defesa das leis trabalhistas contra a superexploração do trabalho, a defesa da indústria nacional, do Estado indutor da economia via investimentos públicos, da melhor distribuição de renda, da ideia de que a pobreza é predominantemente causada pela falta de oportunidades, até a defesa de pontos específicos como uma maior transparência do sistema de votação eletrônico e do desarmamento.

A tradição que hoje integro orgulhosamente, assim como milhares de jovens que a vêm descobrindo ao longo dos últimos anos, foi resumida precisamente por Mangabeira Unger em seu discurso de refiliação ao PDT. O que nos distingue hoje até mesmo dentro do campo progressista é: a) procurar ser a voz da maioria desorganizada; b) o nacionalismo, entendido como afirmação nacional contra o colonialismo; c) a primazia dos interesses do trabalho e produção sobre o financismo; d) o compromisso da educação como instrumento libertador; e, por fim, e) o empoderamento do povo brasileiro através da criação das condições para empreender e criar, superando o assistencialismo.

É por esses compromissos que, desde sua organização por Getúlio Vargas até os dias atuais, o trabalhismo brasileiro vem sendo combatido por todos os lados. Difamado pelas esquerdas liberal e marxista e violentado pela direita antidemocrática que arrancou João Goulart da cadeira presidencial, impondo 21 anos de ditadura, o trabalhismo resiste como esse fio da história que nos conecta ao passado e continua a apontar um futuro para nossa nação.

Nunca foi fácil construir ou manter um partido trabalhista no Brasil, uma vez que ele sempre foi facilmente reconhecido como o maior opositor dos interesses neocoloniais. Desde sua fundação, que aconteceu sob o impacto da deposição de Getúlio em 1945, faltando pouco mais de um mês para as eleições que ele havia convocado, até as dificuldades enfrentadas pelos trabalhadores para organizar o partido durante o governo Dutra. Desde o traumático suicídio de seu maior líder até a deposição de seu presidente, João Goulart, dez anos depois. Desde a ditadura militar, que exilou seus maiores quadros e impediu sua renovação geracional, aos golpes sofridos com a redemocratização, como a perda da sigla PTB e o estímulo do regime ao estabelecimento de uma esquerda antivarguista com base no novo sindicalismo. E, por último, desde as dificuldades enfrentadas por Brizola para levar a chama trabalhista adiante durante a hegemonia neoliberal até a incrível habilidade de Carlos Lupi em seguir empunhando a bandeira trabalhista após a morte de Brizola, conseguindo manter o fio da história brasileira conectado mesmo sob ataque do poder do governo central, determinado a tomar o partido para convertê-lo em mais um satélite estéril de seu projeto social-liberal. São esses companheiros, cada um em sua grandeza, se batendo contra diferentes inimigos de épocas e conjunturas distintas, que nos legaram a chama do trabalhismo, que trouxeram até esse ponto de nossa história o instrumento que nos permite seguir na luta por um país soberano, desenvolvido e justo.

Que esses compromissos se atualizem em sintonia com a transformação de nossa sociedade e continuem a orientar nosso caminho rumo a esse futuro.

Que sejam nosso único olho numa terra de cegos pela propaganda neoliberal, pelo ódio, pelo preconceito, pelo imperialismo, pela divisão fratricida e pela vontade férrea de nada enxergar.

O Brasil vai dar certo

Em tempos de depressão generalizada com a destruição de nosso país, encerro aqui minhas reflexões com uma mensagem de esperança, uma esperança que, nos dias de hoje, quando temos no nosso próprio governo o maior inimigo de nossa soberania e desenvolvimento, precisa ser renovada pela razão.

Somos uma sociedade multiétnica, uma civilização mestiça que sempre cultivou o sincretismo religioso e a tolerância. Isso não pode mudar. Isso não vai mudar.

Todo o planeta tem problemas no abastecimento de alimentos, água e minérios sensíveis, enquanto nós somos um dos três melhores do mundo em todos esses fatores. Isso não vai mudar.

Temos, portanto, um povo e um continente fantásticos.

Não temos interdição razoável alguma para nos tornarmos uma grande potência.

O Brasil vai dar certo.

Só que o futuro já chegou e ele ainda não deu certo. É porque esse "vai dar certo" não será consequência fatalista do espontaneísmo dos empreendedores, do mercado ou menos ainda dos investidores internacionais.

Esse "vai dar certo" não será consequência de figuras políticas personalistas e mistificadoras.

Esse "vai dar certo" será consequência de um povo que abandone a ilusão de que as grandes potências mundiais simplesmente nos deixarão nos transformarmos num colosso. De um povo que entenda que teremos que lutar por isso.

Esse "vai dar certo" será consequência de um povo que seguirá em frente, sem se autoflagelar por seus erros, aprendendo com eles e descobrindo que o Brasil não precisa de salvadores ou mitos, mas de projeto.

Quando convergirmos a inteligência nacional, o mercado e o governo para esse projeto de consenso básico.

Quando a maioria de nós abrir mão de preconceitos e interdições ideológicas para aplicar uma racionalidade que o mundo que tem êxito já conseguiu aplicar.

Quando entendermos que a crise atual é uma terapia de choque das elites nacionais e internacionais para entregar a preço simbólico todo o nosso patrimônio público.

Quando nosso povo insistir em repetir "basta" para a vida desumana que leva gastando em média mais de uma hora e meia no transporte por dia, sofrendo o flagelo da violência em níveis de guerra civil e a falta de saneamento básico.

Então o Brasil vai começar a dar certo.

Se eu estarei aqui para ver, não sei.

O que sei é que não serei eu que salvarei o Brasil.

Porque o que o salvará um dia é seu próprio povo munido de um projeto e da determinação de executá-lo.

E para ajudar nosso povo a entender isso dedicarei até o último dia de minha vida.

O DEVER DA ESPERANÇA

DE TODOS OS CRIMES COMETIDOS contra o Brasil nos últimos três anos, o mais triste foi o roubo da esperança. Se pudéssemos atribuir doenças a países, eu diria que o nosso hoje está em depressão, e não só econômica. Por onde quer que andemos vemos abulia, uma profunda desilusão, um ressentimento contra o próprio país e seus concidadãos, uma vontade de abandonar a própria pátria numa tentativa desesperada de garantir um futuro melhor para os filhos.

Em parte dessa depressão está um sentimento difuso de perda de amor pela nossa pátria, como se aquele país diverso, tolerante, pacífico, alegre, de cultura rica e exuberante que aprendemos a amar tivesse sido um sonho, uma ilusão juvenil.

Mas eu não tenho o direito de me abater, porque o Brasil me deu tudo. Me deu renda e comida através de pais amorosos e trabalhadores, me deu educação pública de qualidade, me capacitou, me honrou com a confiança de um mandato após o outro e depois com os prêmios máximos do carinho, confiança e gratidão de meu povo.

Eu tenho o dever de ter esperança.

Eu tenho esse dever porque minha geração ganhou todas, e ganhou por meio do milagre da política. Reunimo-nos para redemocratizar o país e o redemocratizamos. Reunimo-nos para vencer a superinflação e a vencemos. Reunimo-nos para acabar com a fome e acabamos com ela.

Eu tenho esse dever porque tenho filhos, uma neta e outro netinho, que acabou de nascer, e tenho como filhos e netos milhões de novos brasileiros que merecem ter as oportunidades que tive um dia. Foi a essa luta que entreguei minha vida.

Eu tenho o dever da esperança, porque de tantos brasileiros o direito a ela foi tomado.

A tarefa é árdua, mas não podemos desistir. Nós já reconciliamos um país depois de uma ditadura, por que não o reconciliaríamos agora o suficiente para colocar as pessoas de novo em torno da mesma mesa? Pessoas da mesma família, amigos de infância, colegas de trabalho não podem mais conversar? Eu não vou aceitar meu país dilacerado por intolerância política e rótulos enquanto seus inimigos o depauperam e roubam seu futuro.

Não, com fé em Deus e em meus compatriotas, continuarei tentando. Quero conversar (não bajular) com todos os brasileiros que quiserem debater o país. Falar francamente com os empresários que estão falidos, o microempreendedor que está esmagado, a classe média que está pobre e o pobre que está miserável, o trabalhador que está sem direitos, o aposentado que está com proventos atrasados, o desempregado que está desesperado, a esquerda e a direita que falharam tragicamente, e tentar mostrar que esse modelo que tem nos garroteado há 25 anos faliu, nos faliu, e não pode mais continuar nem por um único dia. Acredito que conseguiremos mudar a pauta do debate e colocar o Brasil novamente para dialogar. Por que não seria possível? Quando é que uma transformação social numa sociedade democrática foi diferente?

Somos milhões de brasileiros – entre os quais empresários, operários, autônomos, comerciários, servidores públicos, trabalhadores rurais e aposentados, intelectuais, artistas – levados ao limite de nossa capacidade de suportarmos a exploração para enriquecer ainda mais uma casta de 0,01% de privilegiados. Pessoas que recebem essa riqueza sem qualquer origem meritória e sem que por ela tenham produzido ou arriscado qualquer coisa. Somos uma nação devastada por agiotas.

Temos que ter esperança de livrar este país do parasitismo, pois qual é a nossa opção? Voltarmo-nos uns contra os outros numa luta fratricida pelos restos do rentismo? Uma luta minuciosamente alimentada por seus sócios? Empresários vs. trabalhadores, mulheres vs. homens, brancos vs. negros, trabalhadores privados vs. servidores públicos, militares vs. civis?

Compatriotas, o Brasil chegou ao seu limite, e nos anos vindouros pode estar chegando a hora de sua última chamada.

Esta pode ser a última chamada para aproveitar a janela internacional de juros negativos e realizarmos uma transição suave para fora do rentismo.

Esta pode ser a última chamada para mantermos o que restou de nossa indústria e desenvolvermos setores ainda viáveis.

Esta pode ser a última chamada para salvarmos o Estado-nação e termos um país soberano diante da escalada tecnológica das grandes potências.

Não é coincidência que o neoliberalismo nos tenha destruído três vezes, com Collor, FHC e Dilma-Temer. Agora o veremos em sua face mais cruel na gestão do ministro Paulo Guedes. Não é coincidência que desde que essa máquina de destruição econômica conseguiu hegemonizar o discurso de nossa mídia e classe política, o país tenha sido acorrentado à beira de um abismo para ter seu fígado comido todos os dias pelos abutres da agiotagem nacional e internacional.

Temos que libertar o gigante. Chega de autodesprezo. Somos brasileiros, nós fizemos o país que mais cresceu no século XX, o país que se industrializou em trinta anos. Não podemos assistir impávidos a um governo destruir o país para servir a interesses estrangeiros.

Não precisamos procurar no exemplo chinês ou sul-coreano o caminho de nosso crescimento. Embora possamos e devamos aprender com suas experiências, nunca ninguém fez mais e mais rápido do que nós mesmos já fizemos um dia.

O exemplo somos nós.

Podemos adaptá-lo aos novos tempos e às novas limitações e evitar seus erros conhecidos.

É a tarefa de nossa geração.

Atenda como eu essa chamada do destino, do dever para com nossos filhos e netos e todos os brasileiros que jamais conheceram boas oportunidades na vida. Junte-se a nós para romper a barreira de silêncio da grande mídia sobre a exploração dos juros ao consumidor e às empresas, a destruição da capacidade de investimento do Estado e a falta de um projeto de desenvolvimento. Junte-se a nós para lutar sem cessar contra o projeto de destruição nacional que está sendo implementado por esse governo.

Sim, são todas grandes ambições. E tem se dito de mim a vida inteira que sou um homem ambicioso.

Eu sou.

Tem se dito de mim que minha grande ambição é ser presidente da República. Sim, eu quero. Eu quero muito servir ao meu país como presidente. Mas essa não é a minha ambição.

Se ser presidente fosse a minha verdadeira ambição, eu, que aos 37 anos já tinha sido o prefeito e governador mais popular do país e ministro da Fazenda, que tinha acabado de ajudar a eleger o primeiro governo nacional de um partido do qual era fundador, já teria feito os acordos e dado as cartas que me permitiriam angariar o apoio da mídia e dos bancos brasileiros, já teria prometido em sigilo entregar o país aos interesses internacionais, já teria ao menos sido o candidato do sistema duas ou três vezes, ou ainda me ajoelhado à arrogância personalista de quem acha que pode manter um país inteiro aprisionado à sua vontade.

Aos que pediam minha "Carta aos brasileiros", deixo este livro.

Nele, a reiteração dos compromissos de toda a minha vida.

Porque minha verdadeira ambição não é ser presidente, minha verdadeira ambição é mudar meu país.

Minha ambição é ajudar a transformar o Brasil no país fantástico que ele ainda pode ser. E se um dia eu tiver a honra de presidir este país, antes de tomar posse me despedirei de minha família que amo tanto e entrarei no cargo preparado para mudar o Brasil ou morrer tentando.

Se não tiver, continuarei com a outra honra de dedicar minha vida política à luta para debater com as novas gerações sobre os problemas brasileiros e a necessidade de seguirmos projetos, não pessoas.

Já minha ambição ao escrever este livro é a de despertar em você, que me deu a honra de ler algumas de minhas ideias, um pouco dessa ambição, para que nos ajude nessa caminhada.

Todo dia de manhã, eu venço o impulso de me vergar à tristeza pela situação de nosso país e a transformo em revolta para sair a mais um dia de luta.

Se é muito pedir isso a você, peço ao menos que, não importa o que tenha acontecido ou venha a acontecer ainda, não permita nunca que alguém o faça sentir vergonha de ter esperança em seu próprio país. Porque ter essa esperança não é nada mais do que nosso dever para com nossos descendentes.

Nota do autor

Neste livro, submeto um resumo do meu conjunto de ideias a você, caro leitor, e gostaria de ouvir de volta sua opinião a respeito. Caso queira contribuir com informações sobre uma área de expertise, uma ideia que acha bem fundamentada ou alguma omissão, por favor, envie um e-mail para odeverdaesperança@gmail.com.

Agradecimentos

Este livro, que consolida de forma resumida e naturalmente incompleta meu pensar sobre o Brasil, não deve ser lido como uma produção solitária: é produto de mais de uma década de debates e aprendizado com tudo o que há de plural e capaz em nossa nação. Desde as sofisticadas expressões de nossa fecunda academia e talentosa e criativa comunidade cultural e artística, até nossas irmãs e irmãos nas favelas e periferias do Brasil, por onde ando aprendendo e agitando há mais de quarenta anos. Dou voz a essa inteligência brasileira e me realizo neste papel!

Mas tenho um dever de gratidão imediato com algumas pessoas que mais de perto me ajudaram nesta tarefa, às vezes muito doída, de consolidar uma radiografia de nosso país nesta hora tão trágica de nossa vida comunitária, e de ter a audácia de propor as bases de um projeto nacional de desenvolvimento meio que na contramão de tudo o que é poderoso à esquerda e à direita velhas do Brasil e do mundo.

À Giselle Bezerra, minha esposa, pelo incentivo e até cobrança pela conclusão desta obra, pelas sugestões e opiniões em temas sensíveis e pela paciência amorosa com que me apoia em todas as horas que roubo dela nessa luta pelo nosso país.

Ao irmão que a vida me deu, meu companheiro, o presidente nacional do PDT, Carlos Roberto Lupi, pela lealdade inquebrantável que me garantiu a estrutura partidária e política para lutar tantas batalhas.

A Gustavo Castañon, um agradecimento especial pela paciência, diligência, muito tempo de sua preciosa tarefa de acadêmico, pai e marido dedicado dispensado em me ajudar, além de muitas críticas e sugestões preciosas. Gustavo põe em letras centenas de horas de palestras com uma fidelidade que só um bom amigo e companheiro seria capaz.

Ao professor Roberto Mangabeira Unger, que me dá a honra de prefaciar este livro, mas especialmente, todos verão, por uma instigante influência intelectual que me agrada experimentar tanto por suas ideias audaciosas como por seu amor inexcedível ao Brasil.

Aos professores Mauro Benevides Filho, Nelson Marconi e Flavio Ataliba, como expressões líderes de uma imensa equipe de acadêmicos, estudantes, professores e servidores públicos que me ajuda permanentemente com sua diligência em coletar dados, dar contornos técnicos às minhas inquietações e formular concretudes para resolver nossos complexos problemas nacionais.

A Vicente Gioielli, outro dedicado amigo e companheiro, não só pela diligência em me apontar fatos e dados relevantes como, com sua inteligência privilegiada, em me ajudar permanentemente a entender o Brasil.

Sobre o autor

Ciro Ferreira Gomes nasceu em 6 de novembro de 1957 em Pindamonhangaba, São Paulo. Filho de Maria José Ferreira Gomes e José Euclides Ferreira Gomes, foi para Sobral, a terra de seu pai, defensor público, aos quatro anos.

Formou-se em Direito pela Universidade Federal do Ceará e se tornou professor de direito tributário e constitucional. Ainda jovem, entrou na vida política, tendo sido eleito sucessivamente deputado estadual, prefeito de Fortaleza e governador do Ceará. Foi o prefeito e governador mais popular do país segundo o Datafolha.

Em 1994 foi convocado pelo presidente Itamar Franco para assumir o Ministério da Fazenda no processo de implantação do Plano Real. Logo depois passou uma temporada como Visiting Scholar em Harvard estudando as grandes experiências de desenvolvimento na história.

Em 1998 e 2002, concorreu à Presidência da República pelo PPS. Com a vitória de Lula em 2002, foi convidado para assumir o Ministério da Integração Nacional, tendo sido o responsável pela formulação e começo de implantação do projeto de transposição do rio São Francisco.

Para salvar seu então partido, o PSB, da cláusula de barreira, candidatou-se em 2006 a deputado federal. Foi proporcionalmente o mais votado do Brasil, com mais de 16% dos votos do total. Desde o fim de seu mandato não disputou mais eleições e se manteve afastado da vida política, com um lapso de pouco mais de um ano como secretário de Saúde do Ceará a pedido do irmão Cid Gomes, então governador.

Era presidente da Transnordestina Logística S.A. quando, com o acirramento da crise política e econômica no país, resolveu voltar à cena pública filiando-se em 2015 ao PDT.

Candidato do partido à Presidência da República, ficou em terceiro lugar nas eleições de 2018, obtendo um oitavo dos votos válidos nacionais.

Foi casado por dezesseis anos com a ex-senadora Patrícia Saboya e por doze anos com a atriz Patrícia Pillar. Hoje é casado com a produtora Giselle Bezerra. Tem quatro filhos: Ciro, Yuri, Lívia e Gael; e dois netos, Maria Clara e Gabriel.

ÍNDICE REMISSIVO

agronegócio 124, 152, 167, 168, 171, 239, 245
analfabetismo 161
André Lara Resende 119
Anísio Teixeira 159, 251, 253
Assembleia Nacional Constituinte 48
Atlas da Violência 79, 186
autoritarismo 33, 236

balanço de pagamentos, desequilíbrio 47, 53, 147, 151, 152
Banco do Brics 97, 118
BNDES 38, 40, 72, 73, 76, 117
bolivarianismo 192
Bolsa Família 67, 132, 225, 226
Bolsonaro, Jair
    eleição 31, 81, 140, 232
    Governo 51, 73, 95, 96, 114, 135, 137, 140, 158, 222
Brasil, democracia 31, 37, 40, 42, 48, 59, 176
Brasil, esperança 181, 228, 255, 257, 258, 259, 261
Brasil, participação no comércio mundial 48
Brasil, relações com a China 93, 153, 216
Brexit 91, 100, 209, 232
Brics 19, 72, 97, 99, 118

Caixa Econômica Federal 117
Câmara dos Deputados 71, 137, 178
Camilo Santana 125
campanha presidencial 1998 59
campanha presidencial 2002 60, 142, 250
campanha presidencial 2018 30, 33, 72, 80
Canal do Trabalhador 61
carga tributária 59, 60, 108, 112, 231
Celso Furtado 42
China, crescimento 49, 96, 103, 231, 241
China, relações com o Brasil 93, 153, 216
China, relações com os EUA 88, 93, 216, 223, 241
Cid Gomes 125, 161, 180
ciência e tecnologia 16, 126, 157, 158
Ciro Gomes
    campanha presidencial de 1998 58
    campanha presidencial de 2018 33, 80
    centro-esquerda 200
    governo do Ceará 57, 61, 70, 125, 128, 140, 180
    Ministério da Fazenda 49, 54, 57, 59, 94, 121, 122, 125, 144, 227, 260
    PDT 107
    Projeto Nacional de Desenvolvimento 14, 19, 20, 31, 42, 52, 67, 84, 88, 105, 106, 124, 164, 170, 189, 220, 242

CLT 174, 175
commodities, preços 62, 63, 65, 66, 147, 167, 216, 225, 245
Companhia Hidrelétrica do São Francisco 37
Companhia Siderúrgica Nacional 37
Companhia Vale do Rio Doce 37
concentração de renda 44, 78, 109, 198, 218, 219, 222, 223
Congresso Nacional 26, 71, 190
Consenso de Washington 198, 214, 225, 226
conservadorismo 199
Constituição de 1988, direitos 134
Constituição de 1988, promulgação 40
Constituição de 1988, reformas de base 39, 40
Constituição de 1988, saúde 179
consumo 27, 49, 56, 57, 62, 63, 85, 115, 117, 123, 124, 145, 147, 156, 164, 165, 170, 171, 188, 205, 206, 207, 208, 243, 244, 246
contas externas, déficit 63, 124, 149
crescimento econômico brasileiro 40, 41, 45, 115, 156
crise da dívida 47, 53
crise econômica, atual 23, 28, 31, 47, 48, 73
crise econômica de 2008, subprime 62, 63, 85, 86, 223
crise econômica, raízes 47
crise política, atual 31, 66, 71, 227
crise política, pré-1964 39
crises do petróleo 42
cultura 106, 164, 165, 166, 174, 235

Darcy Ribeiro 44, 159, 235, 248, 251, 253
defesa 19, 20, 43, 124, 152, 153, 239
déficit primário 75, 119, 121
democracia, enfraquecimento atual 30
democracia, reconstrução da 48
desemprego 33, 54, 66, 75, 90, 135, 223, 228, 236
desenvolvimentismo 28, 37, 41
desenvolvimento econômico 43, 96, 102, 104, 107, 114, 203, 220
desenvolvimento industrial 37, 44, 149, 150, 153, 154, 157, 166, 172, 215

desequilíbrio externo 122
desindustrialização 15, 33, 49, 62, 64, 70, 122, 214, 227, 244, 245
Dilma Rousseff
    crise econômica 46, 51, 63, 114
    estelionato eleitoral 80, 81, 227
    Governo 24, 32, 51, 64, 65, 66, 81, 115, 160, 173, 186
    impeachment 71, 72
diplomacia 84, 98
direita 21, 40, 73, 81, 117, 196, 197, 198, 199, 200, 201, 202, 208, 210, 216, 220, 221, 222, 223, 224, 231, 254, 258
dívida pública 51, 59, 60, 62, 74, 76, 77, 119, 126, 127, 128, 139, 170, 227
dívidas, renegociação 116
Donald Trump 89, 91, 93, 96, 209, 215, 216, 223, 232, 233

ecologia 172, 243
Eduardo Cunha
    corrupção 51, 71
    impeachment de Dilma Rousseff 71, 72
educação 18, 44, 105, 107, 108, 111, 112, 113, 125, 126, 132, 145, 159, 160, 162, 163, 164, 170, 174, 200, 216, 224, 230, 231, 234, 238, 242, 243, 246, 250, 253, 254, 257
educação, gastos públicos 160
Edward Snowden 72, 92
Eletrobras 38
Embraer 89, 92, 100, 148, 152
Embrapa 17, 152, 168, 171
empreendedorismo 87, 104, 125, 152, 154, 155, 156, 192, 255, 258
empresas privadas 50, 111, 158, 176, 205
endividamento, famílias 114
Epitácio Pessoa
    Governo 36
Ernesto Geisel
    Governo 99
esquerda, crise 201, 220
esquerda, século XXI 229
esquerda, uma nova 195
Estado de bem-estar social 107, 200, 208, 215, 230, 231, 247, 250

Estado-nação 212, 213, 221, 234, 235, 236, 259
extrema direita, ascensão 195, 201, 209, 215, 220

felicidade 27, 106, 117, 206, 207, 230, 240, 246, 247, 248
Fernando Henrique Cardoso
   crise econômica 45
   Governo 57, 58, 59, 62, 67, 183, 226
   Plano Real 54, 56, 57, 58
   superávit primário 55
finanças públicas, colapso 50
finanças públicas, saneamento 118
Fiocruz 16, 150
FMI (Fundo Monetário Internacional) 60, 86, 97, 98, 214
Forças Armadas 20, 40, 94, 137, 152, 153, 188, 194, 235
formação bruta de capital 102, 103, 104, 129, 131
Franco Montoro 47
Furnas 38, 51

gastos públicos 113, 126
Getúlio Vargas
   deposição 37, 254
   desenvolvimento econômico 43
   Estado Novo 37
   Governo 59
   industrialização 37
   nacional-desenvolvimentismo 28
   Revolução de 1930 36, 44
globalização 42, 85, 106, 206, 208, 209, 215, 244
golpe, 2016 28, 66, 71, 72, 74, 78, 80
golpe militar, 1964 38, 39, 40, 96
Guerra Fria 30, 40, 84, 203

hiperinflação 54, 189

Ideb 161, 162
impeachment 54, 58, 71, 72
imposto de renda 111, 121, 122, 144

impostos 37, 56, 90, 98, 104, 111, 112, 113, 120, 121, 132, 135, 141, 142, 143, 144, 145, 146, 147, 154, 190, 223, 239, 242
indústria 16, 20, 37, 38, 44, 58, 61, 62, 63, 64, 65, 67, 68, 73, 84, 87, 89, 90, 92, 114, 115, 117, 143, 147, 148, 149, 152, 153, 155, 157, 158, 159, 166, 209, 214, 216, 223, 226, 227, 234, 241, 250, 253
indústria brasileira 37, 44, 58, 62, 63, 84, 89, 90, 117, 148, 149, 159, 209, 253, 259
industrialização 36, 37, 42, 43, 44, 93, 124, 148, 213, 214, 241, 251
inflação 38, 42, 45, 53, 54, 55, 56, 57, 58, 61, 64, 66, 76, 77, 89, 123, 174, 258
inflação, descontrole 53
inflação, fim da 53, 56
infraestrutura, projetos de 95, 168
inovação 16, 125, 154, 157, 158, 204
Inpi (Instituto Nacional da Propriedade Industrial) 150, 151, 183
integração latino-americana 93, 94, 99
internacionalização da economia. 38
IPCA 77
Itamar Franco
   Governo 49, 58, 91, 94, 122

Jânio Quadros, 39
João Goulart
   Governo 39, 254
   Parlamentarismo 39
   reformas de base 39
   vice-presidência 38, 254
Joaquim Levy
   crise fiscal 66
   Ministério da Fazenda 73, 227
Jornal Nacional 81
José Sarney
   Governo 49
Julian Assange 72, 92
junho de 2013, manifestações 30, 64
juros, choque de (EUA) 42, 73, 214
juros, gasto com 126
juros, taxa de 66, 76, 77, 123, 127, 156
Juscelino Kubitschek
   Governo 38
   Plano de Metas 38

justiça social 27, 41, 45, 106, 143, 206, 249, 252

keynesianismo 25, 251

Larry Summers 119
Lava Jato, delação premiada 69
Lava Jato, impacto sobre a economia 66, 68, 73, 227
Leonel Brizola 47, 159, 163, 251, 252
liberalismo 15, 198, 202, 231
liberalismo econômico 202, 231, 242
livre-comércio 87, 89, 209, 215
Luiz Inácio Lula da Silva
    Carta aos brasileiros 60
    desindustrialização 15, 49, 62, 227
    Governo 49, 51, 61, 62, 63, 74, 122, 156, 160, 178
    prisão 81
    PT 228
    rentismo 62
    superávit primário 61, 66

matriz energética brasileira 38, 172
meio ambiente 170, 171, 172, 244, 245
mercado interno, expansão 41, 42, 63, 194
Mercosul 54, 94, 95
Michel Temer
    economia 32, 46, 75, 76
    golpe de 2016 32, 173
    Governo 24, 32, 46, 64, 75, 76, 79, 81, 95, 98, 119, 122, 160, 173, 222, 243
Miguel Arraes 47
milagre econômico 40, 103
militares, nacionalismo 43, 215
militares, projeto de desenvolvimento 40
miséria 27, 33, 48, 67, 78, 79, 135, 207, 226, 240, 244, 247

nacional-desenvolvimentismo, modelo 43, 91
nacional-desenvolvimentismo, Vargas 28, 37, 43, 251

neoliberalismo 24, 26, 42, 73, 74, 78, 81, 85, 86, 88, 91, 117, 154, 193, 195, 197, 199, 201, 202, 204, 214, 215, 221, 222, 223, 224, 229, 234, 239, 252, 259
neoliberalismo, Bolsonaro e o 81
neoliberalismo, Collor e o 91, 259
neoliberalismo, Dilma e o 24, 73, 259
neoliberalismo, FHC e o 91, 259
neoliberalismo, propaganda 52, 85, 87, 111, 112, 255
neoliberalismo, Temer e o 24, 74, 78, 259
New Deal 25, 28, 104, 118
Nicolás Maduro 94

OCDE 96, 109, 113, 122, 143, 160, 162, 180, 181
OMC 96, 151, 183
ONU 72, 79, 230, 236
Operação Lava Jato 52, 63, 66, 67, 68, 69, 72, 73, 173, 227

patrimonialismo 249
Paulo Guedes 259
PDT 82, 107, 137, 140, 159, 179, 217, 220, 221, 250, 252, 253, 264
Petrobras 38, 59, 62, 63, 76, 92, 123, 149, 152, 244
PIB, comparação com outros países 35, 48, 49, 110, 112
PIB, dados do 35, 41, 50, 51, 55, 56, 59, 60, 62, 64, 65, 66, 67, 68, 73, 76, 90, 104, 110, 113, 115, 119, 120, 132, 147, 227
PIB per capita (Brasil) 36, 41, 44, 45, 49, 110, 160
Pisa 160, 162, 230
Plano Cruzado 54
Plano Marshall 25, 118
polarização política 28, 30, 81
política ambiental 167, 170, 171, 244, 245
política de desenvolvimento 42
política industrial 54, 87, 88, 115, 123, 147, 151, 156, 214, 226, 241, 243
PPS 58, 250
pré-sal 76, 100, 149, 226
Pré-sal, Lei do 72

Índice remissivo 271

Previdência, capitalização 130, 131, 134, 136, 139
Previdência, criação (por Getúlio Vargas) 133
Previdência, déficit 75, 132, 133, 134
Previdência, Governo Bolsonaro 135
Previdência, proposta Ciro Gomes 124, 129, 137, 138, 139
Previdência, reforma 24, 124, 127, 128, 129, 137, 175
Previdência, repartição 130, 133, 134, 136, 138, 139, 140
projeto nacional de desenvolvimento 14, 19, 20, 31, 42, 52, 67, 84, 88, 105, 106, 124, 164, 170, 189, 220, 242
PSB 250
PSDB 57, 186, 250
PT 31, 32, 58, 67, 73, 80, 81, 101, 114, 130, 186, 193, 218, 221, 224, 225, 226, 227, 228
PT, corrupção 221, 226
PT, crise da esquerda 224, 225
PT, crise do partido 32, 80, 81, 219, 221, 224, 225, 228
PT, Lava Jato 227

reacionarismo 199
real, cotação 66
redemocratização 47, 48, 224, 250, 254, 258
Refis 116
Reforma da Saúde 179
Reforma da Segurança Pública 185
reforma política 175, 176, 179, 227
reforma trabalhista 24, 76, 135, 174, 243
renda, acumulação 211
renda, concentração de 44, 78, 109, 198, 218, 219, 222, 223
renda, desigualdade de 219
renda mínima 86, 139, 208, 234, 240

rentismo 18, 56, 57, 59, 62, 64, 124, 126, 127, 156, 173, 175, 192, 221, 225, 227, 259
Revolução de 1930 36, 44
rio São Francisco, transposição 61, 170, 226
Roberto Mangabeira Unger 157, 238, 253

salário mínimo 63, 67, 136, 139, 226
salário mínimo, criação 43
Saúde, gastos públicos 113, 181, 183
Segurança pública 185, 187, 188, 199, 221
servidores, salários 110
soberania nacional 20, 33, 93, 98, 171
Sobral 18, 161, 162, 163, 253
social-democracia 57, 108, 200, 201, 230, 249, 251
social-democracia, FHC 57
subprime 85, 86
SUS 151, 179, 180, 181, 185

Tancredo Neves 47
taxa Selic 61, 77, 114
tecnologia 16, 43, 84, 89, 90, 105, 125, 126, 149, 150, 151, 157, 158, 208, 214, 216, 231, 232, 233, 234, 235, 236, 247, 253
Teotônio Vilela 47
Thomas Piketty 67
Tigres Asiáticos 241
trabalhismo 201, 249, 250, 251, 252, 253, 254, 255
tributação 17, 122, 143, 146, 147, 191, 231, 236

Ulysses Guimarães 47

violência 27, 39, 79, 97, 98, 167, 185, 186, 187, 188, 207, 213, 219, 256

Em www.leya.com.br você tem acesso a novidades e conteúdo exclusivo. Visite o site e faça seu cadastro!

A LeYa também está presente em:

 facebook.com/leyabrasil

 @leyabrasil

 instagram.com/editoraleyabrasil

 LeYa Brasil

Este livro foi composto em Dante,
corpo 11pt, para a editora LeYa Brasil